D1193162

LA FORCE DE VIVRE

TOME IV
Le courage d'Élisabeth

Saga LA FORCE DE VIVRE

Tome I, *Les rêves d'Edmond et Émilie*, roman, Montréal, Hurtubise, 2009.

Tome II, *Les combats de Nicolas et Bernadette*, roman, Montréal, Hurtubise, 2010.

Tome III, *Le défi de Manuel*, roman, Montréal, Hurtubise, 2010.

Michel Langlois

La Force de vivre

TOME IV

Le courage d'Élisabeth

Roman historique

Hurtubise

Catalogage avant publication de Bibliothèque et Archives nationales du Québec et Bibliothèque et Archives Canada

Langlois, Michel, 1938-

    La force de vivre : roman historique

    L'ouvrage complet comprendra 4 v.
    Sommaire : t. 1. Les rêves d'Edmond et Émilie -- t. 2. Les combats de Nicolas et Bernadette -- t. 3. Le défi de Manuel.
    ISBN 978-2-89647-220-8 (v. 1)
    ISBN 978-2-89647-264-2 (v. 2)
    ISBN 978-2-89647-265-9 (v. 3)
    ISBN 978-2-89647-505-6 (v. 4)

    I. Titre. II. Titre : Les rêves d'Edmond et Émilie. III. Titre : Les combats de Nicolas et Bernadette. IV. Titre : Le défi de Manuel. V. Titre : Le courage d'Élisabeth.

PS8573.A581F67 2009   C843'.6   C2009-941323-X
PS9573.A581F67 2009

Les Éditions Hurtubise bénéficient du soutien financier des institutions suivantes pour leurs activités d'édition :

- Conseil des Arts du Canada ;
- Gouvernement du Canada par l'entremise du Programme d'aide au développement de l'industrie de l'édition (PADIÉ) ;
- Société de développement des entreprises culturelles du Québec (SODEC) ;
- Gouvernement du Québec par l'entremise du programme de crédit d'impôt pour l'édition de livres.

Graphisme de la couverture : René St-Amand
Illustration de la couverture : Jocelyne Bouchard
Mise en pages : Folio infographie

Copyright © 2011, Éditions Hurtubise inc.

ISBN : 978-2-89647-505-6
ISBN version numérique (PDF) : 978-2-89647-556-8

Dépôt légal : 1er trimestre 2011
Bibliothèque et Archives nationales du Québec
Bibliothèque et Archives du Canada

Diffusion-distribution au Canada :
Distribution HMH
1815, avenue De Lorimier
Montréal (Québec) H2K 3W6
Téléphone : 514 523-1523
Télécopieur : 514 523-9969
www.distributionhmh.com

Diffusion-distribution en Europe :
Librairie du Québec/DNM
30, rue Gay-Lussac
75005 Paris FRANCE
www.librairieduquebec.fr

Imprimé au Canada
www.editionshurtubise.com

Personnages principaux

BELL, Lucien : abbé.

BILL, le shaker : prédicateur, ami de Miette.

BOILY, Délina : épouse de Manuel Grenon.

CHAPLEAU, Horace : notaire, ami de Joachim Damour.

DAMOUR, Jean : fils de Joachim Damour et d'Élisabeth Grenon.

DAMOUR, Joachim : médecin à Sainte-Claire, époux d'Élisabeth Grenon, dit John Love.

GILBERT, Marie-Anne : épouse de Jean Damour.

GRENON, Élisabeth : épouse de Joachim Damour.

GRENON, Manuel : époux de Délina Boily et père d'Élisabeth.

HAWKINS, Betsy : dame visitée par John à Chicago.

LAFLAMME, les : Gilbert, Barthélémie, Lucien, Albert, Jacques, Clément et Jeannot, cousins d'Élisabeth Grenon.

LAFLAMME, Aline : épouse de Lucien Laflamme, dite madame Lucien.

LAFLAMME, Jean-Baptiste : parrain de Jean Damour.

LAFLAMME, Lucien : boulanger à Sainte-Claire, oncle d'Élisabeth Grenon.

LAMIRANDE, Fernand dit le rétameur : époux d'Élisabeth Grenon.

MARCEAU, Armandine : épouse d'Horace Chapleau dite madame Horace.

MIETTE : vagabond, ami de Jean Damour.

PESANT, Bertha : propriétaire de la pension Pesant.

PICKET, Mary : fille de Maxime et amie de Jean Damour.

PICKET, Maxime : ami de Miette.

PLATT : jardinier, ami de Miette.

RAMIREZ : propriétaire d'un cirque, ami de Miette.

RAOUL, le vagabond : protecteur d'Élisabeth.

RUTHERFORD : propriétaire d'une entreprise, ami de Miette.

SIMPSON, Frank : patron de Jean Damour.

Ces gens sont d'une race qui ne sait pas mourir.

Louis Hémon

PREMIÈRE PARTIE

LES ANNÉES D'OR

Chapitre 1

Le portrait

Sainte-Claire, hiver 1880

Élisabeth tira l'album de l'étagère. Une photo en tomba qu'elle s'empressa de ramasser. Elle s'assit et, d'un coup, remontèrent à sa mémoire les circonstances dans lesquelles, cinq années auparavant, ce portrait avait été réalisé.

Elle se souvenait qu'une pluie, inhabituelle en cette période de l'année, avait transformé les rues en patinoire. Il fallait avoir des dons d'équilibriste pour parvenir à se tenir debout sur le pavé glacé. Pourtant, précautionneusement, en évitant tous les pièges de la glace traîtresse, comme soutenue par une main invisible, elle était parvenue à destination. Elle n'aurait manqué ce rendez-vous pour rien au monde.

Elle était arrivée à Québec de Métabetchouan trois ans plus tôt, tenant d'une main ferme la petite valise contenant tout ce qui lui appartenait. Son père et Délina avaient pris le temps d'aller la conduire à

Chicoutimi et, de là, dans la voiture du charretier Claveau qui, toutes les deux semaines, faisait le voyage de Québec. Elle était parvenue à destination après cinq journées harassantes, par monts et par vaux, dans des chemins parsemés d'ornières, faits de montées abruptes et de descentes vertigineuses. Elle revivait la forte émotion qu'elle avait ressentie de découvrir une aussi grande ville que Québec. Conduite par le charretier jusqu'à sa pension de la Côte de la Montagne, elle se remémorait l'accueil chaleureux de mademoiselle Bertha Pesant qui considérait chacune de ses protégées comme son enfant.

Après quelques mois à son pensionnat et à l'école, familiarisée petit à petit avec son entourage, sachant désormais parfaitement lire, Élisabeth connaissait très bien le secteur de la Haute-Ville où se dressaient le séminaire et la basilique. Elle avait coutume de s'arrêter, après la messe du dimanche, devant la vitrine de chez Livernois, le photographe, où étaient exposés des portraits de personnes qu'elle ne connaissait pas, mais qui l'avaient fort impressionnée. En plus de ces têtes inconnues, chaque fois qu'elle passait devant la boutique, elle pouvait voir dans la vitrine une photographie en sépia qui, pendant un certain temps, la rendit nostalgique : celle du poste de la Métabetchouan.

Elle utilisa tout son charme pour convaincre mademoiselle Pesant, qui la couvait comme une poule ses poussins, de la laisser s'aventurer seule jusque chez Livernois.

— Mademoiselle, vous ne savez pas ce que serait mon plus grand rêve ?

— Je l'ignore, mais je sens que je vais bientôt l'apprendre.

— J'aimerais faire tirer mon portrait par monsieur Livernois.

— Pauvre enfant, c'est un caprice qui te coûtera une fortune.

— J'ai économisé ce qu'il faut.

Mademoiselle Pesant pinça quelque peu les lèvres avant de lâcher :

— C'est donc pour ça que tu étais si près de tes sous ?

Élisabeth ne releva pas la remarque. Elle savait fort bien que son père avait défrayé pour plusieurs mois les coûts de sa pension. Elle se servit plutôt de toutes ses capacités de persuasion pour soutirer la permission qu'elle voulait obtenir. Mademoiselle Pesant hésita, puis elle dit :

— Tes parents sont au courant de ce caprice ?

— Non ! Mais je suis certaine que mon père voudrait et ma belle-mère si gentille serait d'accord elle aussi, même que c'est peut-être elle qui le déciderait à me le permettre.

Mademoiselle Pesant avait peine à résister au charme d'Élisabeth. Elle se montra quelque peu hésitante, mais la proximité du studio de photographie et l'importance qu'Élisabeth accordait à ce rendez-vous finirent, non sans peine et à la suite de multiples explications, par venir à bout de ses dernières réticences. Elle s'écria d'une voix pathétique :

— Allez, mon enfant, et revenez vite !

Élisabeth se prépara longuement, vérifiant chaque petit détail de sa mise, chaque pli de sa robe. Elle prit un soin tout particulier à se coiffer, ramenant ses longs cheveux roux vers l'arrière avant de les remonter en une torsade sur la nuque et de les fixer au moyen de pincettes. Longtemps, elle s'examina dans le miroir pour s'assurer que le tout tiendrait sans problème. Délicatement, avant de sortir, elle ajusta sur ses cheveux un joli petit chapeau surmonté d'un papillon en ruban. Ainsi coiffée, elle se rendit chez le photographe.

En la voyant franchir le seuil de son studio, monsieur Livernois ne cacha pas son admiration :

— Quel joli portrait vous ferez, mademoiselle ! C'est le cas de le dire, vous êtes belle à croquer !

Ce compliment lui fit monter le sang aux joues. Comme s'il n'en avait pas dit suffisamment, monsieur Livernois lui fit remarquer que le camée piqué sur la dentelle du col de sa robe s'agençait on ne pouvait mieux à ses boucles d'oreille finement ciselées.

— Toute votre mise, ajouta-t-il, dénote un goût sûr et beaucoup de délicatesse.

Monsieur Livernois la fit passer dans son studio.

— C'est la première fois que vous faites tirer votre portrait ? demanda-t-il.

— La première fois de ma vie.

— Quel décor choisirez-vous ?

— Le plus simple possible, répondit-elle tout en examinant la pièce.

— Une toile sans dessin ni fioriture, alors ?

Elle acquiesça.

— Vous avez parfaitement raison, mademoiselle, mieux vaut ne pas introduire en arrière-plan des scènes pouvant distraire du personnage principal, ce qui, dans votre cas, serait fort dommage.

Impressionnée par cet environnement tout nouveau pour elle, Élisabeth semblait un peu crispée.

— Il faut vous détendre, mademoiselle, lui conseilla l'artiste. Il ne faut pas que vous ayez l'air renfrogné. Soyez naturelle, sans ostentation !

Elle demanda :

— Que veux dire « sans ostentation » ?

Le photographe hésita un moment puis répondit :

— Comment dire ? C'est chercher à vouloir trop vous mettre dans vos avantages. Ne vous offusquez surtout pas, chère demoiselle, mais la nature vous a comblé de tellement d'atouts que vous n'avez pas besoin de vous forcer pour les mettre en évidence.

Comme elle esquissait un sourire, le photographe lui dit :

— Maintenant, fermez la bouche et ne bougez plus pendant dix secondes !

Quand, quelques jours plus tard, elle était allée chercher ses photos, elle avait fait la moue en se voyant figée sur le papier.

— Ça ne vous plaît pas ? s'était inquiété monsieur Livernois.

— Pas trop ! Ce sont mes économies de plusieurs mois que j'ai englouties sur ces bouts de papier et le résultat ne me semble pas très bon.

— Vous êtes bien difficile, lui avait-il reproché. Moi je vous trouve exquise sur ces portraits et je vous prédis que vous allez faire tourner bien des têtes.

Arrivée à la pension, elle inscrivit au dos de chacune des photos montées sur carton : Élisabeth Grenon, 14 février 1875, 15, Côte de la Montagne, Québec.

Chapitre 2

Une heureuse collision

Elle en était là dans ses souvenirs quand on frappa à la porte. Elle alla ouvrir. Son visage s'allongea à la vue du visiteur.

— Bonjour, chère Élisabeth ! Vous allez bien ?

— Oui, merci, monsieur le curé !

Il remarqua la photo qu'elle tenait à la main.

— Est-ce un portrait ? demanda-t-il.

Élisabeth hésita à répondre.

— Oui… murmura-t-elle.

— Me feriez-vous le bonheur de me le montrer ?

Elle le lui tendit avec réticence. Il esquissa un sourire.

— Mais c'est votre portrait ! Permettez-moi de vous dire que vraiment, c'est un portrait fort réussi. Vos beaux cheveux et vos yeux magnifiques sont mis en évidence.

Le compliment du curé la fit rougir jusqu'au bout des orteils. Elle ne savait trop quelle contenance prendre. Que lui voulait-il encore ? Elle trouvait que depuis quelque temps, tous les prétextes étaient bons au représentant de Dieu pour s'arrêter la voir, parfois simplement pour demander un service, d'autres fois pour savoir si l'un ou l'autre de ses paroissiens n'était pas venu se faire soigner par Joachim, le plus souvent pour rien d'autre, assurait-il, que le simple plaisir de la saluer.

Ces visites impromptues avaient le don de la mettre mal à l'aise. Elle n'aimait guère cet homme qu'elle trouvait envahissant et peu délicat. Cette fois, il s'était arrêté afin de lui dire qu'il désirait parler à Joachim, lui demandant de passer au presbytère dès qu'il en aurait le temps. Élisabeth l'assura qu'elle lui transmettrait le message. Le curé sourit et, avant de partir, lui tendit la main à la manière d'un évêque qui veut faire baiser sa bague. Élisabeth se dit: il ne pense tout de même pas que je vais lui baiser la main! Le curé sortit. Elle le regarda s'éloigner en poussant un soupir.

Le prêtre parti, elle fit un peu de ménage et lava la vaisselle. Elle fut heureuse de mettre son fils Jean au lit, car elle anticipait déjà le plaisir qu'elle aurait à relire leur vie des quatre années passées, à travers l'écriture imagée de Joachim. Elle se lança sans tarder dans sa lecture. Joachim avait intitulé son récit: *Une agréable collision.*

Joseph-Étienne-Joachim Damour, par la grâce de Dieu, médecin de père en fils, comme ironisait sa tante Aurélie, terminait ses études de médecine à Québec quand, en ce 14 février 1875, effectuant une descente contrôlée sur la glace vive de la Côte de la Montagne, il évita in extremis une collision frontale avec une espèce de locomotive appelée Bertha Pesant, en train de suffoquer dans la montée abrupte. Elle traînait derrière elle un petit paquet de fourrure noire d'où sortait de guingois une tête espiègle.

La locomotive s'arrêta brusquement, son chargement venait de lui échapper, robe et jupon en l'air, entraînée dans la descente par la chute du docteur Joachim. Leur glissade conjointe prit fin dans un banc de neige devant une boutique d'antiquités. Du petit paquet de fourrure surgit une tête enneigée d'où jaillit un rire cristallin qui fit déguerpir un matou perché sur le garde-fou de la maison voisine.

Aussi blanc que la neige autour, le docteur Joachim s'excusa :

— Pardonnez ma gaucherie, mademoiselle, à vous voir rire de la sorte, ça me rassure. Vous n'avez certainement rien de cassé ?

— Pas du tout, monsieur, j'ai tellement aimé ça que je continuerais à descendre volontiers. Ça me rappelle quand j'allais glisser avec mes frères !

La jeune demoiselle avait si bien savouré l'aventure qu'elle s'apprêtait à la poursuivre jusqu'au bas de la côte quand, stationnée plus haut, la locomotive Pesant laissa partir un cri tellement strident qu'un autre matou tapi sur un perron déguerpit d'un coup sec.

— Élisabeth! Remonte ici tout de suite!

— J'arrive! lança-t-elle tout en examinant attentivement le docteur Joachim comme s'il se fût agi d'un oiseau rare.

Galamment, il lui tendit la main pour l'aider à se remettre sur pied. Leurs regards se croisèrent. Deux flammes vives s'allumèrent instantanément, s'entrechoquèrent à mi-chemin entre leurs quatre yeux puis éclatèrent comme des bulles pour s'évanouir dans l'air sec, mêlées à la buée de leur haleine.

La jeune demoiselle tira discrètement de son sac une photo format carte de visite et la tendit au beau docteur, accompagnée d'un sourire complice.

— Tenez, dit-elle, en souvenir de cette collision mémorable.

— C'est bien aimable de votre part, répondit le médecin. Malheureusement je ne peux pas vous rendre la pareille...

Il n'avait pas terminé sa phrase que tout là-haut, la locomotive lançait un autre appel :

— Allons, Élisabeth, amène-toi, nous n'avons pas toute la journée!

Cette fois, ce furent deux matous qui déguerpirent.

— J'arrive, mademoiselle Pesant, j'arrive! Mais c'est très glissant!

En quelques bonds, malgré tout, elle remonta la pente pour aller s'accrocher docilement à la locomotive Pesant qui reprit péniblement sa montée et s'arrêta en haut de la côte, la vapeur lui sortant des nasaux. Elle disparut, suivie de son convoi, derrière une porte basse et étroite. Ce fut ce que le docteur Joachim, de loin, conclut de ses observations. Ce ne fut qu'une demi-heure plus tard, en remontant la côte, qu'il se rendit compte de son erreur. De fort belle dimension, la porte pouvait certainement laisser passer facilement à la fois une locomotive et plusieurs wagons.

Monsieur Joachim, comme on était habitué de l'appeler, tâta la carte de visite dans sa poche. Il avait hâte de pouvoir contempler de nouveau, ne fût-ce qu'en photo, le joli minois et, surtout, d'en connaître le nom complet et les coordonnées. Il accéléra le pas jusqu'à sa pension, rue Sainte-Anne. Assis, les pieds bien au chaud devant un foyer dont les flammes n'auraient pas déplu à Lucifer, il tira de sa poche la photo. Curieux, il regarda d'abord au verso. D'une petite écriture impeccable, sa propriétaire avait écrit ses nom et adresse : « Élisabeth Grenon, 14 février 1875, 15, Côte de la Montagne, Québec. »

Il retourna la photo. À la vue de l'image, un coup de foudre gronda de nouveau au creux de ses entrailles. Les ondes de choc se firent sentir jusqu'au plus profond de son âme. En ce jour de février, une petite étudiante des ursulines, pensionnée chez mademoiselle Bertha Pesant, venait par son minois charmant et ses yeux de feu de conquérir le cœur du plus endurci des célibataires vivant entre les murs de Québec. Joachim Damour, médecin de père en fils, portait enfin dignement son nom : il était tombé amoureux.

Joachim désirait profondément revoir la petite pensionnaire. Il en parla à deux de ses amis qui y allèrent chacun de leur suggestion.

— À ta place, dit le premier, j'irais directement à sa pension. Après tout, ce n'est plus une enfant. Quel âge lui donnerais-tu ?

— Une vingtaine d'années.

— Elle n'est peut-être pas encore majeure, mais ça importe peu, elle le sera sans doute bientôt.

— Mais vous ne connaissez pas la demoiselle chez qui elle loge ! Elle a l'air d'un dragon ! Au moins, je sais que cette logeuse s'appelle Pesant.

Le second des amis de Joachim promit de prendre information sur cette demoiselle Pesant.

Dès le lendemain, l'ami en question revint trouver Joachim pour lui dire :

— Cette demoiselle a la réputation d'être très coriace et de veiller jalousement sur ses pensionnaires. Tu devras être très rusé.

Joachim ne se découragea pas pour autant. Le lendemain, il faisait le pied de grue en haut de la Côte de la Montagne, se servant comme paravent d'un mur de soutènement, devant un édifice gouvernemental. À sept heures pile, trois demoiselles sortirent bruyamment de la pension Pesant. Elles pépiaient sans arrêt, en route pour la rue du Parloir où les attendaient, comme il l'apprit plus tard, les maîtresses de leur vie : mère du Saint-Sépulcre de la Visitation et mère Sainte-Ursule de la Renonciation. La simple écriture des noms de leurs maîtresses, paraît-il, leur servait à la fois d'exercice de français et de calligraphie. Les trois demoiselles l'avaient appris à leurs dépens quand, après certaines espiègleries jugées déplacées, elles avaient dû copier cent fois : « Je ne dérangerai plus mère du Saint-Sépulcre de la Visitation » ou encore, « Je serai plus polie envers mère Sainte-Ursule de la Renonciation ». Grâce à ce traitement, semble-t-il, elles avaient promptement supprimé ou presque leurs espiègleries, du moins en présence des révérendes mères. Par contre, et Joachim en avait été maintes fois témoin, une fois libre de la surveillance, elles adoraient lâcher la bride à leurs folies. Leurs audaces, pour le salut de leurs âmes, de leurs parents et de leurs éducatrices, demeuraient fort heureusement bien couventines.

Joachim, il va sans dire, désirait en connaître plus sur celle qui avait fait la conquête de son cœur. Qui était cette Élisabeth Grenon ? D'où venait-elle ? Pourquoi pensionnait-elle chez cette demoiselle Pesant ? Après avoir longuement réfléchi, il pensa trouver un début de réponse en se présentant chez le photographe Livernois. Il prit le prétexte de faire tirer à son tour son portrait pour tenter d'en connaître davantage sur celle qui occupait toutes ses pensées. Quand il pénétra au studio de photographie, il avait en main le magnifique portrait qu'il contemplait chaque jour.

Monsieur Livernois le reçut avec beaucoup d'amabilité. Joachim prit le temps de faire prendre son portrait avant de demander au photographe :

— J'ai une information à obtenir et je crois que vous saurez m'éclairer.

— Si je peux faire quelque chose pour vous, monsieur, dit le photographe, je le ferai volontiers.

Il montra le portrait à monsieur Livernois.

— Cette jeune femme est venue se faire photographier chez vous. Pourriez-vous me dire qui elle est, au juste ?

— Cette demoiselle ? Qui oublierait un aussi beau minois ? C'est une demoiselle Grenon, si ma mémoire est bonne, Élisabeth Grenon. Lui serait-il arrivé un malheur quelconque ?

— Non ! Mais elle est venue voir un de mes confrères et a oublié cette photo. Vous a-t-elle dit d'où elle venait ?

— Ah, ça non, sauf qu'elle pensionne non loin d'ici chez mademoiselle Bertha Pesant.

— Merci de cette précieuse information. Je pourrai lui rendre sa photo.

Voilà tout ce à quoi aboutit la démarche de Joachim. Il n'avait rien appris qu'il ne savait déjà.

Chapitre 3

Une visite déterminante

Après avoir lu ces pages, Élisabeth demeura songeuse un long moment. Elle laissa défiler dans son esprit ces beaux souvenirs et soupira. « Comme le temps passe vite, quatre ans déjà ! » Elle se frotta les yeux et poursuivit sa lecture.

Malgré son bon vouloir, en ces jours malheureux, Joachim ne put, à son grand désespoir, apercevoir que de loin la sujette de ses convoitises. Son guet des jours suivants ne fut pas plus fructueux. Mademoiselle Élisabeth, pour la sauvegarde de son corps et de son âme, ne sortait jamais seule. Si ses deux éternelles et joyeuses ombres ne l'accompagnaient pas, la locomotive Pesant franchissait le seuil en sa compagnie.

Comment allait-il parvenir à lui parler en tête à tête ? Comment pourrait-il séparer des inséparables ou encore soulager une si frêle créature d'un aussi pesant fardeau, celui de cette demoiselle au nom si approprié ? Chaque fois qu'il regardait le cher portrait, son cœur s'emballait, ses mains devenaient moites et trois plis profonds comme des sillons barraient son front. Il avait beau faire appel à toutes ses connaissances de médecine et de philosophie, l'inspiration ne se manifestait pas.

Puis voilà qu'un ami — n'est-ce pas à ça que servent les amis ? — lui fut soudain d'une aide précieuse. C'était environ quinze jours après la collision. Cet ami arriva, tenant à la main le journal *L'Événement*.

— Joachim, dit-il, je crois avoir trouvé pour toi le moyen de voir ton Élisabeth et de prendre contact avec elle sans attirer la moindre suspicion de la demoiselle chez qui elle pensionne.

— Quoi donc ? Tu aurais trouvé une faille dans l'armure ?

— Absolument, et c'est un article de ce journal qui m'en a suggéré l'idée.

L'ami posa le journal devant Joachim et lui dit :

— Lis ça !

Joachim se plongea dans la lecture de l'article en question. Quand il eut terminé, il regarda son ami et dit :

— Je ne vois pas quel rapport il y a entre ce texte et la pension Pesant...

— C'est que tu manques d'imagination.

— Explique-toi, je t'en prie !

— Il y est question de la visite des maisons par des inspecteurs.

— Quel rapport?

— Devance-les de quelques jours!

Une lumière vive s'alluma alors dans l'esprit de monsieur Joachim et lui burina l'âme, dont l'écrin s'ouvrit instantanément aux plus vives espérances. Il avait enfin trouvé le moyen lui permettant de communiquer avec la flamme de sa vie. La tentation s'avérait très vive. «Devance-les de quelques jours», continuait à lui souffler une voix en lui, qui avait remplacé celle de son ami, et était celle de son démon intérieur qu'il confondit avec Cupidon. Il se garda bien de faire la sourde oreille.

Ce fut donc l'âme parfaitement en paix, après de longs préparatifs, que le lendemain vers les quatre heures, il s'amena au 15, Côte de la Montagne. Telle la tour massive du château Saint-Louis, mademoiselle Bertha Pesant se dressa devant lui avec tout le poids et l'envergure de ses deux cent soixante-douze livres. Elle obstruait entièrement l'entrée, de sorte que Joachim eut à recourir à toute son autorité et dut longuement expliquer et démontrer par le menu les raisons de sa visite impromptue.

— Bonjour madame! Comme vous l'aurez appris par les journaux, nous devons inspecter toutes les maisons et tous les appartements afin de constater si les installations sanitaires et celles contre les incendies répondent bien aux normes prescrites.

— Qu'est-ce qui me prouve que vous êtes bien un de ces inspecteurs? Il me semble vous avoir déjà vu quelque part. Montrez-moi vos papiers!

— À quoi dois-je attribuer votre méfiance ?

— Je sais que je vous ai déjà vu, mais je ne me rappelle pas où.

Pendant ce temps, Joachim fouillait dans son porte-documents. Il se rendait bien compte que ses paroles, si bien tournées fussent-elles, ne viendraient jamais à bout de cette montagne de doutes et de suspicions. Il sortit une liasse de beau papier parcheminé qu'il avait eu la prévoyance d'apporter.

— Donnez-moi encore un instant, dit Joachim en même temps qu'il extirpait de ses documents une fausse carte d'identité aux armes des inspecteurs municipaux, qu'un de ses amis avait réalisée pour lui. Il l'exhiba sans sourciller sous le nez de la demoiselle.

— Tenez, dit-il, voilà ma carte.

La demoiselle la regarda attentivement.

— Vous me semblez bien, dit-elle, être celui que vous prétendez.

— Qui voudriez-vous que je sois sinon ?

Le papier officiel finit par faire fondre les dernières réticences. C'est donc avec une facilité relative que Joachim parvint à se glisser dans toutes les pièces de cette mystérieuse pension si chère à son cœur. La chambre de mademoiselle Élisabeth se trouvait à l'étage. Elle donnait précisément sur la façade. D'une voix de coloratura, la maîtresse de maison annonça l'arrivée du visiteur :

— Mademoiselle, s'il vous plaît, veuillez accueillir monsieur l'inspecteur municipal.

Élisabeth se leva de sa chaise pour se retirer discrètement le long du mur, près du lit.

— Bonjour, mademoiselle! fit Joachim. Excusez cette intrusion. Ne vous alarmez pas, l'inspection sera vite faite.

À la vue de cet homme, la jeune femme retint visiblement un cri de surprise. Le faux inspecteur eut toutefois le temps, en la saluant, de voir surgir de nouveau dans ses yeux rieurs, l'espace d'une fraction de seconde, la petite flamme qui lui avait déjà transpercé le cœur. Il tourna autour du lit, fit semblant d'inspecter la fenêtre, se pencha et s'attarda un moment au-dessus de la commode, poussa une chaise, sortit sa plume d'oie, griffonna quelque chose, salua l'occupante et quitta la pièce, le cœur léger, l'âme au septième ciel.

Il expédia le reste de son inspection. Quand, après mille excuses, autant de courbettes et de remerciements, la locomotive sur les talons, il parvint enfin dans la rue, mine de rien, en traversant, il jeta un coup d'œil par-dessus son épaule du côté de l'étage et aperçut à la fenêtre une main menue laissant discrètement retomber le rideau.

L'aguichante Élisabeth trouva sur sa commode la carte de visite de Joachim, sa photo, son adresse et le moyen que, dans sa grande sagesse, il avait si longuement mûri, afin de leur permettre de communiquer à l'avenir en toute quiétude.

Février, pourtant le mois le plus court de l'année, avait mis beaucoup de temps à finir, allongeant interminablement l'hiver. Mars était maintenant bien entamé. Monsieur Joachim souffrait de ne pas pouvoir obtenir un tête-à-tête avec l'élue de son cœur. Il avait si hâte de faire plus ample connaissance. Amoureux, il l'était, jusqu'au plus profond de son être. Il voyait sa dulcinée tous les jours, sans pourtant pouvoir lui adresser la parole. Il la croisait tous les matins près du bureau de poste, en compagnie de ses inséparables, en route vers le couvent. Invariablement, au moment du croisement, elle laissait tomber derrière elle le petit mot doux et pourtant plein de flammes qu'il ramassait précieusement et lisait en le goûtant avec autant de plaisir que le meilleur gâteau à l'érable. Dans une anfractuosité du mur, près de la pension, il glissait sa réponse qu'elle recueillait précieusement chaque soir.

Les billets, toujours trop courts, d'Élisabeth disaient les choses en lettres menues que le médecin lisait chaque fois avec un plaisir grandissant.

Quel bonheur est le mien d'avoir obtenu votre nom et votre adresse. Il me semble maintenant que vous êtes plus près de moi tous les jours. J'ai grande hâte de pouvoir vous parler à cœur ouvert.

Élisabeth

Ou encore :

Joachim, faites attention à vous! Je ne voudrais pas vous perdre comme j'ai perdu mon premier mari. Vous serez peut-être heureux d'apprendre que je terminerai mes études au printemps. Je me destine à l'enseignement. Soyez prudent afin que notre correspondance ne soit pas découverte.

Élisabeth

Le docteur se faisait toujours rassurant.

Chère Élisabeth,

Quel heureux hasard a voulu qu'en ce mois de février dernier une malencontreuse chute de ma part nous ait entraînés tous les deux dans cette mémorable glissade! Jamais je n'oublierai vos yeux si beaux, plein d'éclairs et d'étincelles et ce rire qui m'est allé droit au cœur. Oui, nous trouverons le moyen de nous rencontrer, de parler ensemble de notre avenir. Vous verrez, ce temps n'est peut-être pas si lointain que vous le supposez. J'ai bien trouvé une première façon de vous contacter, j'inventerai certainement celle de vous parler cœur à cœur sans ces barrières qui nous séparent si cruellement.

Votre Joachim

L'échange de billets suivait son cours, mais rien ne laissait présager une rencontre prochaine. Pour son plus grand malheur, Joachim apprit par un dernier billet de son élue qu'ils ne pourraient plus désormais ni se voir ni s'écrire.

Cher Joachim,

Ma petite missive, je le sens, va vous faire de la peine, comme la nouvelle que je vous annonce m'en a causée. Sachez que les vrais inspecteurs sont passés à la pension. Il semble bien que mademoiselle Pesant s'est tout à coup rappelé notre rencontre de la Côte de la Montagne. Elle est venue me trouver et m'a demandé si je vous connaissais. J'ai dû lui dire que je vous avais rencontré dans les circonstances que vous savez. Elle a décidé, pour les deux mois qui me restent à étudier, de demander aux religieuses de m'accepter comme pensionnaire. Cette décision m'a beaucoup attristée. Est-ce que j'aurai le bonheur de vous revoir? J'en doute, puisque dans deux mois, je retournerai à Métabetchouan.

Votre Élisabeth qui a le cœur brisé

Joachim en fut quitte pour des mois d'attente, jusqu'aux vacances du début d'été où il reçut une lettre de sa chère Élisabeth lui apprenant la fin de son apprentissage scolaire. Il lui fallait vraiment faire meilleure connaissance avec elle. Il se souvenait qu'elle avait parlé de Métabetchouan. Sans hésiter, alors que débutaient les beaux jours de juillet, il prit un vapeur remontant le Saint-Laurent puis le Saguenay jusqu'à Port-Alfred. De là, il loua les services d'un maître de barque qui le mena jusqu'à Métabetchouan.

Chapitre 4

Le docteur à Métabetchouan

Au terme de cette lecture, Élisabeth avait le cœur tout chaud. Elle déposa le journal sur la table et se mit à penser à son beau Joachim, l'amour de sa vie, qu'elle connaissait à peine quand, au mois de juillet 1875, elle le vit soudain arriver à Métabetchouan. Tout de suite, il avait su se faire accepter par son père et surtout par Délina.

Élisabeth se rappelait la conversation qu'elle avait eue avec sa belle-mère.

— Chère ! Comment as-tu fait pour trouver ce si beau docteur ?

— Je n'ai rien fait de spécial, c'est arrivé comme ça ! Il a perdu pied sur la glace dans la Côte de la Montagne. Il m'a entraînée dans sa chute et c'est comme ça que nous nous sommes connus.

— Je suis très heureuse que le hasard ait si bien fait les choses. Penses-tu qu'il t'aime ?

— Oh, oui ! Sinon il ne serait jamais venu jusqu'ici. Heureusement que je lui ai écrit avant de partir de

Québec. C'est là que je lui ai dit où je restais et, vous voyez, il est venu.

— T'as raison, chère, il ne se serait pas déplacé s'il n'avait pas une très haute estime de toi. Est-ce qu'il t'a dit qu'il t'aime ?

— Pas encore !

— Et toi, lui as-tu laissé entendre que tu l'aimais ?

— Pas vraiment ! J'ai un peu peur. S'il fallait que je le perde comme j'ai perdu Charlabin et Benjamin, je pense que je deviendrais folle.

— Chut ! fit Délina. Dis pas des choses de même, ça apporte le malheur !

Après ce retour en pensée à Métabetchouan, Élisabeth reprit sa lecture.

Joachim passa deux semaines, cet été-là, chez les Grenon. Il eut tout loisir de causer avec sa chère Élisabeth. Chaque jour, ils partaient tous les deux, empruntant le sentier le long des berges du lac pour remonter tranquillement la Métabetchouan jusqu'au pied de la chute. Au début, une certaine gêne les empêchait de parler d'autre chose que de la pluie et du beau temps. Élisabeth en fit d'ailleurs la remarque.

— C'était beaucoup plus facile de vous dire par écrit ce que je voulais vous dire.

— D'abord, reprit Joachim, tu vas laisser tomber le vous et le remplacer par le tu, tout comme je viens de le faire. Le fait de nous tutoyer nous aidera à mieux communiquer.

C'est ainsi qu'Élisabeth lui raconta son enfance, leur venue à Métabetchouan, son mariage avec Charlabin, la naissance de son fils Benjamin, le silence de Charlabin, la disparition de Benjamin et comment elle s'était retrouvée pensionnaire chez mademoiselle Pesant. De son côté, le docteur Joachim se fit mieux connaître quand il lui posa la question suivante :

— Sais-tu où se trouve Portneuf ?

— Je n'en ai aucune idée.

— Ce n'est pas loin à l'ouest de Québec, sur la rive nord. C'est là que je suis né le 16 avril 1850. Tu as appris à compter, ça me donne quel âge ?

Sa chère Élisabeth fronça les sourcils, se concentra et fut tout heureuse de lui dire :

— Vingt-cinq ans !

— Tout juste ! reprit Joachim. Et toi, ma chérie ? Si tu me permets de t'appeler ainsi ? Et même si tu ne me le permets pas, c'est ainsi que désormais je vais t'appeler. Eh bien ! Toi, je sais que tu as vingt-quatre ans, ce qui veut dire que nous avons encore toute la vie devant nous.

À ces paroles, la belle Élisabeth se mit à rougir, si bien que son passionné docteur la complimenta davantage :

— Tu sais que ça me rappelle notre rencontre ? Tu étais alors toute rouge de froid, tandis qu'aujourd'hui, comme c'est curieux, te voilà toute rouge de chaleur ! Tu ne peux pas savoir comme tu es belle avec un teint pareil. Tes joues sont comme deux superbes pommes. Qu'est-ce qui t'a fait si plaisir à entendre?

Elle mit un peu de temps à répondre, comme quelqu'un qui adore se faire prier.

— Tout! Tout m'a fait plaisir, d'abord parce que nous allons pouvoir nous dire tu, ensuite parce que tu m'as appelée chérie et parce que tu as ajouté à la fin que nous aurions beaucoup de temps à vivre ensemble.

Son Joachim sourit, heureux que ses paroles, bien calculées, eussent atteint leur cible. Il sentait son Élisabeth troublée et choisit de ne pas pousser son avantage plus loin, préférant se lancer dans le récit de son enfance.

— Chérie, tu as devant toi un orphelin. D'abord j'ai perdu mon père alors que j'avais deux ans. C'était un bûcheron. Il a été tué par la chute d'un arbre abattu par un de ses compagnons. Un accident bête, paraît-il, qui ne se produit jamais, mais qui arriva cette fois-là et qui lui fut fatal.

— Ta mère a dû le prendre très mal?

— C'est certain que, pour elle, ce fut un moment très pénible à passer. Mais ce que j'en sais, je l'ai appris par ma tante Aurélie, la sœur de ma mère. C'est elle qui m'a recueilli quand ma mère est morte, deux ans plus tard, des suites d'une longue maladie.

— Est-ce qu'elle était jeune à sa mort?

— Elle avait l'âge que j'ai présentement.

— Tout cela est bien triste, remarqua Élisabeth. Une chance que tu as eu ta tante!

— À qui le dis-tu! Cette tante vivait seule, mais vouait un amour sans borne aux livres. Elle était bibliothécaire à Québec. C'est comme ça que je me suis retrouvé dans cette ville. J'y ai fait mes études au Séminaire et à la toute nouvelle faculté de médecine de l'Université Laval. Et tout cela a abouti à notre heureuse rencontre.

À l'évocation de ce souvenir, Élisabeth esquissa un sourire et ajouta:

— Mon père et Délina sont très contents que tu sois venu me voir.

— Est-ce que, pour eux, tu es de retour à Métabetchouan pour longtemps?

— Ils pensent certainement que je vais faire ma vie ici.

— Que vont-ils dire quand j'aurai trouvé du travail, si jamais je veux t'avoir avec moi pour me seconder?

— Je l'ignore!

— As-tu l'impression qu'ils te laisseront partir?

Élisabeth se montra hésitante, ce qui inquiéta son cher docteur.

— Je ne sais pas du tout…

— Et toi, chérie, quitterais-tu Métabetchouan si je te le demandais?

— Ah, oui! Mais ce serait bien mieux si tu venais travailler ici.

— À Métabetchouan? Tu n'y penses pas: il n'y a pas assez de monde. Ça me serait impossible d'y gagner ma vie.

— Mais à Chicoutimi, ou à Saint-Jérôme?

Joachim regarda son Élisabeth droit dans les yeux.

— Chérie, dit-il, ce n'est pas facile d'obtenir une bonne place de médecin. À Saint-Jérôme, je crois qu'il y en a déjà un, ce qui est amplement suffisant. À Chicoutimi, si j'ai bonne mémoire, il y en a au moins trois. Un quatrième ne pourrait y gagner sa vie. Depuis que j'ai terminé mes études de médecine, j'ai cherché du travail partout. Tu sais que j'attends une réponse bientôt pour un poste où j'ai fait application. C'est dans un très beau village. Le vieux médecin qui y exerçait se meurt. Nous sommes plusieurs sur le coup, mais si jamais j'obtiens le poste, je te promets que tu seras une des premières à le savoir et je t'attendrai là à bras ouverts.

— C'est où, au juste?

— À Sainte-Claire, dans le comté de Dorchester.

— À Sainte-Claire! s'écria Élisabeth, tout heureuse.

— Tu connais la place?

— Ma mère venait de là! Mon oncle Lucien est le boulanger de Sainte-Claire. J'y ai beaucoup de cousins.

Joachim se montra enchanté.

— Tu vois comme la vie nous réserve parfois d'heureuses surprises! Comme le monde est petit!

Élisabeth, restée longtemps songeuse, était déchirée entre deux désirs, celui de poursuivre sa vie à Métabetchouan et celui de quitter ces lieux au premier appel. «Si jamais, se dit-elle, il va à Sainte-Claire et me demande de l'y rejoindre, je pense que je vais y aller à la course.» Elle sourit à la pensée qui venait de lui traverser l'esprit. De la voir sourire, Joachim se sentit rassuré.

Après deux semaines de séjour chez les Grenon, il regagna Québec. En le voyant partir, sa chère Élisabeth, comme elle le lui raconta plus tard, revécut une fois de plus le départ, quelques années auparavant, de son Charlabin.

«Non, se dit-elle, je ne laisserai pas mourir un deuxième amour. Cette fois, je le suivrai là où il ira.»

Chapitre 5

Un périple mouvementé

Élisabeth avait du mal à se rappeler comment les choses s'étaient autant précipitées entre la visite de Joachim à Métabetchouan et son engagement à Sainte-Claire en remplacement du vieux docteur Pomerleau qui venait de rendre l'âme.

Elle reprit les feuillets posés sur la table, avide d'évoquer le souvenir de leur voyage à Sainte-Claire, en ce début de l'automne 1875.

La goélette *Marie-Clarisse* était amarrée au quai de la Basse-Ville, prête à faire voile pour la rive sud, quand Joachim et Élisabeth y montèrent avec leurs grosses malles, qu'un porteur vint déposer sur le pont du navire. Quelques minutes plus tard, à la faveur d'un bon vent d'ouest, le vaisseau quitta le port de Québec en direction de l'île d'Orléans.

— Serons-nous à temps à Saint-Michel pour la diligence de onze heures ? demanda Joachim au capitaine.

— Avec ce bon vent d'ouest, il n'y a rien à craindre, le rassura-t-il, nous serons là bien à temps.

— Vous avez l'habitude de ce genre de voyage ?

— Je le fais tous les jours depuis vingt ans, quand le temps le permet.

Joachim, que tout intéressait, poursuivit la conversation en demandant au capitaine s'il avait déjà failli faire naufrage.

— Ben crère, mon garçon, que j'ai manqué le naufrage de près plus d'une fois. La pire est survenue, voilà quatre ans, à cause des vaches que je transportais, un troupeau d'une vingtaine de têtes. Y est arrivé un gros coup de vent, les vaches se sont toutes déportées en même temps à tribord. Ça m'a pris toutes mes réserves pour empêcher la *Marie-Clarisse* d'aller par le fond. On a embarqué beaucoup d'eau. C'est peut-être même ça qui nous a sauvés. La goélette a retrouvé son balan. On a mis plus d'une heure à nous débarrasser de cette flotte. J'ai accosté à Saint-Michel, au quai le plus près. On a fait descendre les vaches. J'allais les livrer à Montmagny. Elles ont fait le reste du voyage à pied.

Pendant tout le temps de cette conversation, le vieux loup de mer guidait sa goélette à vive allure. La traversée se fit ainsi entre deux pipées et vingt crachats. La chère Élisabeth, dont c'était le premier voyage en bateau, ne semblait pas trop rassurée, mais dès que Joachim l'entourait de ses grands bras et la pressait contre lui, elle retrouvait tous ses moyens, car elle le repoussait vivement et rougissait jusqu'à la racine de ses beaux cheveux déjà roux.

— Mon grand fou, tu en profites !

— Je ne fais que te protéger…

— Mais il ne faudrait pas me protéger beaucoup plus fort pour qu'il se passe quelque chose que je ne veux pas tout de suite.

— J'ai compris ! J'ai compris !

Joachim desserrait les bras avant de recommencer quelques minutes plus tard quand le vaisseau traversait de fortes vagues ou était secoué par une rafale soudaine.

Ils accostèrent au quai de Saint-Michel à la demie de dix heures. Trois voitures y attendaient les voyageurs, selon leur destination. Un grand six pieds au cou de taureau leva sa casquette à leur approche :

— Vous allez où comme ça ?

— À Sainte-Claire !

D'un coup de poignet bien assuré, le cocher souleva une première malle, la déposa à l'arrière de sa charrette, puis fit prendre avec autant d'aisance le même chemin à la seconde.

— Les passagers pour Sainte-Claire, en voiture ! cria-t-il.

Il aida mademoiselle Élisabeth à prendre place sur le banc arrière. D'un bond, Joachim fut à ses côtés.

— On peut connaître votre nom ? s'informa le charretier.

— Joachim Damour, dit-il en lui serrant la main.

— Et vous, mademoiselle ou madame?

— Élisabeth Grenon.

— Enchanté, monsieur et madame, moé c'est Charles Guimont. Vous êtes sans doute le nouveau maître d'école?

— Non pas, je suis le nouveau médecin.

Une petite vieille aussi fripée que sa robe s'approcha à son tour, toute tremblotante. D'une voix émoussée se faufilant avec peine entre le reste de ses dents jaunies, elle demanda:

— C'est-y ben la voiture pour Saint-Charles?

— Vous l'avez dit, madame, grogna le charretier, Saint-Charles, Saint-Gervais, Sainte-Claire!

— Comment vous dites, jeune homme?

Le charretier hurla:

— Pour Saint-Charles, Saint-Gervais et Sainte-Claire, c'est icite!

— Ah! Je creyais que cette charrette allait à Saint-Charles, dit la bonne femme.

Elle se dirigeait vers la charrette suivante quand le sieur Guimont la rattrapa et lui cria dans l'oreille que c'était lui qui passait par Saint-Charles.

— Pas si fort, jeune homme, je suis pas sourde! s'indigna-t-elle, en lui pointant une énorme malle restée sur le quai. Auriez-vous la bonté de la monter?

Pendant que le charretier s'exécutait, la vieille s'amenait, toute chambranlante, sur l'erre d'aller de ses soixante-quinze ans révolus.

Joachim lui tendit la main pour l'aider à monter, cependant que le conducteur, ne mesurant pas sa force, d'une seule main lui donna une poussée suffisante pour la mettre en orbite. Elle vint choir tout contre Élisabeth, pendant que ses lunettes faisaient un vol plané jusqu'au fond de la charrette. Chassé de sa place contre son gré, Joachim s'installa, pieds ballants, à l'arrière de la charrette. Bien lui en prit, car il eut tout loisir par la suite d'admirer le paysage grandiose offert à ses yeux tout au long de la montée.

Le petit cheval gris avançait d'un pas régulier. De chaque côté de la route empoussiérée, des champs marbrés d'or et de vert s'étendaient en pente douce jusqu'au fleuve. Le majestueux cours d'eau réfléchissait les bleus du ciel à perte de vue. L'île d'Orléans dressait un ventre proéminent, comme le dieu Bacchus, dont elle avait déjà porté le nom, cuvant une cuite éternelle. Sur la rive nord, tels des nichons géants, les Laurentides se bousculaient dans toutes les nuances de bleu et d'indigo.

Au fur et à mesure de l'ascension, la route se refermait sur ce grand livre d'images où se succédaient, de coteau en coteau, de page en page, des scènes nouvelles, faites de maisons à lucarnes, d'érablières grises et de ruisseaux mystérieux. Tout le long de la route, les fermes défilaient en un parfait alignement. Parfois, un chien jappeur surgissait d'un fourré. Le petit cheval se cabrait. Le fouet du charretier sifflait d'un coup sec et réexpédiait l'audacieux dans son fourré, queue entre les pattes.

— Les maudits chiens mal élevés, grognait le charretier, ça mériterait qu'on les fasse disparaître avec leurs maîtres.

Joachim fit remarquer :

— Il y en a qui sont quand même bien utiles pour aller quérir les vaches.

— Inquiétez-vous pas, docteur, ceux-là viennent pas japper après nous autres.

— C'est comme pour le monde, reprit Joachim, il y en a des biens élevés et d'autres qui ne valent pas cher…

— Y a du monde qui sont pas du monde, acquiesça le charretier. Y en a que ça vous fait même pas plaisir de les transporter.

Pendant que son Joachim placotait avec le conducteur, sagement, Élisabeth écoutait les propos confus de sa voisine de banquette. De temps à autre, Joachim lui jetait un coup d'œil à la dérobée. Cela suffisait pour leur tirer un sourire entendu doublé d'un court frisson délicieux. Leur amour était là pour durer.

La Durantaye disparaissait déjà dans le passé. On pouvait apercevoir au loin, en haut des coteaux, le clocher blanc de Saint-Raphaël. La plaine de Bellechasse s'étendait à perte de vue dans toute la richesse de ses terres agricoles. La charrette emprunta la première route de rang en direction de Saint-Charles. Le petit cheval prenait son temps. Les ardeurs du soleil semblaient avoir eu gain de cause sur le cocher, dont l'échine ployait vers l'avant, par petites secousses, de façon inquiétante.

Impatient, Joachim se raclait la gorge à un rythme de plus en plus accéléré. Le bonhomme ne réagissait pas. Il dormait, pipe aux lèvres, le menton sur la poitrine. Le petit cheval en profitait pour traîner de la patte. Joachim sourit à sa chère Élisabeth. Un petit clin d'œil à son intention, et vlan, un petit caillou frappa de plein fouet la croupe du cheval. Pendant deux minutes au moins, l'animal prit son rôle presque trop à cœur. Les poteaux des clôtures se mirent à défiler à un rythme accéléré. Tiré brusquement de son sommeil, le charretier avait beau retenir les cordeaux à grand renfort de « Wô ! Ti-Gris, doucement Ti-Gris », l'animal filait son train comme si une ruche entière lui collait au derrière. Secouée tel un pantin, la vieille menaçait à chaque seconde de se disloquer, pendant qu'à ses côtés, pâmée de rire, la belle Élisabeth cherchait son souffle sous les regards furibonds de Joachim, préoccupé de conserver le mystère absolu autour de cette soudaine et folle envolée.

— Qu'est-ce qui lui a pris ? Qu'est-ce qu'il lui a pris ? ne cessait de répéter le sieur Guimont.

— Un taon l'aura sans doute piqué, insinua le docteur.

— Ça arrive, mais d'habitude y fait pas le fou de même et aussi longtemps. Si c'est un taon, il devait être gros en baptême ! Vous avez rien vu ?

— Non ! Je regardais sans doute ailleurs.

La réponse du docteur fit glousser sa chère Élisabeth. Le charretier s'en rendit compte et demanda :

— Qu'est-ce qui vous rend si de bonne humeur, mademoiselle ?

Élisabeth trouva tout de suite une excuse :

— Quelque chose que la vieille madame vient de dire.

— Quoi donc ?

— Elle ne se souvient pas si elle devait se rendre à Saint-Charles ou à Saint-Damien. Elle s'en va chez une de ses filles, mais elle en a tellement qu'elle ne se souvient plus laquelle l'a invitée.

La vieille qui savait très bien où elle allait ne saisit pas un mot de la conversation, ce qui permit à mademoiselle Élisabeth de s'en tirer, pendant que son Joachim de docteur se moquait d'elle en inventant une nouvelle grimace à chaque détour du chemin.

Ramené de peine et de misère à un train plus normal après sa course folle, Ti-Gris finit par s'arrêter devant la porte de l'unique auberge de Saint-Charles.

Le conducteur s'enquit auprès de la vieille si c'était bien là sa destination.

— Vous êtes sûr que c'est icite que vous venez ?

— Quoi ?

Il enfla la voix :

— C'est bien icite que vous descendez ?

— Pourquoi ça serait ailleurs ? J'ai rien qu'une fille et c'est icite qu'elle reste. La v'là drette-là qui s'amène.

Le sieur Guimond se gratta la tête. Décidément, quelque chose d'anormal se passait qu'il ne pouvait pas s'expliquer. Pendant ce temps, cachés derrière la charrette, le docteur Joachim et sa belle Élisabeth se pâmaient de rire.

Le temps d'alimenter la bête, de prendre un verre de limonade, de descendre la vieille et sa malle, ils reprirent la route. L'après-midi courait à sa perte derrière les vallons grugés un à un sous les vaillants pas du petit cheval.

— Nous coucherons à Saint-Gervais, annonça le charretier.

Joachim et Élisabeth ne demandaient pas mieux. Elle qui, à peine quelques heures plus tôt, repoussait son beau docteur, ne résistait plus. Assis maintenant côte à côte sur le banc des passagers, dos au charretier, ils se bécotaient à la dérobée sous les regards attendris des hirondelles et des moucherolles perchées çà et là en bordure du chemin.

À cinq heures et des poussières, l'auberge de Saint-Gervais, à l'ombre de l'église, vit arriver nos deux tourtereaux en mal de se retrouver dans une belle et bonne chambre. L'aubergiste bedonnant et chauve arborait une moustache aussi frétillante que tout le reste de sa personne. Son haut de col empesé l'empêchait de pencher la tête vers l'avant, mais lui conférait toute la dignité accolée à son titre.

— Nous passerons la nuit, annonça Charles Guimont.

— Sage décision, approuva l'aubergiste, tout en s'empressant autour de l'appétissante Élisabeth sous le charme de laquelle il était tombé d'un seul coup.

Le docteur Joachim avait récupéré leurs effets. Déjà, le charretier dételait Ti-Gris. Soudain, une frimousse à faire damner saint Pierre en personne parut dans la porte. L'œil étonnamment vif, elle détaillait les arrivants qu'un porteur délestait de leurs malles. Effrontément, elle lança un clin d'œil au beau docteur.

— Éveline! La onze pour monsieur Guimont, la douze pour mademoiselle Élisabeth, la treize pour monsieur Damour, lui commanda le patron.

D'une pirouette, la jolie créature fit voler haut ses jupons, de manière à enfiler l'escalier sans encombre, suivie d'Élisabeth et de Joachim, tout excités à la pensée de ce qui les attendait là-haut. «Quelle chance!», se dit le docteur quand il constata que les deux chambres étaient mitoyennes.

— Le souper sera prêt dans une demi-heure, lança Éveline d'un ton enjoué.

Au même moment, les clients disparaissaient dans leur réduit.

Le temps pour Joachim de se rafraîchir et pour Élisabeth de se refaire une beauté, nos deux amoureux, yeux dans les yeux, dégustaient un ragoût, accompagné de patates jaunes, de pleurotes et d'une salade aux noix sortie du génie d'un cuisinier inspiré. Les fraises qui les attendaient au dessert firent sur eux plus d'effet qu'une douzaine de cerises sur le meilleur des gâteaux. Ce fut en soupirant qu'ils regagnèrent leur chambre, heureux comme des touristes en vacances.

Joachim, l'oreille aux aguets, s'étendit sans bruit sur son lit, les bras prêts à recevoir sa belle. Derrière la cloison, la convoitée chantonnait doucement. Joachim laissait courir la folle du logis. Il tentait de deviner aux rares bruits lui parvenant à travers la cloison où son amour en était dans ses préparatifs pour aller au lit. « Elle enlève sa robe. Ce froufrou, son jupon vient de tomber. Oh ! Qu'est-ce que je vois ? » Joachim fermait les yeux sur des chairs aussi roses que tendres.

Quelques coups frappés à sa porte le tirèrent de son rêve. Il s'enveloppa d'un drap pour aller répondre. C'était la belle Éveline, la folle de l'auberge, toute frémissante, l'image même de la tentation, l'Ève de Saint-Gervais, qui venait prosaïquement annoncer l'heure du déjeuner. Du haut de son corsage débordaient deux beaux fruits appétissants qu'en d'autres temps Joachim aurait croqués avec grand appétit, n'eût été de cette cloison dérobant au regard quelque chose de beaucoup plus merveilleux encore.

Longtemps, ce soir-là, Joachim fut tenté de frapper discrètement à la porte numéro douze. Seules les convenances et le risque du naufrage d'un si bel amour l'empêchèrent de mettre à l'épreuve l'incarnation de ses plus profonds désirs.

Pendant ce temps, il l'apprit le lendemain, Élisabeth venait de sombrer au royaume des rêves où les princes charmants revêtent des armures de chevalier sans peur et sans reproche. Pour lors, le chevalier Joachim Damour de la Tour penchée s'amenait majestueusement sur son cheval blanc, cueillir son amour comme marguerite en juillet : « J'me marie, j'me marie pas, j'me marie »...

Élisabeth soupira. Elle déposa sur la table le si beau texte de son Joachim. Elle continua à rêver encore un petit moment, perdue dans ses souvenirs, quand le bébé fit entendre un pleur. Elle se leva d'un bond, alla chercher son fils.

— Oh ! dit-elle, tu ne sens pas la rose !

Le quotidien revenait la chercher. Après avoir changé la couche du bébé, elle se mit en frais de préparer le souper. Sa pensée vogua un moment jusqu'à Métabetchouan, puis fut ramenée brusquement à Sainte-Claire, quand elle entendit des coups à la porte :

— Le docteur ! Le docteur, s'il vous plaît !

Un homme se tenait là, la main ensanglantée.

— Il n'est pas là, dit Élisabeth, mais entrez, je l'attends d'une minute à l'autre.

Elle guida l'homme à travers la maison jusqu'à la pièce où Joachim accueillait ses patients.

— En attendant, dit-elle, je vais vous faire une compresse.

Elle s'affairait autour de l'homme quand Joachim revint et prit le relais.

— Ouf ! dit-elle. Il était temps que tu arrives !

Chapitre 6

Le rétameur

Les journées avaient filé ainsi depuis leur arrivée à Sainte-Claire. Avant leur mariage, ils avaient vécu chacun à un bout du village, ne se fréquentant que les dimanches, et encore : à la vue et au su de tout le monde. Il ne fallait surtout pas scandaliser ces bonnes gens et éviter que naissent toutes sortes de rumeurs à leur sujet, ce qui aurait causé à coup sûr leur perte. Dans un patelin comme celui-là, bien nanti en commères, le moindre petit écart aurait risqué de faire boule de neige et serait devenu en quelques heures un scandale.

Plus expérimenté qu'Élisabeth en ce domaine, Joachim, malgré tout l'amour qu'il lui vouait, s'en tenait à des fréquentations à jour fixe et se gardait bien d'exprimer ses sentiments autrement que par des clins d'œil à la dérobée et des œillades qui en disaient long. Mais, de la même façon qu'avaient commencé leurs fréquentations, ils s'échangeaient à chaque rencontre des lettres afin de maintenir leur amour bien vivant.

Un jour, Joachim avait avoué à Élisabeth qu'il avait couché par écrit ce qu'avait été leur vie depuis leur première rencontre. C'est ainsi qu'elle avait pu revivre les dernières années à travers l'écriture de son homme. Elle aimait, quand elle en avait le temps, relire ces pages qui la faisaient rêver.

Elle l'avait fait la veille, jusqu'à ce que Jean se mette à pleurer et qu'arrive ensuite cet homme blessé à une main. Joachim avait vite réparé le tout comme il savait si bien le faire. Il allait voir ses patients chez eux, mais il les recevait également à son bureau trois fois par semaine. Ces jours-là, Élisabeth se chargeait d'accueillir les gens, si bien qu'elle commençait à connaître plusieurs personnes du village et des environs.

— Pour faire connaissance avec les gens, dit-elle à Joachim, il n'y a pas mieux qu'un médecin.

— Tu te trompes, chérie, il y a mieux : monsieur le curé.

— Lui, c'est pas pareil, c'est pour les âmes, tandis que toi, c'est pour les corps et tu les reçois pas tous ensemble, mais un par un.

— Ou deux par deux, sinon plus quand c'est toute une famille.

— En attends-tu beaucoup aujourd'hui ?

— Sans doute ! En autant qu'ils ne nous amènent pas une épidémie quelconque.

— Tu me fais peur. S'il fallait qu'ils nous arrivent avec le choléra, qu'est-ce qu'on deviendrait ? Et pense à Jean …

— Ne sois pas inquiète, chérie, je trouverais bien le remède pour nous garder bien en vie. Je tiens trop à vous deux.

Un premier patient arriva qu'Élisabeth alla accueillir :

— Bonjour, monsieur Dubois ! Vous n'avez rien de grave, j'espère ?

— Non, madame Joachim, juste un cor au pied que je voudrais faire voir au docteur.

— Soyez bien à l'aise, vous êtes le premier à matin. Il va vous voir tout de suite.

Ce premier patient était à peine entré au bureau de Joachim qu'arrivait une mère avec son fils de deux ans qui pleurait à s'en arracher les poumons.

— Rassurez-vous, le docteur va vous voir tout de suite, madame Marcel.

— Je sais pas ce que le bébé a, mais il braille de même depuis la minuit passée.

Au son des pleurs de l'enfant, Élisabeth les fit entrer dans le bureau de Joachim. Elle revenait tout juste dans la cuisine quand se présenta un homme qu'elle n'avait encore jamais vu.

— C'est bien icite que reste le docteur ?

— Entrez, ça ne devrait pas être long avant qu'il vous appelle. En attendant, voulez-vous boire quelque chose ?

— De l'eau serait pas de refus.

— Tout de suite, surtout que nous avons de la bonne eau à Sainte-Claire.

Élisabeth fit jouer la pompe et lui tendit un gobelet plein.

— Vous allez voir, elle est froide en masse. Êtes-vous de Sainte-Claire?

— Je suis de nulle part. Je suis rétameur. Je vais et je viens d'un bout à l'autre du pays.

L'homme vida son gobelet d'un coup. En le remettant à Élisabeth, il dit:

— Si ça vous fait rien, j'en prendrais bien un autre.

— Vous aviez toute une soif!

— Je pense que j'avais pas bu depuis hier soir.

— Avez-vous couché par ici?

— Je couche toujours dans ma voiture.

Élisabeth lui remit un nouveau gobelet. Cette fois, il but plus lentement, prenant, entre deux gorgées, le temps d'examiner la maison. Élisabeth demanda:

— Qu'est-ce qui vous amène chez le docteur?

Le rétameur leva le bas de son pantalon: il avait la jambe bleue.

— Vous êtes en train de vous empoisonner les sangs! s'inquiéta-t-elle. C'est grand temps que vous veniez vous faire soigner. Vous avez là une bonne infection. Pour moi, mon mari va être obligé de vous lancer votre plaie, elle doit être pleine de pus.

— Si c'est ça que ça prend, faudra ben passer par là.

— Vous vous êtes fait ça comment?

— J'ai pilé sur un vieux morceau de fer-blanc. C'est des affaires qui arrivent quand on est rétameur.

Il en était là de ses explications quand la femme sortit du bureau avec son enfant, dorénavant silencieux.

— Ton mari, dit-elle à Élisabeth, fait des miracles.

Élisabeth sourit et fit remarquer:

— Il est là pour ça !

Elle s'empressa de faire entrer le rétameur dans le bureau de Joachim puis, enfin seule, s'affaira à préparer le dîner. Quand Joachim, après le départ du rétameur, profita d'un moment de répit pour venir dîner, elle lui servit une bonne soupe aux légumes. Elle avait aussi fait cuire du poulet dont ils se régalèrent.

— Comment ça s'est passé avec lui ? demanda-t-elle.

— Il a fallu que je lui ouvre la plaie à la lancette. Il n'a pas bronché. Ce n'était vraiment pas beau, mais je pense bien qu'il n'aura pas à revenir.

— Il dit qu'il voyage beaucoup pour son travail. C'était la première fois que je le voyais dans les parages...

Chapitre 7

L'arrivée à Sainte-Claire

— Tu vois, Élisabeth, il y a des jours comme ça, fit remarquer Joachim. Hier, je m'attendais à voir beaucoup de patients. À peine en est-il venu une dizaine. D'autres fois, ils font la queue devant la porte.

— Aujourd'hui, que comptes-tu faire ?

— Je vais voir mes patients des rangs.

Joachim venait à peine de passer la porte, qu'Élisabeth s'ennuyait déjà. «J'aime pas mal plus quand il reste à la maison», se dit-elle. Elle s'assit lentement dans sa berçante, ce qui lui rappela le temps où sa mère causait avec elle dans la cuisine, à Baie-Saint-Paul. Machinalement, elle se leva et, apercevant les feuillets de Joachim restés au bout de la table, elle s'en empara pour poursuivre sa lecture. «Où en étais-je ? se demanda-t-elle. Ah oui ! Notre voyage jusqu'à Sainte-Claire.» Elle jeta un coup d'œil à Jean endormi dans son ber. Sans plus tarder, elle se plongea dans sa lecture.

Le lendemain, Saint-Gervais dormait encore quand nos voyageurs s'attablèrent pour le déjeuner. Le bon pain chaud, servi par une Éveline refroidie, avait senteur d'amande. Trempé dans le café, il goûtait la noisette. En le dégustant, Élisabeth était au septième ciel.

— C'est du pain cuit par mon oncle et mes cousins. Je n'en ai jamais mangé d'aussi bon.

L'aubergiste confirma que la veille, on lui avait livré cette fournée en provenance de la boulangerie de Sainte-Claire.

«Je ne perds rien pour attendre, songeait Joachim. Que de délices me sont promises par cette famille exceptionnelle si bien représentée ici par cette merveilleuse fleur.» Il dévorait des yeux la charmante enfant. Elle s'amusait à fuir son regard puis, brusquement, le fixait droit dans les yeux en lui effleurant la jambe du bout du pied sous la table. Joachim rougissait à la fois de confusion et de plaisir. Telle une abeille autour des fleurs, sa belle Élisabeth butinait ses regards sous l'œil amusé de l'aubergiste attentif à ses moindres gestes.

À son insu, Charles Guimont vint mettre fin à cet enchantement en criant de l'extérieur:

— C'est l'heure de partir, c'est l'heure! Les voyageurs pour Sainte-Claire. *All aboard!*

— Où a-t-il pris cette expression anglaise? demanda le docteur.

— Je n'en sais rien, dit l'aubergiste, mais maintenant que vous le faites remarquer, c'est toujours de même qu'il appelle les voyageurs. Comment dit-il ça ? *All* d'abord ?

— *All aboard!* reprit le docteur. Il a dû entendre ça près d'un vapeur quelconque. À transporter les voyageurs comme il le fait, ce n'est pas impossible.

Sur ce, après avoir remercié l'aubergiste, les voyageurs prêts à partir sortirent, mademoiselle Élisabeth en premier, suivie de son docteur qui n'aurait pas voulu la perdre pour tout l'or du monde.

Devant la porte, Ti-Gris piaffait d'impatience. Il agitait la tête, s'ébrouait bruyamment avec l'air de dire : « Mon écurie est proche, mon écurie est proche ! »

La pétillante Élisabeth, aidée de Joachim, retrouva sa place dans la charrette, non sans avoir habilement retroussé suffisamment ses jupes pour découvrir une jambe de déesse qui faillit faire tomber monsieur Joachim en pâmoison.

Élisabeth fit une pause dans sa lecture, comme pour se donner le temps de mieux revivre ce voyage dont elle conservait un si bon souvenir. Dehors, par les fenêtres entrouvertes, lui parvenaient les chants des oiseaux. Elle était heureuse et comblée. Au bout d'un moment, elle reprit sa lecture.

Au milieu de la matinée, au creux de sa vallée, Sainte-Claire se laissa découvrir du haut des montagnes avoisinantes. Joachim en avait le cœur serré et Élisabeth vibrait du plaisir anticipé de ses retrouvailles avec ses cousins.

— On arrive enfin, dit-elle. J'ai tellement hâte de revoir mes cousins! Je ne les reconnaîtrai pas, ça fait trop longtemps que je ne les ai vus. Un ou l'autre est venu à Baie-Saint-Paul comme ça en passant, puis on ne les a plus revus quand on était à Métabetchouan. Ma mère rêvait de venir visiter son frère et sa famille à Sainte-Claire. Elle n'a pas pu le faire, mais voilà que c'est moi qui reviens à sa place.

Joachim avait écouté le tout avec intérêt et se réjouissait.

— Tu es bien chanceuse d'avoir de la parenté dans le coin. Quant à moi, la parenté, c'est bien ce qui me manque le plus. Il y a ma tante à Québec, celle qui m'a élevée, mais elle se fait très vieille. Les autres ont pris le bord des États. Je suis certain que j'y ai un paquet de cousins et de cousines, mais je ne les ai jamais vus et je pense bien que je ne les verrai jamais non plus. Ils ne viennent plus au pays.

— Pauvre Joachim. C'est bien triste de ne pas avoir de parenté, mais il ne faut jamais désespérer. Quand on n'a pas de famille, on s'en fait une.

Cette phrase ne tomba pas dans l'oreille d'un sourd. Joachim se dit: «Il ne faudra pas que je tarde trop de faire madame Damour ma tendre Élisabeth.»

Pendant qu'ils causaient de la sorte, ils approchaient de plus en plus de Sainte-Claire. Comme Joachim le vit ce jour-là, et comme il l'apprit par la suite, le village avait poussé tout naturellement tel un champignon aux plis de cette vallée, en contre-fort des Appalaches. Pour y accéder, il fallait suivre une route se faufilant à travers les bois entre les montagnes, avant de se résigner à en escalader une autre, du haut de laquelle on apercevait tout en bas Sainte-Claire, telle une pierre précieuse en son écrin. La rue principale grimpait d'est en ouest jusqu'à l'église pour redescendre en pente douce jusqu'à un pont chevauchant d'un bond la rivière Abénaquis. La route tournait résolument ensuite vers le sud, pour aller se perdre dans les rangs.

En forme de châteaux de cartes, les maisons s'échelonnaient de chaque côté de la rue principale, à l'assaut de l'église. Plus on se rapprochait du temple, plus elles se pressaient les unes contre les autres, comme attirées là par un gigantesque aimant. Leurs rangs se clairsemaient graduellement pour faire place à des jardins ou des champs aussitôt qu'on s'éloignait du lieu de prière.

Devinant l'écurie proche, Ti-Gris parcourut allègrement les derniers milles.

— Il sait qu'on arrive ! s'exclama le charretier. J'ai pas besoin de le lui dire.

— Les animaux, fit remarquer Élisabeth, sont bien plus fins qu'on pense.

— À qui le dites-vous, mademoiselle ! À qui le dites-vous ! Regardez celui-là, il ferait son chemin jusqu'à l'écurie les yeux fermés ben dur.

Le cheval s'arrêta pile devant la boulangerie, d'où sortirent aussitôt sept visages enfarinés qui soulevèrent vivement mademoiselle Élisabeth et se la relancèrent en la saupoudrant de farine des pieds à la tête. Quand elle parvint enfin à échapper à leurs bras puissants, elle ressemblait à un clown au maquillage à moitié raté. Ses cousins riaient du bon tour qu'ils venaient de lui jouer. Charmés par le portrait glissé dans la lettre annonçant sa visite, les cousins s'étaient donné le mot pour l'accueillir de cette manière fort particulière. Ils furent heureux de constater que leur cousine avait bon caractère. Elle riait, sautait, s'esclaffait au moindre mot de bienvenue. Au plus grand plaisir du clan Laflamme, elle ressemblait à une petite princesse dans son royaume de pains d'épice, de tartes et de gâteaux. Elle allait constituer, à part la mère Laflamme, le seul élément féminin de cette maison qui n'avait vu grandir que des garçons.

— Bienvenue, cousine! Le voyage a été bon?

— Très bon et je suis vraiment heureuse de vous revoir. Mais ne me demandez pas vos noms, je ne saurais pas les dire.

— Moi, c'est Gilbert, dit celui qui paraissait être l'aîné.

— Bonjour, Gilbert, fit Élisabeth. Ah, au point où j'en suis, autant m'enfariner encore davantage.

Elle s'approcha et lui donna un bec sur la joue. Les autres s'esclaffèrent et se mirent en rang, l'un derrière l'autre, en disant chacun: «À mon tour!»

— Je suis Barthélémie, pour vous servir, mademoiselle, fit le deuxième.

Élisabeth l'embrassa.

— Vous avez devant vous, mademoiselle, nul autre que Lucien, comme son père, dit le troisième en mettant un genou à terre.

Élisabeth lui passa la main dans les cheveux et il en jaillit une poussière blanche qui eut vite fait de se disperser au vent. Elle lui donna le baiser qu'il attendait.

Le quatrième, plus gêné, ou moins démonstratif, s'approcha à son tour.

— Albert est mon nom, bredouilla-t-il.

Il eut droit à son bec comme les autres.

Le cinquième fit un pas en avant et deux pas en arrière, puis fit mine de lui sauter dans les bras.

— Allons, Jacques, s'écrièrent les autres, ne fais pas ton fin finaud sinon tu n'auras pas ce que tu veux.

Élisabeth, entrant dans le jeu, se retira, mais dès qu'il eut le dos tourné, elle le gratifia d'un baiser sonore sur la joue, ce qui eut l'effet de les dérider encore davantage.

Le sixième avait contourné Élisabeth, qui lui tournait le dos. Il s'approcha d'elle, lui mit les mains sur les yeux et déclara d'une voix profonde :

— Je suis Clément, l'ogre du village. Si je n'avais pas si bien mangé ce matin, je ferais de vous mon dîner, mademoiselle.

Quand il eut retiré ses mains, Élisabeth se tourna vivement vers lui.

— Je ne vois plus rien, dit-elle.

Elle porta sa main à sa bouche et lui expédia un bec en soufflant sur le bout de ses doigts.

— Bonjour, fit le septième, je suis le plus jeune et on m'appelle Jeannot.

Élisabeth s'approcha, lui fit l'accolade avant de l'embrasser à son tour.

— Voilà qui est fait! dirent-ils en chœur.

Du banc de la charrette, Joachim assista, tout étonné, à ce défoulement enthousiaste. Il prit bien soin de compter la longue file de cousins, sept en tout, exactement comme elle le lui avait dit. Ils étaient tous là, mâle présence, attentifs aux moindres désirs de l'arrivante. En moins de deux, quatre bras vigoureux balancèrent sa malle à l'intérieur. Mains sur les hanches, solide comme la maison, la boulangère, à la vue de sa nièce, avait ri d'un rire en tout point semblable au sien, la sonorité en plus. Mademoiselle Élisabeth avait du Laflamme dans le sang. Le boulanger, quant à lui, comme le capitaine d'un navire, était demeuré fidèle à ses fours. Joachim ne put l'apercevoir. Le petit cheval gris repartit vers la maison de mademoiselle Antoinette Dupéré, à l'autre bout du village, qui serait sa pension, le temps que Joachim se trouve un chez-soi et songe sérieusement au mariage.

Élisabeth, l'esprit ailleurs, déposa les feuillets sur la table. Elle songeait à ce temps où, pensionnée chez ses cousins Laflamme, elle avait pu, presque chaque jour, revoir son beau Joachim.

«Demain, se dit-elle, je relirai ce qu'il en dit.»

Chapitre 8

L'engagement

Après avoir donné la tétée à son fils et servi le déjeuner à Joachim, qui partit aussitôt voir un de ses malades, Élisabeth se remémora leurs premiers temps à Sainte-Claire.

Elle n'avait guère mis de temps à être considérée par son oncle, sa tante et ses cousins comme un membre à part entière de la famille. Sa tante était heureuse d'avoir enfin une présence féminine à ses côtés. Élisabeth lui donnait un coup de main pour l'entretien de la maison tout en cherchant de quelle façon elle pourrait se rendre la plus utile et comment, en attendant de devenir madame Damour, elle gagnerait sa vie.

— En venant à Sainte-Claire, avoua-t-elle à sa tante, je devais devenir le bras droit de Joachim, mais nous voyons bien que c'est impossible. Que diraient les mauvaises langues en nous apercevant fréquemment ensemble sans être mariés ?

— Vous avez raison de ne pas vous exposer à des médisances, approuva sa tante. En plus, vous êtes étrangers au village. Ça ne serait pas long que les langues pointues se feraient aller. Il te faudra trouver autre chose pour gagner ton pain. Qu'est-ce que tu pourrais donc faire?

— Je pourrais enseigner, si toutefois je trouve aux alentours une place pour le faire.

— L'école du village a déjà sa maîtresse. Tu devrais en parler à mademoiselle Dubreuil. Peut-être sait-elle où on cherche une maîtresse d'école?

Ce fut ainsi que se glissa dans son esprit l'idée de mettre en pratique ce à quoi elle avait consacré trois années de sa vie. Toutefois, ses démarches auprès de l'institutrice du village furent vaines et ce ne fut donc pas par son intermédiaire qu'elle trouva un poste d'enseignante, mais bien plutôt par hasard.

Un matin, profitant d'une livraison de pain à Saint-Malachie où elle voulait se rendre afin de proposer ses services, son cousin et elle furent interceptés sur la route par le jeune et beau vicaire Ducharme revenant d'une célébration.

— Mademoiselle Élisabeth, commença l'ecclésiastique, une bonne âme m'a dit que vous désiriez enseigner.

— J'ai mes diplômes, monsieur le vicaire.

— Dans ce cas, nos paroissiens qui habitent près du village, du côté de la rivière Abénaquis, cherchent une maîtresse d'école pour enseigner à une douzaine d'enfants. J'ai pensé vous en prévenir.

— Vraiment?

— Mais oui ! Il y a même une petite maison qui peut servir à la fois d'école et de logement pour l'institutrice.

Dans son enthousiasme, le jeune abbé, tout en lui parlant, l'avait familièrement prise par le bras. Elle s'était dégagée doucement.

— Il faudra me dire où se trouve cette école et qui je dois rencontrer afin de passer une entente sur mes gages et mes obligations.

— Rien de plus facile. Venez me voir demain matin, vers les neuf heures, je vous y mènerai.

Trop heureuse de pouvoir enfin se rendre utile, Élisabeth avait accepté l'offre du vicaire. Ce ne fut qu'une fois revenue à la boulangerie qu'elle s'était rendu compte de sa bévue. « Que vont dire les gens, pensa-t-elle, si on me voit seule avec l'abbé Ducharme ? »

Malgré tout, le lendemain, à l'heure dite, elle monta dans la voiture conduite par le jeune abbé. Le temps était frisquet. L'abbé s'en était avisé et avait apporté une couverte dont il lui couvrit les épaules en insistant un peu trop pour la lui ajuster autour du cou. Il était tellement aux petits soins pour elle que sa conduite la rendit méfiante. Il fit claquer les cordeaux sur la croupe du cheval et leur équipage se mit en route. Tout au long du chemin, le jeune abbé se montra d'un enthousiasme délirant.

— Vous savez, mademoiselle, que la poésie m'enchante ?

— La poésie ? s'étonna Élisabeth. Quel genre de poésie ?

— Celle qui parle de la beauté.

Et, sans plus attendre, ne dissimulant pas son plaisir, il se mit à lui réciter un poème :

Vous êtes toute belle
Douce reine de mon cœur
Et vos grâces éternelles
N'ont pas d'égales splendeurs
À vous je suis de toute mon âme
J'admire vos yeux dont les flammes
Tout au long des heures et des jours
Font croître pour vous mon amour

Il s'arrêta sur cette strophe et, se tournant vers Élisabeth, lui demanda :

— Avez-vous aimé ce poème ? Sachez qu'il est de mon cru.

Élisabeth le regarda en esquissant un sourire, et consciente de la rime qui lui venait à l'esprit elle enchaîna :

— Si vous ne me l'eussiez dit, monsieur l'abbé, l'eussé-je cru ?

Ne lui laissant pas le temps de répliquer, elle demanda aussitôt :

— Mais, dites-moi, de quelle reine est-il question dans ce poème ?

Le jeune abbé, d'un air scandalisé, s'écria :

— De la Vierge Marie, il va sans dire, qu'alliez-vous penser ? Mon cœur, comme mes rêves, sont sans cesse remplis d'elle.

Tout au long du trajet, il l'assomma de poèmes du même cru, Élisabeth s'en souvenait fort bien, à tel point qu'elle poussa un long soupir quand il arrêta le cheval au bord de la route devant une maison blanche sur la devanture de laquelle on pouvait lire « Le gîte du pauvre ». Ils y furent reçus par un homme maigre comme un céleri avec un menton semblable à un socle de charrue, une pomme d'Adam telle une noix et des sourcils aussi fournis qu'une queue de renard. En l'apercevant, elle ouvrit de grands yeux, se demandant ce qu'était cette apparition. Ce fut pourtant d'une voix grave que l'homme s'adressa à eux, leur demandant ce qui lui valait l'honneur de leur visite. Le jeune vicaire ne le laissa pas languir.

—Je vous amène, dit-il, la future institutrice de l'école du rang.

L'homme examina Élisabeth des pieds à la tête.

—Vous avez vos diplômes ? questionna-t-il.

—Bien sûr ! fit Élisabeth, sinon je n'aurais jamais mis les pieds ici.

—Dans ce cas, nous vous engageons, dit-il sans plus de cérémonie. Si monsieur l'abbé vous a menée jusqu'à nous, c'est que vous ferez l'affaire.

—J'aimerais bien connaître les conditions de mon contrat et voir l'école où je passerai les mois à venir.

— Rien de plus simple, dit l'homme. Vous êtes logée et payée à raison de quatre-vingts dollars pour l'année. Quant à l'école, je vous y conduis sur-le-champ.

Ils remontèrent dans la voiture du jeune abbé. Ils roulèrent vers les rangs et s'arrêtèrent devant un petit bâtiment faisant dos à la forêt, à quelques arpents de la rivière. Ce fut avec beaucoup d'émotion qu'elle passa le seuil de ce qui allait devenir son milieu de vie pour des mois.

Elle se remémorait facilement les lieux. On ne pouvait trouver demeure plus simple. L'école était constituée de deux pièces : une salle servant de classe, séparée par un mur mitoyen derrière lequel se trouvait une cuisinette au fond de laquelle il y avait tout juste l'espace pour un petit lit. Malgré l'exiguïté des lieux, elle avait accepté d'emblée ce poste d'institutrice.

Chapitre 9

Les démarches avant le mariage

Chaque fois qu'elle repensait à cette période de sa vie, Élisabeth devenait nostalgique. Elle avait aimé enseigner, mais durant toute cette année, elle n'avait pas cessé de penser à ce qu'elle deviendrait si jamais il lui était impossible d'épouser son Joachim. Puis tous les obstacles s'étaient effacés devant eux, si bien qu'un an à peine après leur mariage, elle avait donné naissance à Jean. Cet enfant était du coup devenu ce qu'elle avait de plus cher. Mais pour lors, il ne faisait que dormir et manger. Elle se trouvait bien seule dans cette grande maison quand Joachim n'y était pas. Sa pensée le suivait sur les routes où l'appelaient ses malades, et la seule façon de se sentir tout près de lui consistait pour elle à lire son journal. Ce fut ce qu'elle fit, une fois de plus, au moment où l'horloge sonnait dix heures.

À peine étions-nous à Sainte-Claire depuis quelques semaines que tout le village connaissait nos fréquentations. «La jeune demoiselle va se marier avec le nouveau docteur», disait la rumeur. Nous ne pouvions être deux minutes ensemble sans que les langues se fassent aller. Ce ne fut pas long que le curé apprit ce qui se disait entre les branches. «Le beau docteur et la jeune maîtresse d'école vont certainement se marier. Nous n'avons qu'à voir comment ils se regardent. Ils devaient se connaître depuis longtemps. Ce n'est pas pour rien qu'ils sont arrivés ensemble au village. Remarquez bien ce que je vous dis. Ça ne serait pas du tout surprenant que dans une couple de mois, le ventre de la maîtresse d'école se mette à enfler. Elle a beau être la nièce du boulanger et même si c'est une famille honorable, ça n'empêche pas que des choses de même arrivent. La meilleure façon de le cacher, c'est de se réfugier dans un village comme ici, loin de ses parents.»

Les oreilles du curé bourdonnaient tellement qu'il résolut de s'adresser directement à nous. À la première occasion, profitant que, comme deux tourtereaux, nous nous trouvions à roucouler chez l'oncle boulanger, il surgit comme un oiseau de malheur au beau milieu de la soirée pour poser la question fatidique. Il n'y alla pas par quatre chemins. À peine était-il assis en notre compagnie qu'il proclama:

— Des paroissiens me disent que vous projetez de vous marier bientôt.

— Bientôt est un bien grand mot, monsieur le curé. Nos fréquentations n'en sont qu'à leur commencement, répondis-je affablement.

— Vous n'êtes donc pas dans la situation d'un mariage forcé ?

De voir le visage empourpré du pasteur m'arracha un sourire :

— Jamais de la vie, monsieur le curé ! dis-je vivement. Mais sans doute que si les choses continuent de bien aller comme c'est présentement le cas, pourrons-nous envisager un mariage le moment venu.

— Dans ce cas-là, il faudra passer par le presbytère afin que nous nous entendions sur la date de la cérémonie.

— Nous ne voudrions pas vous offusquer, repris-je, mais si jamais mariage il y a, ça risque fort d'être à Métabetchouan plutôt qu'ici.

L'étonnement se peignit sur le visage du curé.

— À Métabetchouan ?

— Dans ma parenté, précisa Élisabeth. Mon père y vit toujours et mes frères restent là. Joachim n'a pas de parents par ici et mes cousins Laflamme seront heureux de faire le voyage jusque là-bas.

— Y en a au moins trois qui n'attendent que ça, fit remarquer l'oncle Lucien.

— Dans ce cas, dit le curé, le prêtre qui doit bénir votre mariage à Métabetchouan devra communiquer avec moi pour savoir s'il n'y pas d'empêchements.

La remarque du curé nous tomba dessus comme une avalanche. Trop heureux de ce qui nous arrivait, l'amour aidant, Élisabeth avait oublié le principal : elle était toujours mariée à Charlabin. Il n'y avait pas eu annulation de son mariage. Si elle ne m'avait rien caché, elle ne s'était pas inquiétée, ni moi non plus, du principal obstacle à notre bonheur. Comme elle me l'affirma plus tard, à maintes reprises, ma pauvre chérie se disait que Charlabin devait être mort et puisque personne n'avait eu de ses nouvelles depuis toutes ces années, c'était comme si elle était veuve. Personne, d'ailleurs, n'avait abordé la question lors de ma visite à Métabetchouan. Nous en étions là de nos réflexions quand le curé nous en tira brusquement en déclarant:

— Même si vous ne vous mariez pas ici, je devrai l'annoncer à l'église à trois reprises pendant la messe du dimanche, au cas ou quelqu'un aurait objection à votre mariage.

J'insinuai:

— Nous obtiendrons les dispenses de bans.

Le curé monta aussitôt sur ses grands chevaux:

— Quoi donc? Auriez-vous quelque chose à cacher?

— Quelque chose comme quoi?

— Un mariage antérieur, un enfant né hors mariage?

Je restai silencieux et, comme elle me l'apprit par la suite, le cœur de ma dulcinée s'était mis à battre à vive allure. Fort heureusement, la tante Aline eut la bonne idée d'intervenir en invitant tout le monde à déguster un bon gâteau. Le curé ne se priva pas pour y goûter avant de regagner son presbytère. Il avait à peine passé la porte que l'oncle Lucien demanda:

— Êtes-vous certain de pouvoir vous marier, puisque Élisabeth l'a été ?

Je tentai de me rassurer en disant :

— Un mariage s'annule automatiquement dès qu'un des deux époux est mort.

— Mais encore faut-il le démontrer, assura le boulanger, et ça prend de bons arguments. J'en connais qui ont essayé et ça n'a pas marché.

Je repris, sans trop de conviction :

— Nous allons nous arranger pour que ça marche. Élisabeth était jeune quand elle s'est mariée. En plus, elle attendait un enfant. Ç'a été un mariage forcé. Enfin, son mari est disparu et n'a jamais donné de ses nouvelles depuis. Ce sont-là des raisons que d'ordinaire les curés écoutent. Je vais me rendre à l'évêché de Québec bientôt pour faire valoir notre point de vue.

— Je te souhaite bonne chance, mon garçon, dit le boulanger en secouant la tête d'une façon dubitative.

Deux semaines plus tard, je partais pour Québec, bien décidé à obtenir gain de cause. Je profitai de mon séjour dans la ville pour visiter les endroits où était né notre amour. Je ne manquai pas de passer, Côte de la Montagne, à la pension Pesant et m'attardai ensuite devant la vitrine du photographe Livernois. J'avais rendez-vous à l'évêché avec l'abbé Duclos, petit homme austère spécialiste du droit canon, dont l'humeur et les gestes s'avérèrent aussi secs que les textes qu'il défendait. Je lui exposai les raisons de ma démarche.

—Je désire épouser une jeune femme dont le mariage n'a pas été annulé, mais dont le mari a vécu à peine quelques mois avec elle avant de la mettre enceinte et de disparaître sans jamais plus donner de nouvelles.

— Ce mariage a été consommé, dit le prêtre d'une voix nasillarde et d'un air buté. Nous ne pouvons rien pour vous.

Je ne fus impressionné ni par son ton ni par sa mine. J'argumentai sans sourciller :

— L'Église, paraît-il, annule parfois des mariages quand la mariée ou le marié y ont été contraints. C'est le cas de la jeune femme en cause. Elle avait tout juste l'âge canonique au moment de son mariage et en plus elle était enceinte. À mon avis, elle n'avait pas la maturité nécessaire pour se marier et cela d'autant plus que sa mère menaçait de faire passer pour le sien l'enfant qu'elle portait. Prise de panique, elle s'est mariée pour légitimer l'enfant et empêcher les desseins peu catholiques de sa mère.

— Était-elle consentante ? Telle est la question, reprit l'abbé. Il nous faudra faire une longue enquête pour répondre à cette question. Si nous pouvions interroger son mari, sans doute entendrions-nous une autre version.

Je ne manquai pas d'attraper la perche que l'abbé me tendait.

— Justement, enchaînai-je vivement, son mari, coureur des bois invétéré, est disparu depuis nombre d'années. Il gagnait sa vie en vendant les fourrures des bêtes qu'il avait trappées durant l'hiver. On ne l'a jamais revu au poste de Métabetchouan.

— Rien ne vous dit qu'il ne vend pas ses peaux ailleurs. Tant que nous n'aurons pas une preuve formelle de sa mort, ne pensez pas épouser cette femme.

— Je l'épouserai, car j'aurai le cœur net sur le destin de cet homme.

Quand je sortis de l'évêché, je bouillais de rage. Le droit canon, aux yeux de ce prêtre, avait beaucoup plus d'importance que la détresse des gens. Je m'en retournai à Sainte-Claire, bien déterminé à tout mettre en œuvre pour savoir ce qu'était devenu Charlabin. Je m'informai d'abord de l'endroit où un trappeur pouvait vendre ses fourrures ailleurs qu'au poste de traite de Métabetchouan. On me parla de Tadoussac, de l'Islet-Jérémie et de Betsiamites, sans compter Rivière-Bleue au lac Saint-Jean. J'éliminai aussitôt Rivière-Bleue, car le père Lavoie qui avait marié Élisabeth et Charlabin n'aurait pas manqué de signaler le passage de ce dernier à cet endroit. J'appris ensuite, par un habitué de la place, qu'il n'y avait plus de poste de traite à Tadoussac non plus qu'à l'Islet-Jérémie. Il ne restait plus que Betsiamites sur toute la Côte-Nord. Je demandai à ma chérie si elle avait déjà entendu parler de cet endroit.

— Non, dit-elle, ça ne me dit rien.

— C'est le seul endroit sur la Côte-Nord où il y a un poste de traite, repris-je. Si ton Charlabin est parti dans cette direction, il y a de fortes chances que ce soit à cet endroit; s'il vit toujours, qu'il vende ses fourrures. Il va falloir y aller pour en avoir le cœur net.

Élisabeth trouvait que l'idée était bonne, mais elle souleva tout de suite une objection:

— Tu ne pourras jamais t'y rendre. Tu ne peux pas laisser tes malades sans docteur. J'irai, ajouta-t-elle avec détermination. Dès que l'été se pointera, j'irai et je saurai bien découvrir la vérité.

Au terme de cette lecture, Élisabeth poussa un long soupir. Elle demeura un moment songeuse à se remémorer toutes les démarches que Joachim et elle avaient dû réaliser avant de pouvoir enfin se marier.

Chapitre 10

Le voyage

Un beau matin, alors que Joachim venait de quitter la maison, le curé s'amena chez eux. Comme il le faisait toujours, il s'adressa à Élisabeth en ces termes :

— Bonjour, madame Joachim ! Comment allez-vous ?

— Très bien, monsieur le curé. Qu'est-ce qui me vaut votre visite ?

— Quelque chose de passablement grave. Quelques-unes de mes paroissiennes sont venues me voir en affirmant que vous vivez dans le péché avec monsieur Joachim.

— Ce sont sans doute les mauvaises langues des grenouilles de bénitier qui se font aller, monsieur le curé. Ce n'est pas parce que nous ne nous sommes pas mariés par ici qu'on ne l'est pas. Notre mariage a eu lieu à Métabetchouan et vous le savez tout aussi bien que nous. D'ailleurs, nous vous en avons informé. Mon mari ne manque pas de tout écrire ce que nous faisons. Il n'a pas oublié de parler de notre mariage. D'ailleurs, mes cousins Laflamme sont venus à Métabetchouan et pourraient facilement en témoigner.

Elle tendit une pile de feuillets au curé.

— Voici justement ce que Joachim a écrit.

Ce dernier prit les textes, mais y jeta à peine un coup d'œil.

— Pensez-vous que nous oserions vivre ensemble et avoir en plus un enfant sans être mariés ? continua-t-elle. Avec toutes les commères qu'il y a dans le village, ça ferait longtemps qu'elles nous auraient obligés à partir.

Le curé remit les feuillets sur la table.

— Je vous crois sur parole, madame Joachim, dit-il, mais comment se fait-il, après tout ce temps, que mon confrère de Métabetchouan ne m'ait pas encore prévenu qu'il vous avait mariés ?

— Ça, c'est lui qui le sait, monsieur le curé. Vous pourrez dire à vos paroissiennes mal intentionnées qu'elles parlent dans le vide.

— Je ne manquerai pas de le faire dès que j'aurai reçu les papiers en question.

— Vous dites que vous me croyez, monsieur le curé, mais vous ne paraissez pas trop convaincu. Vous nous connaissez mal, Joachim et moi. Nous ne sommes pas du genre à jouer la comédie. Vous semblez pourtant douter de nous et nous croire malveillants. Pourtant, il n'y a pas mieux intentionnés que nous. Vous n'aurez qu'à demander à Joachim et à mes cousins.

Une fois le curé parti, comme pour effacer les soupçons pesant sur eux, Élisabeth reprit les feuillets, afin, se dit-elle, de vivre par sa lecture des moments plus heureux. Elle avait tout raconté à son Joachim qui avait écrit ces lignes. S'il s'en était donné la peine, le curé aurait pu tout apprendre.

Je n'ai pas vécu moi-même tout ce qui suit, mais Élisabeth m'en a parlé si souvent que j'ai été en mesure de le rapporter fidèlement.

Cet été-là, il me semble, mit beaucoup de temps à se pointer. Comme Élisabeth avait promis de le faire, elle se prépara à son voyage. Je ne voulais pas qu'elle se risque seule dans un si long et si dangereux périple. Son oncle Lucien était du même avis. Il proposa qu'un de ses garçons l'accompagne. Ils tirèrent au sort et ce fut Albert qui fut désigné. Il était plus jeune qu'Élisabeth, mais elle se souvenait encore comment, à son arrivée à Sainte-Claire, il s'était comporté à son égard. Plus gêné et moins démonstratif, il s'était contenté de la regarder sans mot dire avec beaucoup d'intensité. Visiblement, il admirait sa cousine. Elle sut tout de suite qu'il lui serait tout dévoué.

Le printemps arriva comme une délivrance. L'année scolaire tirait à sa fin. Élisabeth s'efforçait du mieux qu'elle le pouvait de bien la terminer, mais elle avait constamment la tête ailleurs. Ses pensées filaient en douce du côté de la Côte-Nord. Elle s'y voyait déjà à la recherche de Charlabin. S'il était toujours de ce monde, qu'était-il devenu ? Avait-il réellement pris la direction du nord ? Où pouvait-il se trouver dans ces étendues sauvages sans fin? Qui le lui dirait? Et si elle le retrouvait et qu'il la repoussait encore, qu'adviendrait-il de ses projets? Et leur fils Benjamin, son pauvre enfant disparu? Certains de ceux auxquels elle enseignait avaient le même âge que lui. Elle y pensait constamment. Qu'était-il devenu, le malheureux? Elle se reprochait encore de ne pas avoir tout fait pour le retrouver. Elle avait pourtant fouillé désespérément tous les buissons autour de Métabetchouan. Qu'aurait-elle pu faire de plus? Se mettre à sa recherche dans tout le pays, sans même savoir s'il avait été enlevé et où l'on pouvait l'avoir emmené? Combien de nuits blanches n'avait-elle pas passées à espérer le voir réapparaître avec son père? S'ils vivaient toujours tous les deux, de quoi avaient-ils l'air aujourd'hui? Elle espérait obtenir réponse à toutes ces questions dès qu'elle serait en mesure de gagner la Côte-Nord, se disant bien que Charlabin devait être derrière cette disparition.

Elle partit à la fin de juin en compagnie de son cousin Albert. J'insistai pour les conduire jusqu'à Montmagny où ils devaient s'embarquer sur un schooner faisant du cabotage sur la Côte-Nord. Le périple en voiture jusqu'à Saint-Michel nous rappela de bons souvenirs, puis nous filâmes ensuite le long du fleuve jusqu'à Montmagny. En route, Élisabeth me dit :

— Tu te souviens de la vieille sourde ?

— Si je m'en rappelle! acquiesçai-je. Nous n'avions pas alors les soucis qui nous gâchent la vie aujourd'hui. C'était une si belle journée.

— J'ai bon espoir de revenir avec des nouvelles apaisantes.

— Pourquoi sembles-tu en être si certaine?

— Parce que quelque chose en moi me dit que nous ne passerons pas à côté de notre bonheur.

Un peu pour me rassurer, je la laissais parler en me disant: les femmes ont parfois des intuitions inexplicables. Dès que j'en avais la chance, je la couvais du regard, incapable de m'enlever de l'idée qu'elle pourrait ne pas être ma femme. Je restai longtemps sur le quai à regarder s'éloigner le schooner sur lequel elle s'était embarquée. Quand je me résolus enfin à la laisser partir, bien conscient que notre avenir à tous les deux se jouait là, je n'eus plus qu'une idée en tête: «Pourvu qu'elle réussisse.»

Élisabeth arrêta de lire, mais sa pensée était lancée sur cet événement si important de sa vie. Elle le repassa lentement dans sa mémoire comme pour en goûter de nouveau chaque instant, puis elle reprit sa lecture:

Le capitaine Bouchard, maître du schooner, était un petit homme tout en nerfs, une boule de feu. Il parlait aussi rapidement qu'il bougeait et semblait avoir toujours un sourire moqueur au bord des lèvres. Il plut tout de suite à Élisabeth.

— Les jeunes, s'enquit-il, en dévisageant Élisabeth et Albert, on peut savoir où vous désirez aller et ce qui vous pousse là ?

Élisabeth répondit à sa question par une autre.

— Vous faites bien tous les villages et les postes de la Côte-Nord ?

— De Tadoussac à Blanc-Sablon, ma petite dame. J'y suis connu comme Barabas, le concurrent de Jésus-Christ.

— Comme ça, vous vous arrêtez à Betsiamites ?

— Certainement, même que j'y fais le commerce des fourrures.

— Avec les Sauvages ?

— Avec tous ceux qui ont des fourrures à vendre, Sauvages ou pas. Il y a des trappeurs qui ne vendent qu'à moi, entre autres un vieux trappeur qui me cède ses peaux depuis des années.

— Vraiment ? s'enthousiasma Élisabeth. N'y en a-t-il pas un jeune aussi ?

Le capitaine fit une pause pour allumer sa pipe.

— Un jeune, dit-il, j'en vois juste un. Ça fait ben quatre ou cinq ans qu'il n'est pas venu.

— Est-ce qu'il était grand, moyen ou petit ? Et comment s'appelait-il ?

Les questions en vrac d'Élisabeth le firent sourire.

— D'après ce que je vois, lança-t-il, j'ai devant moi une demoiselle à la recherche de quelqu'un qui lui tient à cœur.

Élisabeth soupira :

— Si c'est lui, il y a des années que nous le cherchons.

Le front plissé, le capitaine se concentrait sur le nom qu'il tentait de se remémorer.

— Comment s'appelait-il ? murmura-t-il. Il avait un drôle de nom.

Élisabeth allait dire Charlabin lorsqu'elle se ravisa. Il valait mieux que ce soit le capitaine lui-même qui se souvienne de son nom. Ce dernier cherchait toujours. Tout à coup son visage s'illumina.

— Je l'ai ! dit-il. Renard rapide.

— Renard rapide ?

— *Matsheshu pimpâtaû*, en montagnais. C'est comme ça qu'il se faisait appeler. Il ne savait ni lire ni écrire. Sa signature était précisément le dessin d'une queue de renard. D'ailleurs, il transportait toujours en guise de porte-bonheur une patte de renard séchée et il avait en permanence, accrochée à ses cheveux, une queue de renard.

— Est-ce qu'il était grand ?

— De taille moyenne, je dirais, les cheveux noirs, avec une longue cicatrice sur la joue droite. Il semblait toujours soucieux et méfiant. Il ne finassait pas, échangeait ses peaux contre des marchandises et s'empressait de disparaître aussi vite qu'il était venu. C'était un taciturne. Il me faisait beaucoup penser aux Montagnais qu'il semblait fréquenter. Je ne sais pas trop d'où il sortait.

Les explications du capitaine ne permirent pas à Élisabeth d'établir de façon certaine la relation entre ce jeune trappeur et Charlabin qui lui, loin d'être taciturne, se montrait toujours volubile. Ce jeune trappeur pouvait être un peu n'importe qui. Elle eut beau tenter ensuite d'obtenir d'autres détails de la part du capitaine, ce qu'il avait dit était tout ce dont il se souvenait de ce jeune homme.

Cet échange eut par contre un bon côté. Puisque les tractations avec les trappeurs se faisaient à bord du schooner, Élisabeth se promit d'y demeurer quand ils seraient à Betsiamites. « Si le vieux trappeur se présente, se dit-elle, je l'interrogerai au sujet de ce Renard rapide. Peut-être sait-il quelque chose qui pourrait nous aider à l'identifier. »

Quand, deux jours plus tard, Betsiamites fut en vue, Élisabeth demanda au capitaine l'autorisation de demeurer dans le vaisseau afin d'assister aux échanges de fourrures. Le capitaine n'y vit pas d'objection.

Les premiers à se présenter au schooner amarré au quai furent deux Montagnais qui, contre deux ballots de peaux de castor, reçurent de la farine, de la viande de porc et de la graisse. Ces deux-là venaient à peine de quitter l'embarcation qu'un autre se présenta avec un lot de peaux de castor. Le capitaine les examina attentivement. Intéressée à tout ce qui se passait, Élisabeth se rendit compte, à l'air soudain suspicieux du capitaine, que quelque chose n'allait pas.

— D'où viennent ces fourrures ? demanda-t-il vivement.

— Du nord, répondit le Montagnais.

— Et tu en demandes combien?

— La même chose qu'à mes amis.

Le capitaine se contint pour ne pas éclater:

— Tu dis qu'elles viennent du nord? Mais d'où au juste, au nord?

— En haut, de par là où la rivière rit.

Le capitaine fulminait:

— Je vais t'en faire, une rivière riante! hurla-t-il. Ces fourrures que tu veux me vendre viennent tout droit de l'Outaouais et tu as le front de m'en demander le même prix que des fourrures d'ici?

Il cracha sur le ballot et fit signe à son visiteur de repartir en vitesse par là d'où il était venu.

— Tu n'apprendras pas à un vieux singe comme moi à faire des grimaces et tes ruses ne sauront pas me tromper.

En compagnie d'Albert, qui veillait sur elle comme son ombre, Élisabeth assista tout le jour au défilé des vendeurs, tous des Montagnais prêts à marchander durant des heures afin d'obtenir satis-faction, et menaçant à tout moment d'aller vendre leur butin à d'autres sans toutefois ébranler le capi-taine. Ce jour-là, le vieux trappeur ne vint pas au schooner.

— Nous le verrons certainement demain matin, assura le capitaine. Jusqu'à présent, il a toujours fait affaire avec moi.

— Promettez-moi de me le faire connaître, lui demanda Élisabeth.

— Je n'y manquerai pas, mademoiselle. Vous pouvez compter sur moi.

Le lendemain, Albert sur les talons, Élisabeth se retrouva tôt à son poste. La matinée vit défiler de nombreux trappeurs, dont certains blancs, mais celui qu'Élisabeth attendait anxieusement ne se présenta pas. Elle allait désespérer de le voir quand un homme dans la trentaine monta à bord du schooner. Il apportait un nombre considérable de peaux, les siennes et celles, disait-il, que lui avait confiées le vieux Boisverdun.

— Votre vieux trappeur n'est pas venu, dit le capitaine. Ce jeune homme du nom de Baker me dit qu'il est malade et qu'il lui a remis ses peaux. Si vous tenez à obtenir des informations sur le vieux, vous avez là celui qui peut vous en donner.

Élisabeth attendit que le jeune homme finisse ses marchandages pour l'interroger :

— Le capitaine me dit que tu lui as apporté les fourrures d'un vieux trappeur.

— Ouais !

— Pourrais-tu m'en apprendre plus sur lui ?

Le jeune homme la regarda avec un brin de méfiance.

— Tout dépend de ce que tu veux savoir.

— Il paraît, reprit Élisabeth, que ce vieil homme trappe depuis longtemps par ici. Je suis à la recherche d'un trappeur de ma connaissance qui venait sans doute par ici et dont je suis sans nouvelles depuis plus de cinq ans. J'ai pensé qu'il pourrait le connaître puisque, comme me l'a dit le capitaine Bouchard, il y a quatre ou cinq ans, un jeune trappeur venait lui vendre ses peaux de martre, de vison, de loutre et de lynx.

— Il faudrait lui demander. Je suis ici depuis un mois à peine. Je suis venu explorer la rivière pour la Société géographique de Québec. Nous préparons une grande expédition vers le lac Mistassini. C'est en remontant la Betsiamites que je me suis arrêté au camp de ce vieux trappeur et qu'il m'a confié ses fourrures.

Élisabeth ne perdit pas de temps. Elle dit vivement :

— Où pourrions-nous le rencontrer ?

— Comptez-vous chanceuse, mademoiselle, il trappe à une trentaine de milles plus haut sur la rivière.

Albert, qui n'avait pas ouvert la bouche jusque-là, demanda :

— Est-ce que tu remontes par là bientôt ?

— Demain. Je dois rendre son argent au vieux.

— Est-ce possible de nous y rendre avec toi ?

— Si vous payez, y a d'la place dans mon canot.

Le lendemain à l'aube, ils s'installèrent dans l'embarcation de Baker.

Chapitre 11

Boisverdun

La Betsiamites n'était pas une rivière très impétueuse, mais il fallait être habile pour en remonter le cours en canot. Leur guide, solidement bâti, ne semblait pas impressionné par la force des courants contraires. Il savait louvoyer dans ces eaux et tirer profit des moindres courants lui permettant d'en remonter le cours sans trop de peine. À la pince de l'embarcation, Albert faisait de son mieux pour lui venir en aide, mais maniait l'aviron à la manière d'un novice. De temps à autre, leur guide lui lançait :

— Force à droite ! Retiens à gauche !

— C'est ce que je fais, protestait Albert.

L'autre partait d'un grand rire.

— Dis plutôt : ce que tu essaies de faire !

Albert ne s'en offusquait pas. Leur embarcation avançait à un bon rythme. Ils progressèrent si bien qu'un peu avant le coucher du soleil, ils se retrouvèrent au camp de ce Boisverdun, un homme costaud, à barbe blanche, la peau tannée comme celle des Indiens. Il avait les mains rudes mais le regard bon, qu'accompagnait un sourire bien-veillant. Baker l'aborda en s'informant en tout premier lieu de son état de santé.

— Ça ne va pas fort, fit l'autre, mais c'est mieux que pire.

— J'ai votre argent et un peu de nourriture, farine, graisse, lard, pois et un bon pain frais, lui dit Baker. Ça vous fera du bien de manger.

Élisabeth offrit de lui préparer le repas. L'expression dans le regard du trappeur lui révéla que son offre tombait pile. Pendant qu'elle s'affairait aux chaudrons, et puisqu'il n'y avait pas de place pour quatre à coucher dans le camp, Baker et Albert s'occupèrent à préparer un abri pour la nuit. Ils travaillaient en silence depuis un bon quart d'heure quand Baker dit :

— Ta sœur pourra coucher dans le campe.

— Dis plutôt ma cousine.

— Ah bon ! En tous les cas, le vieux semble assez en forme. Il devrait pouvoir la renseigner à propos de son trappeur. Qui était-il, au juste ?

— Son mari.

— Dans ce cas, souhaitons qu'elle n'apprenne pas de mauvaises nouvelles à son sujet.

— Bah ! Tout ce qu'elle désire savoir, c'est s'il est mort ou vivant.

— Pourquoi donc ?

— Elle a quelqu'un d'autre en vue.

— En somme, voilà qui est bien. Elle ne fera pas de drame si jamais elle apprend sa mort.

Ils en étaient là dans leur conversation quand Élisabeth les appela pour le souper. Quand ils pénétrèrent dans le campe, ils furent tout de suite mis en appétit par les arômes du lard qui mijotait et la bonne senteur du pain frais. Le vieux Boisverdun semblait s'être assoupi sur sa paillasse. Baker insista pour qu'il vienne partager leur repas. Il se leva, non sans peine, et se traîna à la table jusqu'à la bûche qui lui servait de banc. Ils mangèrent sans parler, perdus tous les quatre dans leur monde secret.

Enfin, Élisabeth se décida à aborder le sujet pour lequel elle avait fait tout ce trajet.

— On m'a dit que vous trappez depuis longtemps dans le coin, dit-elle.

— Une vingtaine d'années.

— Vous devez connaître un bon nombre de trappeurs?

— Seulement ceux qui passent par icite.

— Vous souvenez-vous d'un jeune trappeur du coin? Il y a cinq ans, il vendait ses peaux comme vous au capitaine Bouchard.

— Un jeune trappeur... y a cinq ans. Ça doit être celui que les Sauvages appelaient le Renard rapide.

— Oui, c'est bien de lui que le capitaine Bouchard a parlé.

— Si c'est lui, y a une ourse qui a été plus rapide que lui.

Élisabeth resta interdite.

— Voulez-vous dire, intervint Albert, qu'il a été tué par un ours ?

— Au printemps, y a quelques années, il a fait une mauvaise rencontre : une mère ourse avec ses petits. Elle ne l'a pas manqué. C'est sa femme, une Montagnaise, qui a trouvé son cadavre. Il paraît qu'il était pas beau à voir.

— Il vivait avec une Sauvagesse ?

— Oui ! Si j'ai bonne souvenance, ils avaient trois enfants.

— Tous les trois d'elle ?

— Ça, avec les Sauvagesses, on peut pas le dire…

— Vous avez dit qu'il s'appelait Renard rapide. Est-ce que c'est le seul nom que vous lui connaissez ?

— Me semble qu'y avait un autre nom. Comment c'était ? Bah ! Je le trouverai ben quand j'y penserai plus. Pour le moment, je vas m'étendre pour dormir.

Il se dirigea vers sa couchette et il n'y eut plus moyen de lui soutirer aucune autre information.

Baker et Albert se retirèrent à leur tour pour la nuit. Élisabeth resta un moment dehors, près de la porte, à regarder les étoiles. Elle n'avait pas trouvé réponse à ses interrogations. Ce Renard rapide pouvait être n'importe qui. En plus, il vivait avec une Sauvagesse et ils avaient des enfants. Et cette cicatrice dans la figure dont avait parlé le capitaine… Elle finit par se coucher à son tour dans l'autre lit du campe.

Durant la nuit, elle se réveilla en sursaut, le vieil homme rêvait. Elle crut l'entendre dire « Charlabin ». Sans faire de bruit, elle sortit chercher Albert. Elle avait besoin d'un témoin au cas où le vieil homme parlerait de nouveau dans son rêve. Baker, qui ne dormait que d'un œil, les suivit jusqu'au camp. Ils restèrent un moment silencieux à écouter le vieil homme se battre avec sa respiration. Puis, ils l'entendirent murmurer de nouveau « Charlabin ».

Au matin, forte de ce qu'elle avait entendu au cours de la nuit, Élisabeth demanda spontanément au vieil homme :

— Le nom du jeune trappeur vous est-il revenu ?

— Non ! C'est ben curieux, c'était pourtant un nom pas comme les autres.

— Si je vous disais Charlabin, enchaîna Élisabeth, ça vous rappellerait quelque chose ?

— Tu l'as, jeune fille, c'est ben de même qu'il s'appelait ! Y avait une croix de bois le long de la rivière, à quelques milles en amont. Si elle y est encore, y ont écrit quelque chose dessus.

— Qui ça ?

— L'oblat qui a passé bénir sa tombe.

— Charlabin est enterré là ?

— Pas loin de la croix.

— Et la Sauvagesse et les enfants ?

— Ils ont pris le bois. Fouille-moé astheure à savoir où ils ont déguerpi.

Élisabeth en avait assez entendu. Elle songea un moment à rechercher cette femme, mais c'était une entreprise presque impossible. Est-ce que l'aîné des trois enfants était Benjamin? Malgré la pluie fine qui tombait depuis le matin, elle sortit. Albert voulut l'accompagner mais elle le repoussa:

— Laisse-moi, j'ai besoin d'être seule.

Quand elle revint au bout d'une heure, elle était trempée jusqu'aux os mais, étrangement, comme elle me l'a si souvent répété, elle se sentait beaucoup moins tourmentée.

— Je ne partirai pas d'ici, dit-elle, sans voir l'endroit où il est enterré.

— Je t'y mènerai, dit Baker.

— J'irai aussi, promit Albert.

Ils attendirent au lendemain le retour du beau temps pour faire leur pèlerinage. Le vieux Boisverdun leur avait précisé qu'à peu près à dix milles en amont, ils verraient sur la rive droite de la Betsiamites, juste au bas des premiers rapides, le campe de Charlabin, ou, comme il disait, «en tous les cas ce qui en reste». De là, il y avait un sentier de portage le long de la rivière. «Prenez-le et quand vous redescendrez pour rejoindre le haut des rapides, vous verrez la croix si elle y est toujours.»

Avec Baker à l'aviron, ils remontèrent la rivière jusqu'à l'endroit indiqué par le vieux trappeur. Élisabeth sentit son cœur se serrer d'émotion quand elle mit pied à terre pour se diriger vers ce campe où avait vécu Charlabin, et peut-être même leur fils Benjamin. Elle resta un bon moment en arrêt devant la porte avant d'y pénétrer. Malgré le fait que les vitres des deux seules fenêtres du campe étaient éclatées et que l'air circulait à profusion dans le bâtiment, une forte odeur de moisi la prit à la gorge. Elle ne s'attarda pas plus longtemps. Le campe avait été vidé de tout son contenu.

Restés en retrait, Baker et Albert lui emboîtèrent le pas quand elle prit courageusement le sentier menant à la tombe de Charlabin. La sente sauvage et déserte était envahie par des pimbinas, des lycopodes et des fougères. Mais Élisabeth ne s'en souciait guère. Elle avançait d'un bon pas, malgré les arbres tombés et les obstacles de tous genres, pièges sournois sous son pied mal assuré. Le sentier longeait la rivière. Un rempart d'arbustes la lui cachait, mais le bruit des rapides bourdonnait constamment à ses oreilles. Le sentier bifurqua soudain vers une forêt plus dense. La rafale subite d'un vol de gélinottes la fit sursauter. Le cri bref d'un martin-pêcheur lui rappela la proximité de la rivière. Le chemin montait toujours, mais elle ne ralentissait pas l'allure. Puis, au moment où elle s'y attendait le moins, une trouée dans les arbres la fit s'arrêter net. À ses pieds dévalait une pente raide au bout de laquelle la rivière s'affolait en amorçant sa course à travers les rapides. Un grondement sourd envahissait la forêt. La rivière écumait, s'étouffait avant de s'engouffrer en hurlant entre deux murailles de roc. Du haut de son promontoire, Élisabeth voyait les eaux noires de la Betsiamites se tordre et blêmir avant de disparaître, emportées dans une course folle sur la crinière blanche de bouillonnants rapides.

Elle descendit sans penser, entraînée comme par un aimant vers la rive. Le sentier s'enfonçait dans l'ombre des frênes et des merisiers, sous l'œil mauve des lobélies et le sourire blanc des immortelles. Un rayon de soleil perçait les nuages, son doigt lumineux était posé sur la croix. Elle s'immobilisa, le cœur battant. Ses compagnons, restés à distance, respectèrent son silence. Doucement, elle s'approcha de la croix. Les intempéries avaient noirci l'inscription. Elle y passa l'index afin de détacher un morceau de mousse, se pencha pour lire l'écriteau et éclata en sanglots.

Le lendemain, après avoir pris congé du vieux trappeur, ils firent à rebours le trajet jusqu'à Betsiamites. Une fois là, elle se mit en quête d'un notaire ou d'un scribe quelconque apte à faire un compte rendu. On lui indiqua la maison de l'instituteur. C'était un bel et grand homme sec, plein de condescendance et raffiné jusqu'au bout des ongles. Il accéda avec plaisir à la demande d'Élisabeth. Elle lui dicta en résumant ce qu'elle avait appris de la bouche même de Boisverdun et ce dont, tous les trois, ils avaient été témoins. Tout comme elle, Baker et Albert signèrent cette déclaration. En attendant la venue de ses compagnons d'expédition, Baker se tournait les pouces. Il offrit à Élisabeth de retourner faire signer Boisverdun. Elle craignait de manquer le schooner du capitaine Bouchard à son retour de la Côte-Nord, d'autant plus que cette fois il ne remontait pas plus loin qu'à Sept-Îles. Elle ne voulait pas risquer de retourner là-bas. L'instituteur accepta de réaliser une autre copie du compte rendu, celle que Baker alla faire initialiser à Boisverdun. Quand, trois jours plus tard, il revint de son périple, Élisabeth et Albert étaient repartis. Il avait eu la précaution de prendre les coordonnés d'Élisabeth. Il lui expédia la copie où le vieil homme avait mis sa croix, avec le mot suivant. Je l'ai là sous les yeux, au moment où j'écris ces lignes.

Mademoiselle,

La dernière bonne action que le vieux trappeur a réalisée fut d'apposer sa marque à la copie du compte rendu que je pris le temps de lui lire avant la nuit. Le lendemain matin, je l'ai trouvé éteint dans son lit. J'ai creusé sa tombe et j'ai procédé à sa sépulture. Il repose en paix, tout comme Charlabin, le long de la rivière Betsiamites. Sur sa tombe, j'ai planté une croix sur laquelle j'ai gravé au couteau « Ci-gît Boisverdun ». Je ne doute pas que vous aurez une prière pour lui, tout comme ne manqueront sans doute pas de le faire les rares passants en ce lieu sauvage.

Fernand Baker

Chapitre 12

Visite à l'évêché et ses suites

Des coups répétés à la porte principale tirèrent Élisabeth de sa torpeur. Elle alla répondre. C'était nul autre que le rétameur. Elle ne manqua pas de lui faire remarquer:

— Ah! C'est vous! Vos affaires vous amènent de plus en plus souvent dans nos parages.

— Dites plutôt «vous amenaient», parce que j'pars pour longtemps: plusieurs mois...

— Qu'est-ce que je peux faire pour vous?

— Rien du tout. J'arrêtais simplement pour vous saluer avant de disparaître de la région.

— Cette attention me fait plaisir. Vous prendrez bien une tasse de café avant de partir?

— Si vous en avez déjà de prêt, sinon ne vous donnez pas cette peine.

— Allons, ça prend pas des heures à réchauffer et vous avez bien le temps d'une petite jasette.

— Si vous me l'offrez.

Il était resté dans l'entrée. Elle l'invita à s'asseoir. Elle lui trouvait un drôle d'air, comme s'il était à la fois gêné et satisfait de son audace.

— Cette fois, qu'avez-vous de bon à raconter ? l'invita Élisabeth.

Il se frotta les yeux à la manière de celui qui n'a pas beaucoup dormi.

— Ce que j'ai à raconter… répéta-t-il. Ma vie n'est pas facile, vous savez. Un rétameur n'a pas le même salaire qu'un docteur.

Elle intervint vivement :

— N'allez pas croire qu'un docteur se fait payer grassement. Ils sont rares, ceux de ses patients qui peuvent lui donner pour ses services plus que des œufs, du bois ou de la viande. J'en sais quelque chose.

Voyant la conversation mal partie, il n'insista pas. Pour meubler le silence, Élisabeth intervint :

— Comme ça, vous partez pour longtemps ?

— Il faut bien changer le mal de place de temps à autre. J'agrandis mon territoire. Je parcours d'autres comtés. L'ouvrage se fait de plus en plus rare par icite.

Le café était prêt. Élisabeth lui en servit une tasse. Il commença à boire à petites gorgées en soufflant sur le breuvage pour chasser la chaleur trop vive.

— Votre mari va bien ? demanda-t-il.

— Très bien, mais il n'est pas souvent ici. Il doit constamment prendre la route pour soigner les malades chez eux. Plusieurs d'entre eux sont trop souffrants pour se déplacer.

— Il va par tout le territoire ?

— Oui, souvent dans les rangs des paroisses voisines : Honfleur, Sainte-Hénédine, Saint-Lazare, parfois Saint-Malachie et même Sainte-Marguerite.

— C'est précieux, un docteur, ça il faut l'admettre.

— Pour moi, s'exclama Élisabeth, le sourire aux lèvres, il est doublement précieux.

Elle croyait que ses paroles allaient dérider le rétameur, mais il resta impassible. Il finit de boire son café et s'en fut comme il était venu.

Élisabeth disposait encore de quelques minutes avant que Jean, qui s'amusait dans son ber, ne réclame à boire. Elle s'empara du journal de Joachim. Il se poursuivait par le récit suivant :

Dès après le retour d'Élisabeth, fort des renseignements qu'elle m'apportait, je me rendis de nouveau à Québec mais, cette fois, en sa compagnie et celle de son cousin Gilbert, afin de ne pas prêter flanc à des remarques désobligeantes. L'abbé Duclos nous reçut froidement, sans même daigner nous tendre la main. À quoi pouvions-nous nous attendre d'autre de ce triste individu ? Cet homme ne savait certainement pas en quoi consistait un sourire. Il me parut on ne peut plus ennuyé par notre visite.

Je lui facilitai la tâche en lui remettant le dossier constitué à l'aide des recherches faites par Élisabeth. Il le prit en disant :

— Vous comprendrez qu'il nous faudra beaucoup de temps avant de donner réponse à votre réquisition.

— Beaucoup de temps, dis-je, signifie sans doute quelques semaines?

Il s'indigna.

— Que laissez-vous entendre? Il nous faudra bien trois ou quatre mois d'étude du dossier.

— Mais, monsieur l'abbé, nous avons la preuve que le premier mari d'Élisabeth n'est plus de ce monde, que vous faut-il de plus?

Ce fut précisément à l'instant où je posais cette question qu'une lueur s'alluma dans mon esprit. J'ajoutai:

— N'y a-t-il pas moyen d'accélérer les procédures?

L'abbé allait répondre, mais pour couper court, je déposai cent dollars sur le bureau. Sans laisser le temps au prêtre de prétendre qu'on ne pouvait l'acheter, j'enchaînai:

— Nous sommes bien conscients, monsieur l'abbé, que toutes ces démarches occasionnent beaucoup de frais, voilà donc de quoi les couvrir en tout ou en partie.

Pour la première fois, les traits de l'abbé se détendirent.

— Nous tâcherons de vous faire part de notre décision dans les meilleurs délais, promit-il.

Deux semaines plus tard, alors que je passais par la poste, j'y trouvai une lettre à mon intention. Elle venait de l'évêché. Je m'empressai de la décacheter.

Après étude des documents que vous nous avez remis et considérant que la preuve est formellement faite du décès du premier mari d'Élisabeth Grenon, nous vous avisons qu'il n'y a plus d'obstacles au mariage projeté.

Je n'eus pas besoin d'en lire plus. Enchanté, je courus annoncer la bonne nouvelle à celle qui ne quittait plus mes pensées. Du même coup, en quelques jours, toute la parenté apprit qu'il y aurait bientôt un mariage à Métabetchouan.

Élisabeth referma le journal, mais n'en continua pas moins de penser. Ils avaient d'abord annoncé à la boulangerie, en présence de tout le clan Laflamme, leur mariage prochain.

— Ça fait si longtemps que nous espérions ce moment, expliqua Joachim, que nous n'attendrons pas que les neiges soient à nos portes. Ce serait trop difficile de nous rendre à Métabetchouan en hiver. Puis, c'est pas tout de s'y rendre, il faut aussi en revenir. Dès la semaine prochaine, nous partirons.

Élisabeth se souvenait très bien d'avoir pris la parole pour dire :

— Quand j'étais jeune, nous l'avons fait en sleigh au printemps avec notre père. Je m'en rappelle comme si c'était hier. Il y avait des loups qui nous suivaient parce qu'Omer avait tué un orignal dont nous transportions la viande. Justement, cette nuit-là, on a été obligé de coucher dehors. Au petit matin, les loups se sont approchés tellement près de nous que mon père en a tué un.

Ce fut alors que les cousins se mirent de la partie.

— Ouf! se moqua Lucien, les loups devaient sentir la viande fraîche! Un p'tit morceau d'Élisabeth, il me semble que ça doit goûter bon!

— Un p'tit nez sucré pour un, une oreille croustillante pour l'autre, une petite main bien ronde, un petit pied pour la bande, à tirer au sort, ajoutèrent-ils en riant.

Puis la conversation était revenue au sujet du mariage. Les cousins se promettaient d'y être.

— Nous pourrons partir tous ensemble, proposa Joachim.

Un ange passa. Comme elle le faisait souvent, Élisabeth se souvenait fort bien d'avoir soupiré avant de dire :

— C'est pas trop tôt...

— En voilà une qui a hâte de s'appeler madame Joachim! s'exclama Clément.

Ils éclatèrent de rire.

— Comment ça, madame Joachim? s'enquit Joachim.

— Par chez nous, c'est la coutume. Notre mère s'appelle madame Lucien. La femme du notaire porte le nom de madame Horace et Élisabeth deviendra madame Joachim.

Chapitre 13

Mariage à Métabetchouan

Après cette parenthèse où elle avait puisé dans ses souvenirs, Élisabeth fouilla dans ceux de Joachim.

Métabetchouan n'était pas à la porte, mais le voyage se déroula dans la bonne humeur. Ce fut avec beaucoup d'émotion qu'Élisabeth mit le pied sur la berge de la rivière à l'endroit même où, plus jeune, elle était passée si souvent. Cependant, Métabetchouan, comme je le constatai en même temps qu'elle, n'était plus du tout pareil. La rive est de la rivière était maintenant complètement habitée. Outre la maison de son père, elle reconnut celle de Bellone, et plus loin en remontant vers la chute, l'habitation d'Omer.

Nous étions à peine arrivés que nous fûmes tout de suite entourés d'une ribambelle d'enfants, cependant que Délina venait au-devant de nous, suivie de près par Léopold. Notre arrivée fut signalée dans le temps de le dire. Du côté de chez Bellone, ça s'agitait déjà, et là-bas, chez Omer, je crus me rendre compte d'un certain remue-ménage. Élisabeth tomba dans les bras de Délina. Les effusions terminées, j'eus droit à ma part de salutations, pendant que Léopold s'approchait timidement de sa sœur pour lui donner la main.

— Allons frérot, dit-elle, on n'embrasse pas sa sœur ?

Léopold s'exécuta sous les rires des enfants.

— À qui est toute cette marmaille ? demanda Élisabeth à Délina.

— Ah, chère ! Il y a tes neveux et nièces, ceux d'Omer et Céline, et les rejetons d'Obéline et Anastase, de même que ceux de Rosalie à Bellone. Elle est mariée à Rosaire Tremblay. Tu auras l'occasion de connaître tout ce beau monde bientôt. Nous vous attendions avec impatience depuis quelques jours.

Élisabeth restait là, comme étourdie, ne pouvant pas se faire à l'idée qu'Emmanuel, l'aîné d'Omer, qu'elle avait vu la couche aux fesses, puisse être aussi grand. Son neveu la regardait avec de grands yeux, sans doute parce qu'avec ses cheveux roux, il se trouvait des ressemblances avec elle.

En cortège, nous remontâmes vers la maison paternelle dans un grand concert de paroles et de rires. Assis paisiblement sur sa galerie, Manuel nous attendait en tentant de ne pas laisser trop percer l'émotion qui lui serrait le cœur. Sa fille aînée était là devant lui, à mon bras, et elle avait enfin retrouvé son entrain d'autrefois. Il en avait les larmes aux yeux. Il la serra longuement dans ses bras. Elle ne dit pas un mot, trop de souvenirs affluaient à sa mémoire. Délina la délivra de l'étreinte paternelle en m'invitant à saluer mon futur beau-père. Tout autour de nous, les enfants se taquinaient à qui mieux mieux.

Je dis mon bonheur d'être enfin parmi eux. Manuel tendit l'oreille afin de me faire répéter mes paroles. Élisabeth réagit, découvrant soudain que son père entendait difficilement quand il y avait de l'agitation tout autour. D'un petit signe de tête, Délina lui fit comprendre qu'elle avait deviné juste.

Le soir même, Élisabeth me dit qu'elle trouvait que son père avait beaucoup vieilli. Il n'avait pourtant qu'une cinquantaine d'années. Les épreuves qu'il avait traversées étaient parvenues à le marquer et commençaient à le miner lentement.

Nous avons eu un beau mariage célébré à la chapelle même du poste par le père Guibord, un oblat venu spécialement pour cette cérémonie à la demande de mon beau-père. Ce fut pour moi l'occasion de faire connaissance avec tous les membres de la famille réunis pour l'occasion. Même Geneviève, l'unique sœur d'Élisabeth, était venue de Chicoutimi avec son mari et leurs enfants. Quant à ceux d'Omer, ceux de Geneviève, ceux de Léopold mêlés à tous ceux de Bellonne, j'avais encore bien de la difficulté à les démêler !

Inutile de dire tout le bonheur que je pouvais lire dans les yeux de ma chère Élisabeth. Les noces furent mémorables. Les histoires fusaient, la musique nous transportait à des lieues de nos misérables problèmes quotidiens et je pourrais presque qualifier le repas d'orgiaque. Le plus beau cadeau qu'on nous fit fut cette bonne humeur qui dura d'un bout à l'autre des quelques jours que nous fûmes à Métabetchouan. Mais de tout ce séjour, ce qui m'a marqué le plus fut le présent que me fit Élisabeth.

Le lendemain de nos noces, elle me dit :

— Il fait beau, prépare-toi, ce soir, j'ai une surprise pour toi.

J'eus tout le jour pour me réjouir à l'avance de la surprise promise. Au cours de cette journée, nous repassâmes sur les lieux où nous avions été lors de ma première visite à Métabetchouan. Puis, le soir venu, à peine le souper terminé, Élisabeth me prit par le bras en me disant :

— Suis-moi !

J'obéis sans poser de questions. Elle apportait avec elle une grande couverture et, sans hésiter, elle dirigea ses pas vers la falaise en surplomb de la maison. Bien entendu, elle avait pris la précaution de demander à tous de respecter notre intimité. Elle monta jusqu'au sommet du promontoire. De là, à nos pieds, nous pouvions apercevoir à la fois le lac et la rivière. Elle posa la couverture à même la mousse du sol et, sans plus attendre, m'invita à m'y étendre à ses côtés. Ai-je besoin d'ajouter que tout l'amour que nous avions l'un pour l'autre s'épancha par de multiples baisers et caresses pour aboutir à une intense fusion de nos êtres, là, au grand air et en toute liberté, sous l'œil de notre créateur ? Ces élans intenses passés, Élisabeth me dit :

— Si j'ai tenu à ce que nous soyons ici ce soir, c'est parce que j'ai voulu te donner le même cadeau que mon père m'a offert au moment où je songeais le plus à me défaire de ma vie.

— Et de quel cadeau s'agissait-il ?

— Fais comme moi, dit-elle.

Elle s'étendit sur le dos, puis murmura :

— Ouvre bien tes yeux et tu verras.

Le soleil touchait l'horizon. Quelques nuages voguaient paisiblement au-dessus de la grande étendue bleue du lac. Ils s'illuminèrent un à un, jouant à s'habiller de seconde en seconde de couleurs variées. Le soleil disparut à nos yeux, mais le ciel s'embrasa comme les plus beaux feux de la Saint-Jean. Puis, un voilier d'outardes apparut au loin, au-dessus du lac. Chaque oiseau était un point lumineux et doré se déplaçant dans le ciel. Le temps de les suivre du regard jusqu'à ce qu'ils passent au-dessus de nous et le ciel s'imprégna de toutes les couleurs de l'arc-en-ciel, puis, graduellement des ombres d'un mauve incandescent s'étendirent sur l'horizon. Petit à petit, la nuit commença à faire son nid. Une à une, puis toutes ensemble, les étoiles allumèrent leurs fanaux. La noirceur chassa graduellement les dernières lueurs du jour jusqu'à ce qu'apparaisse à l'horizon la sphère orangée de la lune.

Élisabeth s'était tue et nous avions goûté en silence ce spectacle grandiose. Elle se tourna vers moi et me dit :

— Mon amour, si je suis ici avec toi ce soir, tu peux en remercier mon père. Il m'y a menée. C'est ce qui m'a redonné alors le goût de continuer à vivre. Depuis, chaque fois que le doute ou la tristesse m'envahit, il me suffit de regarder le ciel pour reprendre espoir.

Notre séjour à Métabetchouan se termina le lendemain quand, en compagnie des cousins d'Élisabeth venus pour la noce, nous fîmes à rebours le trajet jusqu'à Sainte-Claire.

Chapitre 14

L'établissement

De retour de Métabetchouan, il nous fallait songer sérieusement à nous loger. J'avais mes exigences. Il devrait y avoir assez de place pour mon bureau, une petite salle d'attente pour les patients et, bien entendu, plusieurs chambres à l'étage, parce qu'Élisabeth rêvait d'une ribambelle d'enfants.

Nous trouvâmes au beau milieu du village, à quelques pas de l'église, la maison idéale. Elle avait d'abord appartenu à un notaire, décédé quelques années auparavant, et elle était demeurée inhabitée depuis. En la visitant, je m'étonnai du fait que personne ne s'en soit porté acquéreur avant nous.

— Depuis combien de temps est-elle libre? demandai-je au vendeur, un des fils du défunt notaire.

L'autre sembla mesurer ses paroles avant de répondre:

— Bientôt dix ans.

— Dix ans? Vraiment?

— On a continué à bien l'entretenir, protesta-t-il. Voyez par vous-même. Tout y est bien en ordre et proprement conservé.

Nous en fîmes le tour et nous arrivâmes vivement à la conclusion que cette maison nous convenait parfaitement. Pour quelques centaines de dollars, nous en fîmes l'acquisition sans tarder. On y emménagea aussitôt, en nous procurant meubles et biens ici et là.

Aidée de sa tante, Élisabeth s'affaira à habiller les fenêtres et tout alla comme nous le souhaitions jusqu'au jour où je reçus ma première patiente. La femme semblait nerveuse et n'arrêtait pas d'étirer le cou en regardant d'un côté et de l'autre comme une bête apeurée. M'avisant de son manège, je lui demandai :

— Quelque chose vous inquiète, madame Turgeon ?

— Ben ! Les fantômes, monsieur le docteur, les fantômes, y sont-y bien partis de la maison ?

— De quels fantômes parlez-vous ?

— De ceux qui habitent là depuis que le notaire s'y est pendu.

Je restai interdit. Personne ne nous avait parlé de fantômes et encore moins du fait que le notaire avait mis fin à ses jours dans cette maison. Je me gardai d'en parler à Élisabeth mais, ce jour-là, dès que j'en eus terminé avec mes patients, je me dirigeai tout droit chez le boulanger. Me voyant arriver dans tous mes états, il me prit de court en disant :

— À te voir à l'envers comme tu es, mon garçon, tu as dû voir des fantômes… ou en entendre parler.

— Pourquoi ne m'en avez-vous pas informé ?

— Vous la vouliez tellement ! Ça vous aurait-y empêché de l'acheter ? Auriez-vous peur de ce qui existe pas ?

— Les fantômes, ce sont des inventions de bonnes femmes, mais le fait que le notaire qui habitait là s'y est pendu est une autre histoire.

— Qu'est-ce que ça change pour autant ? reprit le boulanger. Des morts, il y en a eu dans toutes les maisons du village. Lui, je suis bien d'accord, s'y est pris d'une façon pas ordinaire pour y arriver. Il n'en est pas moins mort. Et une fois qu'on est passé de l'autre bord, la manière importe peu. Ce qui compte pour toi et Élisabeth, c'est que la maison vous va. Le reste, les fantômes, les fifollets, les lutins et les loups-garous, c'est juste bon pour les âmes peureuses, histoire de se donner des frissons de même parce qu'elles savent pas s'en donner autrement.

Les paroles pleines de bon sens du boulanger m'apaisèrent. Je me désolai tout de même :

— Je ne sais pas comment Élisabeth va réagir quand elle va l'apprendre.

— Elle le sait pas encore ? Mon garçon, t'as qu'à lui dire la vérité. Elle en a vu d'autres. C'est pas elle qui va partir en peur pour des supposées lueurs la nuit et des bruits de chaînes que juste les sourds, et surtout les sourdes, entendent dans leur tête. À les croire, on verrait des apparitions partout.

De retour à la maison, j'attendis le moment propice pour faire part à Élisabeth de mes découvertes. Nous finissions tout juste de souper quand je dis:

— Tu ne sais pas ce que j'ai appris aujourd'hui?

— Quoi donc?

— Il y aurait eu autrefois des fantômes dans notre maison. C'est pour ça que personne ne l'a achetée avant nous.

— Des fantômes! dit Élisabeth avec une pointe d'espièglerie dans le regard. Tu ne le savais pas, je les cache tous les soirs dans les tiroirs de la commode.

— Tu étais donc au courant? lui reprochai-je. Pourquoi ne me l'as-tu pas dit?

— Je craignais que les fantômes t'empêchent d'acheter la maison.

Elle éclata de ce rire qui, à chaque fois, ne manquait pas de m'attendrir. Voyant qu'elle se payait ma tête, je pris le parti d'en rire à mon tour.

— Nous vivons dans une maison hantée et ça ne te fait pas un pli sur la différence?

Jouant sur les mots, elle répartit:

— Ce n'est pas une maison en « T », à mon avis elle a plutôt la forme d'un « L ».

La voyant si enjouée, je m'approchai, la pris dans mes bras et, sans plus attendre, allai la déposer sur notre lit.

— Voilà! dit-elle. Si je comprends bien, c'est ce soir que nous nous faisons un premier petit fantôme, à moins que ce soit un lutin ou un feu follet?

Neuf mois plus tard, le petit fantôme apparut, bien en chair et en os. Je proposai tout de suite qu'il ait pour parrain l'oncle Lucien et pour marraine la tante Aline. Élisabeth approuva ce choix avec enthousiasme, mais entre-temps, un événement inattendu vint chambarder tous les plans. Le baptême devait avoir lieu le samedi, or, le mardi, de passage à Sainte-Claire, Joseph Laflamme, frère du boulanger, débarqua chez nous venant directement de Chicago. C'était un drôle de pistolet, un homme jovial, débordant d'énergie qui, apprenant le baptême prochain, offrit spontanément de servir de parrain.

— Je suis célibataire et heureux de l'être. Jamais, jusqu'à présent, je n'ai eu le bonheur d'être parrain. Aux parents je promets, s'ils me font cet honneur, de faire de leur enfant mon seul et unique héritier.

Son souhait tomba comme une grosse pierre au milieu d'un étang.

— Notre parrain était déjà choisi, protestai-je.

L'oncle Joseph revint à la charge :

— Libre à vous de le garder, n'empêche que mon offre tient toujours, mon jeune ami, et pour être une belle offre, c'est une belle offre.

Ne voulant pas déplaire à l'oncle Lucien, je demandai une journée ou deux pour y réfléchir. En compagnie d'Élisabeth, entre-temps, j'allai trouver le boulanger qui n'hésita pas un instant :

— Prenez-le pour parrain, vous ne le regretterez pas. Il est riche. Tandis que moi, ma fortune sera divisée entre tous mes enfants.

— Mais, mon oncle, protesta Élisabeth, vous n'auriez pas aimé être le parrain de notre fils ?

— Ça m'aurait fait plaisir, mais qu'importe puisque ta tante sera sa marraine. Nous pourrons bien le gâter quand même.

C'est ainsi que Jean Damour eut pour parrain son grand-oncle Joseph, riche célibataire vivant à Chicago.

Chapitre 15

Les conseils d'Armandine

Comme il le faisait toutes les semaines, Joachim consacrait une journée à ses malades habitant loin de Sainte-Claire. Ces jours-là, Élisabeth recevait la visite de son amie Armandine, madame Horace, l'épouse du notaire Horace Marceau. Armandine se chargeait de mettre Élisabeth au fait des divers habitudes des gens de Sainte-Claire. Elle la prévenait aussi contre certaines femmes dont la fréquentation n'était pas recommandable en raison de leur manque de discrétion.

—Joséphine Poulin, ma chère, mène le clan des commères de Sainte-Claire. Je ne veux pas dire pour autant qu'elle est méchante. J'avancerais plutôt qu'elle est envieuse. Elle n'accepte pas, par exemple, que certaines d'entre nous, parce que bien mariées, aient plus d'aisance qu'elle. Et tu sais comme moi, Élisabeth, que l'envie pousse souvent à des agissements indignes de la part d'une bonne chrétienne.

Occupée à changer la couche de Jean, Élisabeth écoutait d'une oreille distraite. Elle commenta :

— Moi, tu sais, Armandine, ces commérages, je n'y porte guère attention, car ils finissent toujours par retomber sur le nez de celles qui les font. Quand on crache en l'air...

Armandine s'empressa de l'interrompre :

— Si je te parle de ça, ma chère, ce n'est que pour te prévenir afin que tu te tiennes sur tes gardes.

— Je ne doute pas de tes intentions, reprit Élisabeth, il y a maintenant assez longtemps que je te connais pour savoir que tu as bon cœur. Mais si tu le veux bien, je préférerais parler d'autre chose.

— De quoi donc ? Tu m'as l'air un peu lasse aujourd'hui.

— Ce n'est pas tant de la lassitude que de l'ennui et un peu d'inquiétude. Chaque fois que Joachim part pour ses tournées, j'aimerais tellement être avec lui ! J'ai résolu de sevrer Jean plus tôt que prévu afin que ces jours-là, je puisse le faire garder par ma tante, ce qui me permettrait de seconder et d'accompagner mon mari.

— Ce n'est pas une mauvaise idée. On gagne toujours à être près de celui qu'on aime, et tu ferais bien d'en profiter avant de tomber enceinte d'un deuxième enfant.

— Tu as bien raison. Ce n'est pas l'envie qui manque, mais jusqu'à présent le ou la deuxième se laisse désirer. En attendant, je crois bien que Joachim apprécierait de m'avoir avec lui, surtout pour les accouchements. Parfois, ça ne se passe pas aussi bien qu'il le voudrait. La semaine dernière, par exemple, l'enfant est né avec le cordon autour du cou. Il a failli le perdre. Il me semble que si j'avais été là, les choses auraient pu se passer autrement.

— Tu aurais dû devenir garde-malade plutôt que maîtresse d'école. Ça aurait été plus utile à ton mari.

Élisabeth approuva.

— On ne connaît pas l'avenir, Armandine. Comme je te l'ai déjà raconté, j'achevais mes études quand j'ai rencontré Joachim.

Les deux femmes en étaient là de leur conversation quand elles entendirent le son du heurtoir à la porte. Armandine demanda :

— Tu attends quelqu'un ?

— Non ! Ce doit être un patient de Joachim.

Élisabeth alla répondre. C'était le rétameur.

— Tiens, vous voilà de nouveau dans nos parages ? Vous ne deviez pas partir pour longtemps ?

— Comme vous voyez, madame Joachim, ce n'est pas encore fait. J'arrêtais pour voir si votre mari ne pourrait pas m'enlever une écharde de métal dans la paume de la main. Je n'en suis pas venu à bout tout seul.

— Malheureusement, mon mari n'est pas ici. Mais montrez-moi ça pour voir, peut-être que je pourrai faire quelque chose.

Le rétameur la suivit. Il eut une curieuse réaction quand il vit qu'Élisabeth n'était pas seule. Sa moue trahit ce qu'il ressentait.

— Pardon, s'excusa-t-il. Je ne veux pas être importun. Je reviendrai quand le docteur sera là. Excusez mon intrusion, ajouta-t-il à l'intention d'Armandine.

Cette dernière le dévisagea avant de dire :

— Je n'ai pas l'honneur de vous connaître malgré le fait que je vis ici depuis bien des années.

— C'est que vous n'avez jamais eu besoin de mes services. Ce ne sont pas tout un chacun qui ont de vieux chaudrons à faire rétamer.

— Vous avez bien raison, monsieur, d'autant que vous ne nous rendez pas visite souvent.

— Que voulez-vous, mon métier exige beaucoup de déplacements.

Entre-temps, Élisabeth avait mis Jean au lit. Elle s'approcha.

— Montrez-moi cette main !

Le rétameur ouvrit la main. On pouvait apercevoir dans sa paume un point noir à l'endroit où la pointe en métal s'était logée.

— Pour une écharde, c'en est toute une ! s'écria Élisabeth. J'ai bien peur de ne pas vous être très utile. Il faudra que Joachim se serve d'une lancette pour agrandir l'ouverture. Je ne sais pas le faire. Il va falloir revenir.

L'horloge sonna onze heures. Le rétameur regarda sa main et dit, en esquissant un sourire :

— Ce petit morceau de métal ne me tuera pas. Je reviendrai à soir. À quelle heure attendez-vous votre mari ?

— Selon son habitude, si tout a bien été, un peu avant la noirceur.

— Si vous le permettez, je reviendrai après le souper pour vous tenir compagnie en attendant son arrivée.

—Vous avez bien en bel! l'invita Élisabeth. Le temps passe plus vite quand on a de la visite.

Dès que le rétameur eut passé la porte, Armandine dit:

—Je ne sais pas pourquoi, mais je n'ai pas ressenti beaucoup de sympathie pour cet homme. Il m'a l'air plutôt rude et pas trop dégrossi. Il y a quelque chose dans son regard que je n'aime pas.

—Ce n'est pas mon idée, répondit Élisabeth. Il est déjà venu se faire soigner par Joachim et je l'ai trouvé très affable.

La conversation mourut là-dessus. Une fois son amie partie, Élisabeth s'affaira dans la cuisine à préparer leur repas du soir. Elle s'amusa ensuite avec Jean jusqu'à ce qu'elle le mette au lit pour la nuit. Le silence tomba sur la maison qui voguait paisiblement vers le soir. La journée avait été belle. Élisabeth sortit prendre l'air sur la galerie. «Joachim reviendra-t-il ce soir ou passera-t-il la nuit à attendre qu'une femme donne la vie?», se demanda-t-elle. C'est alors qu'elle se rendit compte de la présence de quelqu'un au bout de la galerie. C'était le rétameur. Elle se demanda depuis combien de temps il était là. Était-il seulement parti comme il l'avait laissé entendre?

—C'est vous? dit-elle. À mon idée, mon mari ne viendra pas coucher ce soir ou encore il arrivera tard. Les accouchements ne se déroulent pas toujours comme on le souhaite.

—Ah! Vous êtes seule? Laissez-moi vous dire que votre mari est un homme chanceux qui ne semble pas connaître sa chance. Il ne devrait pas vous laisser seule comme ça. Mais qu'est-ce que je dis là ? Ça ne me regarde pas. En plus, un docteur ne choisit pas, ce sont ses patients qui décident pour lui.

— Vous avez bien raison. Un docteur ne s'appartient pas.

— Bon ! Madame Joachim, je ne resterai pas plus longtemps tout seul avec vous, pour ne pas faire jaser. Je reviendrai demain matin pour faire enlever mon écharde. Je vous plains vraiment d'être seule.

— Ce n'est pas facile en effet d'avoir son mari loin de soi plusieurs fois par mois. Mais c'est ça être la femme d'un docteur, dit-elle en poussant un long soupir.

— Bonsoir quand même, dit le rétameur.

Elle resta là un moment à se tourmenter de la sorte, quand elle se souvint des paroles de son père : « La nature sait toujours nous consoler et nous combler. »

Il y avait longtemps qu'elle ne s'était pas arrêtée à observer un coucher de soleil. Ce fut ce qu'elle fit en s'assoyant au bout de sa galerie. Un chat gris passa en miaulant, puis elle entendit le cri et les vrombissements des ailes d'un engoulevent. L'ouest s'enflamma. Pour la première fois depuis qu'elle était à Sainte-Claire, elle remarqua un phénomène curieux : le soleil couchant semblait allumer un feu aux fenêtres d'un grand nombre de maisons. Elle resta là encore un moment, le temps que la nuit torde le cou du jour et qu'apparaissent les premiers grains de beauté du ciel. Par milliers, les étoiles s'allumèrent. Élisabeth poussa un soupir. Tout à coup sa pensée vogua vers Métabetchouan.

Chapitre 16

L'invitation

Tôt le lendemain, Joachim rentra à la maison. Le rétameur l'y attendait. Il s'occupa de lui avant de faire un somme pour récupérer de sa nuit courte. L'angélus du midi n'avait pas encore sonné, que déjà on cognait à la porte. Joachim venait de se lever. Élisabeth se précipita. Elle reconnut aussitôt un de ses cousins.

— Entre Gilbert! Entre! Ça fait toujours plaisir de te voir.

Le cousin passa le seuil. C'était un costaud habitué au dur travail près des fourneaux. Il avait la peau foncée, à force sans doute de rester longuement à la grande chaleur du four.

— Je passais, expliqua-t-il, quand j'ai pensé que vous auriez peut-être besoin de pain, c'est pour ça que je me suis arrêté et aussi pour vous apporter l'invitation de ma mère. Elle veut vous avoir pour dîner dimanche. C'est la fête à Barthélémie, il y aura un gâteau.

—Tu peux dire à ta mère, lança Joachim, que ça nous fera grand plaisir d'y être. À part ça, rien de nouveau?

—Pas grand-chose, à part que Lucien s'est fait une blonde.

—Dis-moi pas, s'écria Élisabeth, qu'il va y avoir enfin une autre femme dans la famille!

—C'est pas pour tout de suite, reprit Gilbert. Ça ne fait que commencer. Il faut leur laisser le temps.

—Et toi? Qu'est-ce que t'attends pour nous amener ta promise?

—J'suis pas pressé. Ça va venir mais pas tout de suite.

—Je gagerais, reprit Élisabeth, qu'on va les marier ensemble tous les sept le même jour.

Joachim se mit à rire en la regardant intensément:

—Tu as raison, chérie, des fois, ça se passe pas mal vite, les amours... Nous en savons quelque chose, non?

—Quand Cupidon est là, admit-elle, ça va vite!

Ils rirent tous les trois de sa répartie. Puis Gilbert se leva d'un coup.

—C'est pas que je m'ennuie, mais il faut que j'y aille. Toujours est-il que vous ne voulez pas de pain?

—Apporte-nous en donc un, concéda Élisabeth.

Le cousin revint avec un pain et un gâteau qu'il leur donna en prétextant que s'ils ne les prenaient pas, ils allaient se perdre.

Le dimanche suivant, ils se retrouvèrent donc avec Jean chez les Laflamme pour le dîner d'anniversaire de Barthélémie. La mère Laflamme s'était surpassée tant la table débordait de bons plats.

— Ça sent bon en pas pour rire, dit Joachim. À mon avis, il y a ici quelqu'un qui sait bien faire à manger.

— Tu n'as qu'à les regarder tous les sept, enchaîna Élisabeth. C'est pas des squelettes ambulants ! Y en a d'la couenne de lard, d'la saucisse, du boudin, des tourtières et du ragoût dans ces bedaines-là !

— Sans compter le pain et les gâteaux ! ajouta Joachim en riant.

Leurs remarques animèrent tous les visages d'un large sourire. Ils en étaient là dans leurs appréciations quand la mère Laflamme les invita à passer à table. Impressionné par tous ses grands cousins, Élisabeth s'esquiva sous prétexte d'aller voir si Jean dormait toujours bien. Elle offrit à sa tante de lui donner un coup de main pour servir.

— Ça sera pas de refus, ma fille, avec tous les ogres qu'il y a autour de la table !

— J'ai bien hâte qu'ils choisissent leurs ogresses ! s'exclama Élisabeth. Ça manque de femmes dans le coin.

— T'as ben raison, ma fille, quelques brus ne seraient pas de trop. Tiens, ajouta-t-elle, le père vient de laisser ses fourneaux.

Le boulanger entra et gagna aussitôt sa place au bout de la table. Le silence se fit. Il dit le bénédicité à sa façon : « Seigneur, donnez du pain à ceux qui ont faim et donnez faim à ceux qui ont du pain pour que nous en vendions à tout le monde. Amen!»

Les femmes commencèrent le service par une soupe aux poireaux dont l'arôme envahit toute la maison. Elle fut suivie par un rôti aux légumes accompagné de larges tranches de pain frais, que chacun beurrait à sa guise. Le dessert, un immense gâteau au chocolat, fut englouti dans le temps de le dire. Barthélémie en avait soufflé les vingt et une chandelles d'un seul coup, en faisant un vœu qu'il ne voulut pas révéler et que les autres tentèrent de deviner.

— Il a souhaité un mariage dans l'année, risqua Jacques.

— Tu n'y es pas en toute, grommela l'intéressé.

— Il espère une princesse pour demain matin, s'écria Lucien.

Barthélémie protesta:

— Qu'est-ce que je ferais d'une princesse? Me vois-tu lui tenir le bout des doigts et lui dire «Votre Majesté» par-ci, «Votre Majesté» par-là?

Albert, qui ne parlait jamais, déclara:

— Moi, je le connais son vœu.

— Quoi donc? dirent les autres.

— Il en souhaite une aussi belle qu'Élisabeth.

— Pour ça, reprit Jeannot, il risque d'attendre pas mal longtemps.

Ils continuèrent comme ça à se taquiner, pendant que Joachim, sans frère ni sœur, se disait qu'il n'y avait rien de plus beau qu'une famille unie où tout le monde s'aime. Il intervint en disant:

—Je ne sais pas quel vœu Barthélémie a formulé, mais le mien, vous pouvez en être certain, est d'avoir beaucoup d'enfants. T'es mieux de te préparer, Élisabeth! C'est déjà bien parti, mais ça va continuer et nous allons essayer de faire des filles. Ça doit vous manquer, des filles? demanda-t-il au boulanger.

—J'aurais aimé en avoir, mais faut crère que j'étais pas dû. Comprenez-moi bien, je me plains pas de mes gars, c'est commode des hommes dans une boulangerie. J'en profite pendant qu'ils sont encore icite mais le plus vieux a déjà un pied dans la porte.

Le bébé Jean rappela sa présence. Élisabeth se précipita. Le boulanger se leva.

—Vous allez m'excuser, dit-il, il faut que je prépare ma fournée de demain.

Jugeant le moment propice pour retourner à la maison, Joachim dit:

—Bon! Nous allons y aller nous aussi.

—Attends encore un peu, chéri, j'ai quelque chose à demander à ma tante.

—Quoi donc?

—Je t'en reparlerai.

Pendant que Joachim prolongeait la conversation avec les cousins, Élisabeth en profita pour rejoindre sa tante à la cuisine.

—Ma tante, dit-elle, j'ai un service à vous demander.

—Demande toujours, on verra bien.

—J'aimerais, un de ces beaux jours, accompagner Joachim quand il va faire un accouchement. Si je vous amenais Jean, accepteriez-vous de le garder?

— Rien ne me ferait plus plaisir, ma fille, mais comment je le nourrirais ?

— Ah, pour ça, vous n'aurez qu'à lui donner sa bouteille parce que d'ici là je vais le sevrer.

— Ça te manque tant que ça, de pas être avec ton homme ?

— Oui, ça me manque !

— Dans ce cas-là, quand tu seras prête, tu n'auras qu'à me faire signe.

Spontanément, Élisabeth embrassa sa tante. Puis elle alla quérir Joachim. Ils partirent, heureux de leur visite. Quand ils arrivèrent chez eux, Joachim dit à Élisabeth :

— Te rends-tu compte, il y a maintenant trois ans que nous sommes mariés.

— Quatre ans ! dit Élisabeth.

— Quatre ans, vraiment ? Mais qu'importe, rien n'empêche que nous avons notre maison et un beau garçon. Qu'est-ce que nous pouvons souhaiter de plus ?

— Une fille ! s'exclama Élisabeth.

— C'est vrai. C'est bien étonnant qu'il n'y en ait pas déjà une en route.

— Viens, l'invita Élisabeth, il n'en tient qu'à nous d'y remédier...

Chapitre 17

L'accouchement

Hiver 1881

Comme elle l'avait dit à sa tante Alice, Élisabeth avait sevré Jean et, n'étant pas encore enceinte même si elle le souhaitait vivement, elle décida qu'à la prochaine occasion, elle accompagnerait son mari à un accouchement. Elle voulait vivre cette expérience avec lui au moins une fois pour pouvoir comprendre ce qu'il vivait quand il était appelé auprès d'un de ses malades ou d'une de ses futures accouchées.

L'hiver avait tout figé depuis plus d'un mois. La neige s'accumulait sur les routes et Thomas Beaulieu et ses fils s'affairaient après chaque tempête à passer le grand rouleau en bois servant à la taper. De la sorte, les routes demeuraient praticables, mais elles étaient faites de butons et de creux qui bousculaient joliment les cœurs faibles.

L'homme venu chercher le docteur les attendait patiemment dans son traîneau, prêt à leur indiquer le chemin. Joachim lui dit :

— Vous pouvez partir, monsieur Dubois, je connais le chemin. Le temps que j'attelle et je vous suis.

L'autre se contenta d'émettre un grognement et fit claquer son fouet.

— Il ne semble pas trop nerveux, fit remarquer Élisabeth.

— Ce n'est pas son premier. Ça doit bien être le septième ou le huitième. Il en a vu d'autres.

Joachim attela la jument à la carriole tandis qu'Élisabeth apportait les couvertures et les fourrures. Engoncés jusqu'au cou dans leur manteau de chat sauvage, ils partirent allègrement vers Sainte-Marguerite. La route était si mauvaise qu'Élisabeth ne manqua pas de faire remarquer :

— Une femme enceinte dans un chemin pareil finirait par accoucher au bout d'un mille ou deux.

— Comme ça, reprit Joachim en la taquinant, tu aurais toujours ton mari avec toi, il n'aurait pas besoin d'être là pour les accouchements : ça se ferait tout seul au milieu des traîneaux en plein hiver. Tiens ! Je pense que je vais proposer ça aux futures mères.

— Grand fou ! lui dit-elle en s'appuyant sur son épaule.

Le temps était beau et sec, mais glacial. De la buée montait des naseaux de la jument et, quand ils parlaient, Joachim et Élisabeth ressemblaient à des fumeurs de pipe. Ils ne causèrent pas beaucoup, se contentant d'être heureux ensemble sur cette route enneigée au moment où la nuit chassait le jour et où les ombres se tapissaient entre les bancs de neige comme des loups à l'affût. Joachim pria Élisabeth d'allumer le fanal. Ils étaient seuls au milieu de ces champs de glace qu'un pâle quartier de lune éclairait, avec comme unique signe de vie, de temps à autre, une lampe appelant comme un signal.

Ils arrivèrent à destination à l'heure où la nuit piquée d'étoiles et prête pour une longue croisière prend son rythme pour les heures à venir. Le taudis devant lequel ils s'arrêtèrent avait l'air d'une maison en ruine. Ils furent accueillis par les jappements aigus des deux chiens de la maison. Quand leur hôte, visiblement impatient, répondit à leurs coups contre la porte et ouvrit brusquement, malgré le froid, ils furent saisis à la fois par une chaleur intense et des odeurs propres à assommer une armée. Élisabeth en resta médusée. Joachim dut la pousser dans le dos pour qu'elle entre. L'homme les conduisit directement dans le coin de l'unique pièce où tout au fond, caché par un drap jauni pendant du plafond, était le lit où gisait la future mère.

Joachim se fit apporter un peu de lumière. Visiblement épuisée par tous les efforts qu'elle avait fournis jusque-là, la femme ne parlait pas. Joachim l'examina, puis il dit à Élisabeth :

— Fais préparer de l'eau chaude.

Élisabeth demanda qu'on fasse chauffer de l'eau et s'aperçut que tout autour de la pièce, les enfants s'étaient réfugiés le long du mur où les plus jeunes, étendus à même le plancher, dormaient déjà sur des paillasses. L'aînée, une fille d'une douzaine d'années, s'affairait à remplir d'eau une grande casserole. Élisabeth était stupéfaite.

— Vous n'auriez pas un autre récipient? demanda-t-elle.

La jeune fille fit signe que non.

— Ça ira, dit doucement Élisabeth, si vous avez une bouilloire qui nous permettrait d'en transporter une petite quantité.

Un garçon d'une dizaine d'années se précipita dans un coin sombre pour en rapporter une bouilloire toute cabossée. Élisabeth n'osa pas s'en servir. Elle ne lui semblait pas assez propre pour les fins auxquelles l'eau était destinée. Elle demanda à la jeune fille:

— Comment t'appelles-tu?

— Brigitte.

— Ah! Tu as un beau nom. Veux-tu enlever un peu d'eau de la casserole pour que nous puissions la transporter sans problème?

La jeune fille s'exécuta sans mot dire. Quand Élisabeth voulut avoir des serviettes et des draps propres, elle n'eut de réaction ni du père ni des enfants. Seuls les chiens jappaient toujours. L'homme les fit taire. Joachim appela Élisabeth.

— Ça peut être long, comme ça peut être court, vois à ce qu'il y ait toujours de l'eau chaude. Pour ce qui est des serviettes, j'en ai apportées, il faudrait aller les chercher dans la carriole.

Élisabeth remit son manteau et sortit. À peine avait-elle passé la porte qu'elle se mit à frissonner, mais en même temps, elle respira un bon coup, ce qui la rasséréna. La jument était attachée dehors, près de l'écurie trop petite pour accueillir deux bêtes. Le fermier avait pris la précaution de glisser une couverture sur le dos de l'animal. Élisabeth souleva le couvercle du banc. Elle trouva à l'intérieur de ce coffre improvisé, dans une petite valise en carton, les serviettes, du savon et quelques bouts en coton pour les pansements et les compresses. Elle apporta le tout dans la maison. Quand elle y pénétra, la mère geignait.

— Le travail commence, dit Joachim. Les eaux sont crevées. L'enfant semble être un pressé, il commence déjà à montrer la tête.

Joachim n'eut pas grand-chose à faire, l'enfant se présentait bien. Il n'eut qu'à le recevoir dans ses mains et Élisabeth se chargea du reste. C'était une fille. Elle fit entendre les pleurs d'une enfant vigoureuse. Joachim appela le père :

— Venez, monsieur Dubois, voir la belle fille que vous avez.

Intimidé, l'homme jeta un coup d'œil rapide avant de faire mine de s'éclipser.

— Ne partez pas, lui enjoignit Joachim. Voulez-vous nous débarrasser de ça proprement ?

Il lui tendit le placenta. L'homme le prit en grommelant et disparut derrière le drap. Élisabeth avait nettoyé la petite. Elle l'avait enveloppée dans une serviette et la montrait à la mère trop faible pour tendre les bras. Joachim demanda :

— Vous avez du linge pour la petite ?

Brigitte s'approcha avec un pauvre trousseau où Élisabeth repéra une petite robe et une couche. Elle se mit en frais d'en vêtir l'enfant. Quand ils sortirent de la maison, ils virent les deux chiens qui, en grognant, se disputaient quelque chose. Joachim s'approcha. Il s'agissait du placenta. Le père les attendait dehors.

—J'ai mis du bois de chauffage dans la carriole, dit-il. Est-ce que ça fera?

— Ça ira, dit Joachim, et bonne chance avec votre marmaille!

—Merci, répondit l'homme en marchant vers la maison.

Joachim détacha les cordeaux. Élisabeth et lui montèrent dans la voiture. Docilement, la jument reprit le chemin de la maison.

Chapitre 18

Monsieur le docteur

Un matin de printemps, comme elle le faisait souvent, Armandine arriva tôt chez Élisabeth.

— Tu ne sais pas, chère, ce qu'Horace m'a proposé ?

— Quoi donc ?

— Il voudrait jouer une partie de cartes. Il dit que ça fait des années qu'il ne l'a pas fait. Savez-vous jouer ?

— Joachim joue bien, moi pas beaucoup.

— On sera à égalité, Horace n'a pas joué depuis longtemps. Quant à moi, ça devrait me revenir assez vite. Si Joachim est libre samedi prochain, vous pourriez venir souper à la maison et nous jouerions quelques parties.

— Ça devrait pouvoir s'arranger. Je laisserai Jean chez ma tante en passant. Il me semble que ça changera les idées de Joachim. Il n'a guère arrêté avec toute une série d'accouchements ce printemps.

Armandine se mit à rire.

— Qu'est-ce que tu trouves de si drôle ?

— Eh bien ! Tu as l'air étonné qu'il y ait beaucoup de délivrances au printemps ? Sais-tu pourquoi ?

— Pourquoi donc?

— Remonte à neuf mois auparavant, ça te reporte quand?

— Voyons, avril, mars, février… août et juillet?

— Tu l'as, ta réponse, ma fille. D'après moi, les enfants se font mieux dehors dans le foin, durant l'été. Tu devrais essayer ça avec Joachim en juillet prochain!

— Si tu pouvais dire vrai! s'exclama Élisabeth. J'aimerais bien donner une petite sœur à mon Jean.

— Je vous le souhaite bien, dit Armandine, et si jamais tu as besoin d'une marraine, je suis partante.

Ce fut au tour d'Élisabeth de rire. Elle s'écria:

— Attends au moins que je la fasse!

Quelques jours plus tard, Joachim et elle se rendirent chez le notaire pour jouer aux cartes.

— Quelle bonne idée tu as eue là, mon cher Horace. Nous devrions instituer ça et nous fixer un soir par semaine pour jouer: un soir chez toi, un soir chez nous.

— Je ne dis pas non, acquiesça le notaire. Il me semble que ça nous ferait du bien à tous les deux.

— À tous les quatre, s'empressa d'ajouter Armandine.

Tout en jouant aux cartes, cette dernière n'arrêtait pas de placoter. Elle avait toujours quelque chose à dire.

— Tu sais, dit-elle à Élisabeth, cet homme qui est venu une fois que j'étais chez vous pour se faire enlever une écharde de métal dans la main…

— Le rétameur ?

— Oui, lui. Il était ici cet après-midi. Il répare les vieux chaudrons et les plats de métal. Il m'a demandé si j'en avais à faire réparer.

— Joue ! C'est à ton tour, lui dit son mari. Tu parles trop. Aux cartes, il faut être attentif.

— Ah ! dit-elle, c'est juste un jeu.

Ils terminèrent une partie. Armandine leur offrit un rafraîchissement. Elle en profita pour reprendre ce qu'elle disait quand son mari l'avait interrompue.

— Ton rétameur, dit-elle, à Élisabeth, comme je te le disais, il est passé cet après-midi. C'est un drôle de moineau.

— Mais ce n'est pas un vagabond, au moins. Il a un métier et fait quelque chose pour gagner sa vie.

— Des vagabonds, dit Joachim, j'en fais souvent monter dans ma voiture quand je vais aux accouchements. Ce sont des malheureux, pour la plupart. Ils apprécient beaucoup que je leur fasse faire un bout de chemin et ça me fait de la compagnie pour jaser. Il y en a un, l'autre jour, qui m'a raconté sa vie. Le pauvre, il n'est pas né sous une bonne étoile. Il s'est pratiquement retrouvé dans la rue dès l'âge de dix ans. Je me demande, si j'avais eu les mêmes malheurs, si je ne serais pas comme lui aujourd'hui.

— Il faut reconnaître que nous sommes des privilégiés, dit Élisabeth. Nous avons quand même eu la chance de nous instruire.

Le notaire insista pour faire une autre partie.

— Encore une, approuva Joachim, mais c'est la dernière. Je ne sais jamais si je pourrai avoir une nuit normale. Qui sait si, en arrivant à la maison tout à l'heure, il n'y aura pas quelqu'un qui nous y attendra...

— Tu aurais dû te faire notaire, dit Horace, tu pourrais profiter de bonnes nuits. C'est rare qu'un acte notarié doive être écrit en vitesse ! Ça m'est arrivé quand même d'en rédiger un ou deux à la dernière minute afin qu'un mourant ou une mourante puissent le signer avant de pousser son dernier souffle.

— Je parie, dit Joachim, qu'il devait y avoir un médecin sur place pour signer comme témoin.

— Voilà où nos deux professions sont complémentaires, se réjouit le notaire. Mais le curé n'était pas loin non plus !

Ils bavardaient ainsi en jouant leurs dernières cartes, lorsque quelqu'un frappa à la porte principale.

— Je gage que c'est pour toi, dit le notaire à l'intention de Joachim. Dans un petit village comme le nôtre, il n'y a même pas moyen de jouer une partie de cartes tranquille avec le médecin sans que quelqu'un vienne interrompre la partie.

Le notaire avait raison. L'homme qui se trouvait à la porte avait besoin du médecin pour un de ses enfants qui souffrait d'un terrible mal de ventre.

— Pourvu, dit Joachim, qu'il ne s'agisse pas d'une appendicite aiguë. Je serai peut-être obligé de jouer du bistouri bien malgré moi.

Quand ils quittèrent leurs amis, Élisabeth semblait bien soucieuse. Elle poussa un long soupir.

—Allons, dit Joachim, ne fais pas cette tête. N'oublie pas qu'un médecin se doit à ses patients avant sa famille. C'est une vocation. Il y a bien des gens pour soigner les âmes, n'en faut-il pas pour soigner les corps?

DEUXIÈME PARTIE

LES ANNÉES DE MISÈRE

Chapitre 19

Le plus grand des malheurs

Automne 1882

Élisabeth aimait l'automne, avec les érables qui enflammaient tout le paysage. Elle ne se lassait pas d'admirer ce spectacle grandiose. Ça lui rappelait un peu Métabetchouan où, selon les dernières nouvelles, tout semblait aller pour le mieux dans le meilleur des mondes.

Joachim était parti au lever du soleil du côté de Sainte-Marguerite, appelé pour un accouchement. Sans son mari, Élisabeth se disait que la journée serait longue. Mais elle se faisait une joie, avec son petit Jean, de rendre visite à ses cousins. Ils étaient tellement bons pour eux! L'un ou l'autre s'arrêtait souvent en passant prendre des nouvelles. Ils ne manquaient pas de laisser qui une tarte, qui un pain, qui un gâteau.

Au retour de sa visite, Élisabeth retournait tranquillement à la maison quand, en passant près de l'église, elle vit un attroupement dont se dégagea vivement le curé en accourant vers elle. À l'expression du pasteur, son cœur fit trois tours.

— Ma pauvre enfant, les volontés de Dieu ne sont pas les nôtres !

— Qu'est-ce qui se passe ? questionna Élisabeth.

— Il te faut être courageuse, ma chère enfant. Il y a eu un accident.

— Joachim ? Joachim ? hurla Élisabeth.

— Il a été rappelé à Dieu, bredouilla le curé.

Comme une statue jetée en bas de son socle, Élisabeth s'effondra.

La nouvelle fit le tour du village en un éclair. En revenant de Sainte-Marguerite, le docteur avait été attaqué et tué sur la route. Incapable de réagir à cette nouvelle qui l'avait frappée comme un coup de foudre, Élisabeth se morfondait dans la maison de son oncle, où on l'avait conduite. Assise sur une chaise, les yeux dans le vide, elle semblait pétrifiée, abattue par ce malheur terrible, indifférente à tout son entourage. Elle assista aux funérailles comme si elle n'était pas concernée. Tout le village y était. On aimait monsieur Joachim. Elle seule paraissait ne pas se rendre compte de ce qui se passait vraiment.

Elle ne sortit de sa torpeur que lorsque, prévenue de ce qui s'était passé, Délina arriva de Métabetchouan. Sur le coup, Élisabeth ne réagit pas. Délina lui parla doucement, comme on s'adresse à une personne gravement malade.

— Tu ne me reconnais pas, chère ? C'est moi, Délina, ta belle-mère. Souviens-toi des bons moments que nous avons passés ensemble à ramasser des herbes qui soignent. J'en ai apportées pour toi. Tu vas me boire cette bonne tisane et tu verras, tout va se remettre à mieux tourner pour toi.

Élisabeth la regardait, les yeux hagards. Délina la serra dans ses bras et elle se mit à la bercer comme une enfant. Elle lui parlait doucement, comme chaque fois qu'elle avait eu à la consoler.

— On dirait qu'elle est sous le choc comme ça lui est arrivé à Métabetchouan. Faut pas perdre confiance. Elle s'en sortira comme la première fois.

— Elle a déjà réagi de même ? s'inquiéta sa tante.

— Oui… Pas longtemps après la disparition de Benjamin, elle était de même. On dirait vraiment que le malheur court après elle.

— Pauvre enfant. Elle va avoir besoin qu'on l'aime beaucoup pour s'en sortir.

Élisabeth mit bien du temps à revenir à la réalité, comme quelqu'un qui refuse d'affronter le malheur qui lui est tombé dessus. Puis, les bons soins et la patience de Délina et, surtout, la présence de Jean, qui lui tournait autour, occupé à attirer sans cesse son attention, finirent par venir à bout de son indifférence. Elle en sortit comme on sort d'un mauvais rêve. Elle pleura beaucoup, puis finit par se calmer. Jean avait besoin d'elle, il lui fallait tenir le coup.

Assurée de la voir remonter la pente, Délina retourna à Métabetchouan. Elle avait eu le temps, comme tous les gens du village, de lire dans *L'Opinion publique* ce que les policiers avaient pu relever sur la mort de Joachim.

Le docteur de Sainte-Claire a été assassiné

Pour la troisième fois en moins de dix ans, un honorable citoyen est assassiné sur la route. Les trois incidents se sont passés dans les régions de Dorchester, Bellechasse et Beauce. Nous nous expliquons mal les motifs du tueur, puisque, comme ce fut le cas lors de l'assassinat du docteur Joachim Damour de Sainte-Claire, le vol ne semble pas être le but de cet acte barbare. Pourquoi alors l'assassin a-t-il poignardé cet homme sans défense?

Les policiers ne savent pas trop comment élucider ce meurtre, car on ne connaissait pas d'ennemis au docteur Damour, très aimé de ses concitoyens, un homme dévoué et toujours prêt à rendre service, comme nous l'ont confirmé bon nombre de personnes qui, tout comme nous, se demandent ce qui a pu se passer sur cette route de rang. Il semble que le docteur ait sauvagement été agressé et qu'il soit décédé des suites d'un violent coup reçu à la tête et d'un coup de poignard droit au cœur. L'assassin n'a pas laissé de traces. La police assure qu'il devait attendre sa victime non loin du lieu où il l'a tué ou encore que, n'écoutant que son bon cœur, le docteur l'avait fait monter dans sa voiture.

La population se montre de plus en plus inquiète. Personne ne se sent plus en sécurité sur nos routes. Un maniaque y circule en toute liberté. Quand pourrons-nous enfin voyager en paix en sachant cet assassin derrière les barreaux ?

La tante Aline s'empressa de faire disparaître le journal afin d'éviter que cet article ne tombe sous les yeux d'Élisabeth.

Chapitre 20

Un nouveau souffle

Été 1883

Il y avait maintenant plus d'un an que le malheur avait frappé Élisabeth. Elle s'en remettait lentement mais sûrement. Deux choses l'avaient aidée à surmonter cette dure épreuve : son amour pour son fils Jean et celui, grandissant, pour la nature qui l'entourait. Elle n'avait pas oublié la leçon de son père. Tous les jours de beau temps, à la même heure, elle se retrouvait sur sa galerie en attente du miracle. Le soleil déclinant enflammait le ciel, le spectacle commençait et elle y assistait jusqu'à la venue des étoiles.

Un jour de ce bel été, alors qu'elle bêchait son jardin, elle entendit un bruit qui lui sembla vaguement familier. « Comme des chaudrons qui s'entrechoquent », se dit-elle. Elle leva la tête. Sur la route s'amenait un long chariot mené par un homme de bonne stature, le visage basané de celui qui voyage beaucoup au grand air. Il arrêta son attelage devant la maison. D'un bond, il fut à terre. Élisabeth alla au-devant de lui. Le soleil l'aveuglant l'empêchait de bien voir.

— Bonjour! dit-il d'une voix forte. Je suis le réta-meur. Vous n'auriez pas quelques chaudrons fatigués?

L'expression fit sourire Élisabeth.

— Des chaudrons, j'en ai ben manque, dit-elle, mais ils sont tous neufs.

— Dommage, fit-il, pour des beaux yeux comme les vôtres, ça aurait été gratuit.

C'est alors qu'elle le reconnut. Elle l'invita:

— Vous me semblez fatigué, sans doute après une longue route, vous prendrez bien un grand verre d'eau glacée.

— À votre bon cœur. Je n'aurais pas osé vous le demander, mais comme vous me l'offrez, il sera encore meilleur. À propos, votre mari va bien?

Élisabeth se figea. Indécise, elle répondit:

— Vous ne savez pas?

— Quoi donc?

— Il a été tué sur la route.

— Pas vrai! Vous m'en voyez désolé. Toutes mes sympathies. Vous savez, un homme comme moi, tou-jours seul sur les grands chemins, apprend les nou-velles après tous les autres. Eh bien, ajouta-t-il, quelle triste histoire!

Élisabeth était devenue livide. Il s'en rendit compte et n'insista pas.

— Si vous me le permettez, dit-il en la quittant, j'arrêterai de nouveau vous voir en passant.

C'est ainsi qu'Élisabeth fit meilleure connaissance avec Fernand Lamirande, le rétameur. Au cours du printemps et de l'été, entre deux tournées des rangs, il ne manqua pas une seule fois de lui rendre visite. Elle avait de la difficulté à cerner quel genre d'homme il était. Selon les circonstances, il lui semblait à la fois proche et fuyant, ouvert et secret. Méfiante, elle se gardait d'être trop familière avec lui, mais il l'apprivoisa par de multiples attentions adressées au jeune Jean, qu'il parvenait toujours à amuser. Il arrivait les bras chargés de victuailles et avait chaque fois un petit cadeau pour l'enfant. C'était, la plupart du temps, de petits objets en métal fabriqués de ses propres mains.

Élisabeth mit beaucoup de temps à se faire une idée à son sujet. Il lui sembla que ce rétameur ferait un bon père à son enfant. Elle n'avait guère que son oncle et sa tante à qui se confier. Ils ne connaissaient toutefois pas Fernand Lamirande.

— Tout ce que je sais, commenta le boulanger, c'est qu'il est dans nos parages seulement depuis quelques années et toujours de passage. Il vient de par en bas. À ma connaissance, personne n'a de quoi à redire à son sujet. Ça semble être un homme rangé, ma fille, c'est à peu près tout ce que je peux te dire sur lui.

— Donne-toi le temps de le connaître mieux, conseilla la boulangère.

— Pour ça, ma tante, comptez sur moi, je ne suis pas pressée de m'engager avec un autre homme. D'ailleurs, je n'en trouverai jamais un comme mon

Joachim. Mais rien n'empêche que Jean gagnerait à avoir un homme pour remplacer son père.

Le curé n'en savait pas plus sur cet homme, sinon qu'il pratiquait bien son métier puisque sa ménagère lui avait fait rétamer un chaudron et que c'était du bel ouvrage. De plus, et ça suffisait au curé, il fréquentait l'église quand il était de passage à Sainte-Claire.

Depuis la mort de Joachim, Élisabeth s'était enfermée dans sa maison, n'adressant la parole à personne ou presque, mais voilà que ce rétameur avait en quelque sorte ouvert une brèche dans la muraille qu'elle avait érigée autour d'elle. Il multiplia les arrêts pour la saluer en passant.

Armandine, la grande amie d'Élisabeth, parvint quant à elle à la convaincre de s'occuper à quelque chose.

— Ça ne sert à rien de te ronger les sangs avec ton chagrin, tu ne te fais que du mal, répétait-elle.

Chaque fois, Élisabeth approuvait :

— Tu as raison, mais que veux-tu que je fasse ?

— Ce que tu fais le mieux : enseigner. Je me suis laissé dire qu'on cherche justement une maîtresse pour l'école où tu as déjà été. Avoir des enfants autour de toi te ferait du bien.

— Je ne me sens pas le cœur à enseigner.

— Ben quoi ? Tu ne vas pas passer ta vie à rester seule à jongler comme tu le fais. Grouille-toi, secoue-toi, Jean a besoin d'une mère heureuse.

Elle se sentait incapable de faire autre chose que de penser à son bonheur envolé. Elle ne voulait pas vendre la maison où elle avait été tellement heureuse avec Joachim. Il lui semblait qu'en la quittant, elle s'en éloignerait encore davantage. Pourtant, elle finit par se décider à s'en départir. Vivre là lui rappelait trop la présence de son mari défunt.

Le dernier soir dans cette demeure ayant abrité son si grand amour, elle mit bien du temps à s'endormir. Au moment où elle s'apprêtait à se mettre au lit, tout le passé lui remonta à la mémoire.

« D'où me vient cette façon de faire? se demanda-t-elle. Ce geste que je répète tout naturellement sans l'avoir jamais réellement appris. Maman l'esquissait aussi, plus lentement, presque avec recueillement. »

Elle plaça la main derrière le globe en verre, souffla doucement. La lampe s'éteignit brusquement, plongeant ce coin de la cuisine dans le noir.

Elle s'empara du seul fanal encore allumé, fit une dernière fois le tour de la maison. Chaque soir, avant d'aller dormir, machinalement, elle répétait ce même rituel : faire entrer le chat, fermer portes et fenêtres, préparer la table du déjeuner, jeter un coup d'œil à Jean profondément endormi, souffler la lampe.

Combien de fois, n'avait-elle pas posé tout simplement ces gestes quotidiens? Mais ce soir, tout était différent. Demain ne serait pas du tout pareil. Elle irait passer la dernière journée chez son oncle. Ses cousins viendraient chercher dans la grande maison ce qu'elle emportait avec elle, et entreposeraient le surplus, puis, ce serait de nouveau l'exil dans le logis de l'école. Les enfants s'amèneraient en classe. Au moins, Jean aurait des compagnons avec lesquels il pourrait s'amuser durant les récréations.

Songeuse, elle resta assise longtemps à écouter vivre une dernière fois la maison. Réfugié sur ses genoux, Miro ronronnait sous ses caresses. L'horloge égrenait les secondes au rythme immuable du balancier. La maison gémissait de toute part, emplie de ses plaintes coutumières. Au village, perdu comme à la dérive sur un pan de nuages, à peine quelques lampes illuminaient encore des fenêtres isolées. Tout allait certainement basculer. L'inéluctable lendemain n'existerait peut-être jamais.

Miro bondit sur le plancher. Elle sursauta, s'étant légèrement assoupie. Accrochée au mot demain, sa pensée reprit son pénible cheminement. «Que me réserve l'avenir? En réalité, en y pensant bien, il me semble qu'on ne vit que pour être mieux dans un jour, un mois, un an. Pourtant, il y a tellement de croix dans mon passé, et tellement de départs, pourquoi croirais-je au lendemain?»

Elle revoyait la longue pierre marquant l'emplacement de la tombe de Joachim. «Pourquoi m'as-tu quittée si vite? questionna-t-elle à voix haute. Pourquoi?» La réponse ne vint pas, comme d'habitude, mais le simple fait de l'avoir posée suffit à la calmer. Comme il l'avait promis, elle en était certaine,

Joachim continuerait de vivre près d'elle, présence apaisante. Pourtant, ce soir-là, l'insécurité du lendemain l'empêchait de trouver la quiétude. «Ne nous abandonne pas, supplia-t-elle, nous avons tellement besoin de toi.»

Le chat vint se frotter contre ses jambes. Par la fenêtre, derrière les Appalaches, elle apercevait la lune auréolant chaque objet de sa douce lumière. Les fines épinettes, tels des sabres géants, se découpaient nettement au sommet des montagnes. Longtemps encore, elle resta à la fenêtre, à regarder dormir la nature et somnoler le village. Quand aurait-elle de nouveau le bonheur de revoir ce paysage familier? Y avait-il encore pour elle des jours heureux? Elle n'osa y penser, se leva, gagna sa chambre alors que l'horloge sonnait deux heures.

Chapitre 21

Nouveau départ

L'école, qu'elle connaissait si bien se dressait au bord de la rivière Abénaquis, le long du chemin du même nom. Élisabeth y accueillit une quinzaine d'enfants à qui elle avait pour tâche d'enseigner à lire, à écrire et à compter. Son amie Armandine avait bien raison, les enfants lui firent graduellement oublier sa peine. Tout en enseignant, elle avait toujours Jean à ses côtés et, mêlé aux autres enfants, il grandissait dans un milieu beaucoup plus propice à son épanouissement.

Élisabeth ne manquait pas d'imagination. Ses élèves avaient tous l'habitude, depuis leur plus jeune âge, d'entendre les vieillards raconter des histoires. Ils la suppliaient depuis le début de l'année de leur en raconter une. Elle promit de le faire et, une bonne journée, en fin d'après-midi, alors que poussée par le vent, une feuille entra par la fenêtre et vint se poser doucement sur son bureau, elle la prit, la montra aux enfants et leur demanda :

— Savez-vous de quelle sorte d'arbre est cette feuille?

Comme personne ne répondait, elle leur dit:

— C'est une feuille d'érable. Savez-vous combien de sortes d'érable il y a dans nos forêts? Dites un chiffre.

— Deux, lança une petite fille en brandissant autant de doigts en l'air.

— Quatre, souffla un jeune garçon qui parlait comme quelqu'un sur le point de s'étouffer.

Quand un plus grand lança dix, Élisabeth imposa le silence.

— J'en connais six espèces, dit-elle, mais je sais aussi une belle histoire à leur sujet.

Les enfants se montrèrent aussitôt attentifs.

— Vous voulez que je vous la raconte?

— Oui! Oui!

— Il était une fois, commença Élisabeth, un enfant très curieux qui s'était mis dans la tête de savoir pourquoi les érables portaient des noms bien étranges, comme érable argenté, érable à Giguère, érable à sucre, érable à épis, érable de Pennsylvanie et érable rouge. Il décida de le demander aux érables mêmes. Au premier qu'il rencontra sur son chemin, il dit: "Tu es qui, toi?" D'une voix méprisante, l'érable lui répondit: "Je suis l'érable argenté. Je suis riche, moi, et je ne parle pas à n'importe qui." "Pourrais-tu me dire qui t'a donné ton nom?" "Mon nom, on n'a qu'à me regarder pour savoir que c'est le seul qui me convient. Retourne mes feuilles et tu y découvriras ma richesse."

LA FORCE DE VIVRE

«L'enfant retourna une feuille et vit qu'elle brillait comme de l'argent mais que ce n'était pas en réalité de l'argent. Comme l'érable n'avait pas été gentil avec lui, il lui dit : "Ton argent ne vaut rien, tu n'as pas à t'en vanter, pas plus que de ton nom d'ailleurs." Et il continua son chemin.

«Passant devant un vénérable érable aux larges feuilles, il s'arrêta pour lui demander son nom. "Je suis l'érable de Pennsylvanie, répondit aimablement le vieil érable." "Et pourquoi t'appelle-t-on ainsi ?" "Parce que je viens de Pennsylvanie, aux États-Unis." "C'est loin d'ici ?" "Très loin." "Comment se fait-il que tu sois arrivé jusqu'ici ?" "C'est tout simplement un oiseau qui a apporté une graine s'étant attachée à ses plumes. En les secouant, la graine est tombée et je suis né. Regarde autour de toi et tu verras par centaines mes enfants et mes petits-enfants." L'érable avait dit vrai. Il y avait tout autour une grande famille d'érables de Pennsylvanie.

«Un peu plus loin, l'enfant buta dans une racine et se cogna le nez sur un arbre dont il ignorait le nom. Pendant qu'il était occupé à frotter son nez, l'arbre lui demanda : "Tu ne t'es pas trop fait mal, j'espère ? Où t'en vas-tu comme ça ?" "Je fais le tour de la forêt pour apprendre d'où viennent les noms des érables." "Ah, bon ! Savais-tu que je suis un érable ?" "Non ! Je croyais que tous les érables étaient de gros arbres." "Je ne suis peut-être pas gros, mais je suis quand même un érable." "Comment vous appelez-vous ?" "L'érable à Giguère." L'enfant se mit à rire : "Quel drôle de nom vous avez !"

"Il n'a rien de comique. Il me vient d'un de mes ancêtres lointains, qui osa pousser dans la cour arrière d'une maison, jusqu'à ce que son propriétaire décide de l'abattre." "Son propriétaire n'aimait pas les arbres?" demanda l'enfant. "Non! C'était un monsieur qui avait des serviteurs et un jardinier. Il demanda à un des serviteurs d'abattre l'érable en question. Le jardinier lui dit de ne pas se donner cette peine, qu'il s'en chargerait lui-même. Prenant une pelle, le jardinier déterra les racines de l'érable et alla le transplanter au bord de la forêt où il devint un très bel arbre. Ce jardinier était un dénommé Giguère et les gens, en désignant cet érable, se mirent à l'appeler l'érable à Giguère. Voilà!"

Poursuivant son chemin, l'enfant s'arrêta sous un bel arbre dont les branches étaient remplies de samares en épis. "Qu'est-ce qui pend au bout de tes branches?" demanda l'enfant. "Ce sont mes samares." "Qu'est-ce que c'est des samares?" "Ce sont des graines de semence." "Pourquoi sont-elles toutes ensemble?" "Parce qu'elles poussent en épi comme le blé." "Ah! dit l'enfant. Êtes-vous un érable?" "J'en suis un." L'enfant sourit. "Pourquoi souris-tu de la sorte?" "Parce que je viens de penser que vous devez vous appeler l'érable à épis." "C'est bien ainsi que je me nomme, mais il n'y a pas de quoi en rire." L'enfant rit de plus belle, avant de répondre: "Et pis! Tant pis!"

Il chercha longtemps avant de trouver le prochain érable. Puis il en vit des dizaines regroupés autour d'une cabane. Il n'eut même pas à leur demander leur nom, il sut que c'étaient des érables à sucre, et comme il avait déjà mangé beaucoup de sucre d'érable, il en déduisit que c'était de là que venait leur nom.

Le dernier érable qu'il voulait rencontrer, il le trouva au flanc de la montagne voisine. Ses feuilles commençaient à rougir. "Pourquoi rougis-tu comme ça? questionna l'enfant. Serais-tu gêné?" "Non, mon bon, c'est tout simplement parce que le temps est venu pour moi de rougir. Je suis l'érable rouge. Mes ancêtres autrefois gardaient leurs feuilles vertes jusqu'à la fin de l'automne. Puis, un beau jour, un chasseur est venu. Il a tiré sur une biche, mais sans la tuer. La pauvre bête blessée perdait beaucoup de son sang. Elle s'est approchée d'un érable parmi mes ancêtres et elle a essuyé son sang sur ses feuilles. Du même coup, son sang a cessé de couler et elle a pu survivre. Pour récompenser tous les descendants de cet érable généreux et guérisseur, la nature a voulu que chaque automne, en souvenir, les feuilles de ses descendants rougissent avant de tomber. Voilà pourquoi on nous appelle les érables rouges."»

Elle venait tout juste de terminer son histoire et de libérer les enfants quand, au moment où ils quittaient les lieux, elle entendit un bruit devenu familier à ses oreilles, celui des chaudrons du rétameur s'entrechoquant dans sa voiture sur la route parsemée de nids de poule. Il s'arrêta la saluer comme il avait pris l'habitude de le faire. Quand Jean voulut s'approcher de la voiture, il s'interposa. C'est alors qu'Élisabeth entendit un grognement.

—Je ne laisse personne venir plus près, dit-il, à cause du chien.

—Vous avez un chien?

—Oui! Belzébuth. C'est un chien de garde, un doberman. On ne sait jamais qui on peut rencontrer sur la route.

—Il est dangereux?

—Dangereux? Il pourrait tuer. Il a été dressé pour ça.

Élisabeth frissonna. Le rétameur sentit sa peur.

—Il est enfermé dans sa cage, s'empressa-t-il d'ajouter. Il n'y a rien à craindre.

Il avait apporté de quoi les régaler, des saucisses achetées chez le boucher en passant, du fromage et un pain frais de la boulangerie. Il avait fabriqué pour Jean un petit bonhomme en métal. Il suffisait de tirer sur une ficelle pour qu'il s'anime, levant et baissant les bras. On pouvait même le faire danser sur une planchette, comme il le montra à l'enfant, tout heureux à la fois du cadeau et de la présence du rétameur.

Bien qu'elle fût enchantée de cette visite, Élisabeth n'en gardait pas moins ses distances. Elle appréciait les attentions du rétameur, mais cet homme avait en lui quelque chose qu'elle ne pouvait saisir, qui l'obligeait à être chaque fois sur ses gardes. Il ne causait pas beaucoup, ne souriait jamais, et son regard fuyant laissait croire qu'il dissimulait quelque chose...

Élisabeth le remercia de s'être arrêté et en profita pour lui demander:

— D'où venez-vous comme ça, de par en haut ou de par en bas ?

Sa question le fit sourciller.

— On peut venir d'ailleurs que d'en haut ou d'en bas de la rivière. Hier, j'étais pas loin le long de la Chaudière. Demain, j'irai plus à l'ouest. J'ai mes itinéraires. Je suis comme une araignée à tisser ma toile en l'agrandissant de plus en plus. Je dois parcourir beaucoup de chemin pour trouver des clients. Il n'y en a pas beaucoup qui ont des chaudrons ou des chaudières percés, des assiettes fêlées ou des cuillères cassées. C'est à moi de les retracer. Je suis le seul rétameur de tout le coin.

— Il me semble, à moins que je me trompe, vous avoir entendu turluter avant que vous arriviez, reprit Élisabeth. Ça m'a paru être la même musique qu'à votre dernière visite.

— Moi turluter ? Jamais. Ce que vous avez entendu, c'est le bruit de mes chaudrons. Y a quelqu'un, d'ailleurs, qui a fait une chanson sur le son que font les chaudrons qu'on brasse.

— Une chanson ?

— Oui ! Celle du rétameur. Je ne connais que celle-là.

— Chantez-la pour moi !

— Elle est trop guillerette pour vos oreilles et j'ai pas la voix pour chanter quoi que ce soit.

Il resta encore quelque temps, s'amusant avec Jean, puis il repartit comme il était venu.

Il se montra très assidu, revenant toutes les semaines. Il ne causait pas beaucoup, se contentant d'écouter

Élisabeth parler de ses petits bonheurs avec les enfants. Pendant ce temps-là, il trouvait le moyen d'intéresser Jean à quelque jeu de son invention. Il faisait rire l'enfant. Chaque fois, Élisabeth sentait son cœur fondre de reconnaissance. « Quel bon père il ferait pour Jean », se disait-elle.

Au bout de six mois, même si elle ne ressentait pas vraiment d'amour pour cet homme, elle continuait de songer à l'avenir de son fils, qui se faisait une joie de chaque visite du rétameur. Élisabeth se morfondait, loin du village, et avait grand besoin de la présence de quelqu'un à ses côtés. Tout doucement, elle commença à se faire à l'idée de partager sa vie avec lui. Puis, petit à petit, en se disant qu'elle ne trouverait jamais plus un amour semblable à celui qu'elle avait ressenti pour Joachim, elle se persuada qu'il serait mieux pour elle et Jean de vivre comme une famille normale. « Rien n'arrive pour rien dans la vie, se disait-elle. Si cet homme-là s'est présenté et s'il prend le temps de s'arrêter comme ça toutes les semaines, c'est qu'il ressent quelque chose pour moi. C'est un solitaire, lui aussi. Il a besoin, comme moi, de compagnie. »

Elle n'avait personne à qui se confier. Son amie Armandine ne venait plus la voir. Parfois, les parents d'un de ses élèves s'arrêtaient la saluer, mais elle ne voyait personne d'autre. Isolée dans son école, elle se sentait à l'autre bout du monde. Seul cet homme semblait se soucier d'elle.

Quand, par un bon soir de mars, Fernand Lamirande fit sa demande, Élisabeth déclara :

—J'accepte, mais il faudra attendre l'été pour le mariage.

Il ne mit pas de temps à la persuader d'acheter une petite maison qu'il avait vue, quelque peu à l'écart, dans un des rangs, au sud du village. Elle en fit l'acquisition avec une partie de la somme obtenue par la vente de sa grande maison du village. Elle y fit porter les meubles qu'elle avait fait entreposer.

Tout le reste du printemps, il fut fidèle à ses fréquentations en se gardant bien d'enfreindre le commandement: « Œuvre de chair ne fera qu'en mariage seulement.» Pourtant, la façon dont il la regardait n'aurait pu tromper un œil attentif: il la désirait intensément.

Dès les neiges fondues, ils allèrent préparer ce qui serait désormais leur demeure. Elle trouva l'endroit encore plus merveilleux, surtout en raison de la rivière dont on entendait le murmure, depuis la maison. Elle aurait préféré habiter au village, près de son oncle et de ses cousins, mais en y songeant bien, cet éloignement n'était rien en comparaison de Métabetchouan. La nouvelle de son mariage fut d'ailleurs bien accueillie par Manuel et Délina mais, malheureusement, personne ne s'annonça pour la cérémonie et les noces. Tout au plus reçut-elle une lettre de Délina lui transmettant les bons vœux de chacun.

Le mariage se déroula aussi bien qu'elle l'avait souhaité. Son mari se montra attentif à son égard, mais il coupa court aux festivités sous prétexte que du travail l'attendait le lendemain. À la brunante, avant que la noce batte réellement son plein, ils quittèrent la maison de l'oncle où la réception avait eu lieu. Tous les invités se montrèrent consternés de les voir partir si tôt. C'était pourtant un beau soir d'août. Élisabeth aurait aimé faire doucement le trajet jusqu'à leur maison. Jean dormait paisiblement dans ses bras. Le ciel étoilé appelait au silence. Pourtant, son nouveau mari fouetta le cheval pour lui faire accélérer le pas et trouva le moyen de grommeler tout au long du parcours, trouvant qu'il n'allait pas assez vite.

À peine était-il entré chez eux qu'il ordonna à Élisabeth de coucher Jean en vitesse. Il mit définitivement ses airs affables au rancart et ne prit pas de détour pour la prendre. Il lui sauta carrément dessus, lui arracha violemment sa robe et la monta brusquement, comme une bête, prenant son plaisir en grognant avant de la repousser sans ménagement, à la façon d'un objet dont on se débarrasse. Sa façon d'agir fit refluer à l'esprit d'Élisabeth les brutalités de Forrest et du Métis. Était-ce possible qu'elle se soit trompée à ce point au sujet de cet homme ?

Tôt le lendemain, il était de nouveau sur elle, avant de lui commander ensuite, comme à l'armée, d'une voix impérative :

— Femme, apporte-moi du pain ! Femme, fais-moi un café ! Femme, viens me mettre mes bottes !

Dès qu'il eut fini de déjeuner, le verbe haut, il lui débita tout ce qu'il attendait d'elle. Elle tenta de l'amadouer en l'assurant qu'elle ne demandait pas mieux que d'être une femme attentive :

— Tu es malheureux, dis-moi ce qui ne va pas. Ai-je fait quelque chose qui ne t'a pas plu ?

— Femme, mes humeurs ne te regardent pas. Contente-toi d'être là quand je reviendrai et surtout que le repas soit prêt.

— Comment le repas pourra-t-il être prêt si j'ignore quand tu arriveras ?

— Tu n'as qu'à préparer le souper tous les soirs à six heures. Ce sera ordinairement l'heure de ma venue, quand ça me tentera de venir, et quand j'arriverai, tu auras besoin d'être là.

Il ne passa qu'une nuit avec elle, celle suivant leur mariage, puis il reprit la route, après s'être de nouveau soulagé en elle, sans se soucier de la présence toute proche de l'enfant en pleurs. Dès qu'il eut passé le seuil, elle s'efforça de consoler Jean puis, se prenant la tête entre les mains, elle se mit à répéter : « Qu'est-ce que j'ai fait ? Qu'est-ce que j'ai fait ? » L'erreur magistrale qu'elle avait commise en l'épousant lui sautait au visage. Elle se demanda comment un homme pouvait changer de la sorte en si peu de temps. En songeant à ses manières grossières, elle comprit qu'il ne l'aimait pas et que tout ce qu'il désirait, c'était de mettre le grappin sur elle. Il ne cherchait qu'une chose, la dominer, en faire son objet. S'il était parvenu à la convaincre de vivre si loin du village, c'était tout simplement pour l'éloigner de tous. « C'est un jaloux, se dit-elle. Je suis maintenant sa possession. Qu'allons-nous devenir ? Dire que j'ai fait tout ça pour donner un père à mon fils et voilà que maintenant l'enfant le craint plus que tout. »

Elle était désormais prisonnière dans sa propre maison. Allait-elle s'ouvrir de sa situation à la première personne qui lui rendrait visite? Elle espérait chaque jour voir Armandine pointer le bout de son nez. Mais son amie semblait l'avoir abandonnée. Si au moins un de ses cousins pouvait s'arrêter en passant… Quand Jacques le fit, elle joua la comédie de la femme heureuse. Au bout de deux semaines, ce rétameur de malheur rappliqua, plus mauvais encore, n'agissant pas différemment que durant leur nuit de noces. Tout ce qu'elle espérait, c'était de ne pas avoir d'enfant de lui. Elle se demandait sans cesse: «Qu'est-ce que j'ai fait au bon Dieu pour souffrir autant? J'attire tous les malheurs.»

Il repartit pour réapparaître ensuite au bout de dix jours. Il était bien loin le temps où il arrivait avec un bouquet de fleurs ou un cadeau pour Jean. Heureusement, ce qui fut un soulagement pour elle, il prit l'habitude de ne rester qu'une nuit pour prendre son plaisir et repartir dès le lendemain.

Aussitôt qu'il passait la porte, après ses ébats, elle poussait un soupir. Elle se sentait seule, à l'autre bout du monde, mais au moins avait-elle la paix le temps qu'il n'était pas là. Mettait-il les pieds dans la maison, la brute en lui reprenait ses droits. Les ordres pleuvaient. Sa constante mauvaise humeur reprenait le dessus. Il ne faisait aucun effort pour changer. Il avait le bras lourd et le poing dur, ne se gênant pas pour la menacer et la frapper. Elle comprit que, seul dans son chariot, il taquinait la bouteille. Il revenait chaque fois à la maison avec un coup dans le nez et ne manquait jamais de se conduire avec elle comme une brute.

Ne perdant pas courage, elle finit par se dire qu'elle parviendrait à l'amadouer et le ramener à de meilleurs sentiments.

— Où sont passées tes attentions à notre égard? demanda-t-elle à brûle-pourpoint.

Il partit d'un grand rire.

— Je vous ai bien eus tous les deux! Tout ce que tu as à faire, femme, c'est d'obéir. C'est d'ailleurs la seule chose que les traînées de ton espèce savent faire comme il faut. Madame la docteur, madame Joachim... Du monde comme vous autres, je crache dessus.

Elle voulut ajouter un mot, mais il leva le poing. Elle se tut, mais n'en pensa pas moins: «Je ne serai pas toute ma vie son esclave.» Pendant tout ce temps, son pauvre Jean dépérissait, sentant la tension entre sa mère et cet homme monter à chacune de ses présences.

L'automne allait bientôt se pointer, raccourcissant graduellement les jours. Déjà, quelques feuilles commençaient à se vêtir de couleur. Elle se mit à échafauder un plan pour quitter son mari avant les grands froids. Il était reparti depuis quelques jours et elle s'attendait à le voir revenir d'une journée à l'autre. Providentiellement, son cousin Albert s'arrêta la voir. Elle lui dit:

— Je te confie Jean. Amène-le chez tes parents et, quoi qu'il arrive, attendez que j'aille le chercher. Ne le laissez surtout pas approcher par mon mari.

— Quelque chose ne va pas?

— Ça va, mais je m'apprête à réaliser un grand coup et pour ça, j'ai besoin d'être seule et mon mari ne doit pas le savoir.

Son cousin ne la questionna pas davantage. Elle avait vu juste, car le lendemain, le rétameur arriva, plus maussade que jamais.

Chapitre 22

Le vagabond

Été 1884

L'homme marchait d'un pas lourd sur une route sèche et brûlante, tranchée d'ornières comme des rides sur un visage de vieillard. Devant lui, des centaines de sauterelles s'envolaient en faisant bruire leurs élytres, mais il ne s'en souciait pas et continuait d'avancer tel un automate. Il avait dû marcher pendant des heures si on en jugeait à ses bottes empoussiérées, mais il ne paraissait pas savoir où il allait. Il devait sans doute coucher dans les champs ou dans la première maison aperçue, à l'arrivée de la brunante. À l'heure de grâce où le jour résiste encore un temps à la nuit, le soleil déclinait au-dessus des Appalaches, les ombres des conifères se repliaient comme des bras sur la route. L'homme s'arrêta, jeta un coup d'œil tout autour de lui. Il marchait maintenant sur une route forestière, enrobée de brume, où perçait de temps à autre une déchirure vers le firmament dans lequel pointaient les premières étoiles. Au détour du chemin, après une légère pente, la forêt fit place à la tranche d'un pré. Un chemin voiturier croisait la route, là où les arbres reprenaient leurs droits. Le vagabond devina qu'il menait à une maison et l'emprunta d'un pas mal assuré.

La maison dressait sa silhouette sombre sur un pan de ciel éclairé par une lune rousse, à hauteur d'horizon. Aucune fenêtre ne laissait filtrer un jet de lumière. Le vagabond en conclut que la maison n'était pas habitée. Quand il atteignit la galerie et qu'il grimpa les marches, il les fit geindre exprès sous son poids pour signaler sa présence, mais rien ne bougea à l'intérieur. Il frappa à la porte avec force et attendit. Pas de réponse, sauf le sifflement du vent dans une fenêtre mal close. Il tâta la poignée : elle jouait, il n'y avait pas de serrure, le verrou n'était pas mis. Il entra et posa la main contre le mur pour se guider dans le noir. Il s'attendait à ce que la maison sente le renfermé, mais il ne remarqua aucune odeur particulière, sinon celle d'un bouquet de fleurs fanées dans ce qu'il devina être la cuisine.

À travers une fenêtre, un rayon de lune éclairait de sa lueur blafarde une table couverte d'une nappe cirée où était posée une lampe. Il tira une allumette en bois de sa poche et, d'un geste sec, la frotta au talon de sa botte. Une flamme timide en jaillit. Sans attendre, il leva le globe de la lampe et posa l'allumette enflammée au-dessus de la mèche imbibée d'huile. Elle prit feu, cracha dans l'air un filet de fumée noire puis éclaira d'un coup toute la pièce. C'est alors qu'il la vit à l'autre bout de la table, assise sur une chaise droite, les deux bras étendus de chaque côté d'elle à la manière d'une crucifiée. Il faillit échapper la lampe. Comme la femme ne bougeait pas, il se dit: « Elle est morte, si on me prend ici je suis cuit. » Il s'apprêtait à fuir quand il entendit un faible gémissement. « Elle vit! C'est encore pire. » Il se demanda s'il allait la laisser là ou l'aider, comme tout bon chrétien le ferait. Il sentit qu'avec cette décision se jouait son destin.

Il n'eut pas à s'interroger bien longtemps. La femme avait relevé la tête, ses longs cheveux roux masquaient son visage. Comme quelqu'un qui sort d'un long cauchemar, elle murmura d'une voix éteinte :

— À l'aide!

Il ne répondit pas. Du revers de la main, elle rejeta ses cheveux en arrière et l'observa longuement sans se montrer étonnée ou surprise de le voir.

— Je crois bien que j'ai eu un étourdissement, dit-elle.

Son visage tuméfié et les nombreux bleus sur ses bras disaient tout le contraire. D'un pas hésitant, il s'approcha d'elle, les deux bras tendus pour l'aider. Elle s'y accrocha comme une noyée à une bouée de sauvetage et il n'eut qu'à tirer pour l'aider à se remettre sur pieds.

— Il n'est pas ici? interrogea-t-elle soudain, comme prise d'une terreur subite.

— Qui ça?

— Mon mari.

— Il n'y a personne d'autre que moi et je ne serais pas entré si j'avais su...

— La providence vous envoie. J'ai besoin de soutien et vous êtes là. Je ne vous connais pas, mais je sais que vous allez m'aider, sinon vous seriez déjà parti.

— Votre mari vous fait peur ?

— S'il ne m'a pas tuée, c'est parce qu'il n'avait plus de cartouches à mettre dans son fusil. Il doit être parti en chercher et quand il reviendra, il terminera ce qu'il a commencé.

Soudain, comme si elle venait seulement de se rendre compte de leur situation précaire, elle s'énerva :

— Il ne faut pas qu'il nous trouve ensemble !

— Je m'en vais.

Elle le retint par la manche :

— Ne partez pas ! Vous devez m'aider.

— À quoi ?

— À fuir !

— Où ?

— N'importe où, loin d'ici. Hélas ! Je n'ai pas d'endroit où aller, sauf chez mes cousins, mais c'est la première place où il va se rendre.

— Je n'en ai pas non plus, encore moins que vous.

— Vous ne connaissez pas un endroit où nous pourrions nous cacher pour quelques jours ou même quelques semaines, le temps qu'il se persuade que j'ai bel et bien disparu ?

Il allait lui répondre quand ils entendirent du bruit sur la route.

— C'est lui qui revient ! Venez vite, il ne faut pas qu'il nous trouve.

Elle se précipita, souffla la lampe, attrapa un chapeau et poussa l'homme devant elle vers la porte arrière. Ils sortirent sans tarder. La pleine lune éclairait comme un phare. Elle le précéda sur un sentier naissant près de l'appentis et menant droit aux champs. Ils l'empruntèrent, contournèrent la masse du puits et pressèrent le pas en direction d'un boisé où ils disparurent dans l'ombre des arbres. Elle s'arrêta un moment pour reprendre son souffle.

—Je connais le bois par cœur, dit-elle, mais son chien aura vite fait de nous retrouver si nous ne nous pressons pas. Nous devons rejoindre la rivière au plus tôt, ajouta-t-elle. Suivez-moi!

Elle se dirigea droit devant elle, entre les arbres où perçait à peine la lueur de la lune. Elle courait presque. Il avait du mal à la suivre et se demandait justement pourquoi il la suivait, sans pour autant cesser de lui emboîter le pas. Ils arrivèrent à la rivière au moment où se faisaient entendre, au loin, les aboiements du chien.

— Il l'a lâché après nous, dit-elle. Avec de la chance, on le sèmera.

Elle retroussa sa robe et, sans hésiter, sauta dans la rivière. Il la suivit. Ils avaient de l'eau à la ceinture. D'un pas rapide, entraînés par le courant, ils dévalèrent le cours d'eau sans plus se poser de questions. Là où l'eau assez profonde le permettait, elle se laissa flotter comme une embarcation à la dérive. Il l'imita sans penser qu'il ne savait pas nager. Il aurait voulu lui dire qu'il en avait assez, que ça avait trop duré, mais il était si épuisé qu'il avait peine à reprendre son souffle tant cette marche dans la rivière ne lui laissait aucun répit. Il n'aurait pas su dire quelle distance ils avaient parcourue ainsi quand, parvenue sous un pont, elle l'arrêta.

— Nous allons reprendre la route ici, ordonna-t-elle. Il ne nous rejoindra pas. Tel que je le connais, une fois arrivé au bord de la rivière, quand le chien aura perdu notre piste, il va remonter en croyant que je me suis réfugiée à la cabane à sucre.

Il reprenait son souffle pendant qu'elle parlait. Il répliqua :

— Pourquoi je vous suivrais ? Filez votre chemin sans moi. Même s'il me voyait sur la route, il ne pourrait pas savoir que j'étais avec vous.

— Vous allez me suivre, reprit-elle, parce que j'ai besoin de vous et que vous ne demandez pas mieux que de rendre service. Je l'ai su tout de suite en vous voyant dans la cuisine, vous êtes un homme serviable, sinon vous ne seriez pas là avec moi en ce moment.

— Si je suis là, c'est que je ne voulais pas qu'il nous voie ensemble. Je n'avais pas d'autre choix. Mais maintenant qu'il est loin...

— Maintenant qu'il est loin, vous allez quand même me suivre, parce que vous êtes bon, comme le sont beaucoup de vagabonds, et que l'entraide passe avant tout pour un quêteux.

Elle lui tourna le dos et partit d'un bon pas sur la route illuminée comme un fil d'argent sous la clarté de la lune. Lui qui avait marché toute la journée et qui à cette heure n'aspirait qu'à un endroit chaleureux pour dormir, ne pouvait pas s'expliquer pourquoi il la suivait de nouveau sur cette route inconnue, vers une destination encore plus hypothétique.

Rien ne semblait devoir arrêter Élisabeth. Ils marchèrent encore longtemps sans parler avant de se laisser choir, à bout de forces, dans les herbes hautes d'un pré, à l'orée d'une forêt de pins dont il sentait les effluves. Il s'endormit instantanément comme un animal foudroyé par un coup de gourdin. Quand il se réveilla, au petit matin, avec l'air perdu de qui tente de se rappeler d'où il sort et ce qui l'a conduit où il se trouve, il regarda la femme endormie près de lui. Ce fut alors seulement qu'il remarqua comme elle était belle. Sa chevelure flambait dans l'aube naissante. Elle ouvrit les yeux. Ils étaient verts et brillaient dans la clarté du matin. À peine éveillée, elle bondit sur ses jambes comme un animal fuyant un prédateur.

—Allons, debout! ordonna-t-elle d'une voix à la fois invitante et énergique. Nous devons filer, nous sommes encore trop près de lui. Je veux qu'il perde notre trace et qu'il nous cherche par tout le comté et tout le pays. Quand je déciderai, c'est moi qui le trouverai et il me paiera tout le mal qu'il m'a fait.

—On va où comme ça? demanda le vagabond.

—Aussi loin qu'on peut.

—Et après?

—On verra!

—Pourquoi je vous suis? Rien ne m'y oblige.

—Oui, quelque chose vous y oblige. Vous seul savez ce qui m'arrive et je ne veux pas que, comme un Judas, pour une poignée de sous, vous alliez me vendre.

— Ça n'a jamais été mon intention.

— Ça pourrait le devenir, n'est-ce pas?

— C'est mal me connaître.

— Qui sait?

Elle avait des poignards dans les yeux. Il ne manqua pas de les voir et, en homme peureux qu'il était, habitué à fuir, il n'osa pas la contrarier. Il ajouta seulement:

— Si je vous suis, c'est par solidarité.

Elle sourit.

— Bien! fit-elle, alors en route.

Ils marchèrent durant des heures, jusqu'à ce qu'une charrette tirée par un cheval noir et conduite par un vieil homme finisse par les rejoindre.

— Vous allez où comme ça? demanda l'homme dès qu'il fut à leur hauteur.

— Aussi loin qu'on peut.

— Embarquez donc, je vous ferai faire un bout de chemin.

Ils n'avaient rien à manger et ne risquaient guère de trouver de la nourriture sur cette route qui semblait fuir toute civilisation. Leur bon Samaritain leur offrit la moitié d'une miche de pain. Ils s'arrêtèrent pour boire à une source, à la croisée de deux routes où les laissa l'homme à la charrette, qui prenait la direction du nord.

Élisabeth paraissait savoir où elle allait, car elle emprunta la route du sud sans se soucier de leur faim

et sans s'arrêter pour reprendre son souffle. Le vagabond, lui, se disait qu'après tout, cette aventure apportait du nouveau dans sa vie et qu'au fond, suivre une
femme résolue valait aussi bien que de marcher sans
but à la recherche d'un travail éreintant pour une
simple croûte de pain.

Chapitre 23

La fuite

Dès qu'il fut dans la maison, le rétameur sut qu'elle était partie. Pour s'en assurer, il fit le tour de la cuisine et des chambres puis, la tête appuyée contre le mur, il se mit à jurer pendant une bonne minute sans reprendre son souffle. Il en avait le cou gonflé comme une outre qu'on vient de remplir et les yeux lui sortaient de la tête à la manière de boutons passés dans leur ganse. Il cracha :

— Elle va me le payer de sa vie, la maudite vache !

Le chien tourna un moment autour de lui. Il lui lança une pantoufle d'Élisabeth et dit :

— Cherche ! Belzébuth, cherche !

La bête fila droit vers l'arrière de la maison. Le rétameur saisit sur la table son fusil, le chargea et partit à la suite du chien qui aboyait et filait à travers le champ en direction de la rivière. Le vent faisait bruisser les peupliers, des effluves de feuilles mortes remplissaient l'air humide.

Arrivé au bord de la rivière, le chien courut d'un côté et de l'autre sans trouver de piste. Excité par ce jeu, il s'arrêtait à tout instant et laissait partir un jappement plaintif. Le colporteur comprit vite que pour couvrir sa fuite, Élisabeth avait emprunté le cours d'eau. S'en allait-elle vers l'aval ou vers l'amont? Il se dit: «Elle n'a pas d'autre place où se réfugier que la cabane à sucre.»

Il opta pour l'amont, siffla son chien et remonta le sentier menant à l'érablière. Quand il vit la cabane à sucre vide et que le chien ne flairait aucune piste, il remonta encore la rivière sur quelques arpents pour bien s'assurer qu'elle n'en était pas ressortie plus haut.

— Elle ne s'est pas enfuie dans cette direction, grogna-t-il avant de se remettre à sacrer comme un démon.

Il savait maintenant qu'elle avait pris la route depuis un bon moment. Toute recherche en pleine nuit se révélant inutile, il retourna chez lui, prit quelques heures de sommeil et, résolument, dès son réveil, attela son cheval au chariot lui servant à la fois de moyen de transport et d'atelier pour son travail. Avant de quitter la maison, il s'assura, comme chaque fois qu'il partait, d'emporter suffisamment de nourriture, siffla son chien, tira le verrou et, le fusil chargé à portée de la main, il partit à la recherche de sa femme sans trop savoir quelle direction il allait prendre. Le chien ne pouvait guère lui être utile, mais il ne pouvait pas l'abandonner. Il le fit monter à l'arrière du chariot sans l'enfermer dans sa cage.

Il tenta sans succès d'imaginer ce que sa femme avait derrière la tête et dans quelle direction elle avait pu fuir. Leurs esprits étaient si opposés qu'il lui suffisait de penser à gauche pour qu'elle prenne vers la droite, et vice versa. Arrivé au carrefour, il s'arrêta, faillit emprunter la direction du nord, mais se dit : « Si je pense de même, c'est qu'elle aura décidé de descendre vers le sud. »

Mais il se ravisa aussitôt en se persuadant que la première idée est toujours la meilleure et il fit tourner son cheval vers les basses terres de la Beauce. Il prit la route le long de la rivière Chaudière en direction du Saint-Laurent. Sans le savoir, il tournait carrément le dos à Élisabeth qui, pendant ce temps, en compagnie du vagabond, marchait résolument vers le sud, remontant l'Etchemin par un sentier menant vers sa source, en quête d'un campe de bûcherons qu'elle connaissait au bord du lac des Cèdres, vers Saint-Malachie. Elle savait qu'on y trouvait en permanence de la nourriture pour les chasseurs égarés.

— Nous sommes des bêtes traquées. Si les chasseurs perdus peuvent se nourrir à même ces provisions, pourquoi les bêtes que nous sommes ne le pourraient-elles pas ?

Le vagabond n'avait pratiquement pas mangé la veille. Il sentait de plus en plus la faim le tenailler. Il n'aspirait qu'à parvenir à ce campe de bûcherons au plus tôt. Il commençait à trouver l'aventure moins intéressante. Englouti par une forêt de plus en plus dense, le sentier serpentait tout le long de la rivière, sous une chaleur humide attisant la soif. La femme ne semblait pas se soucier du temps. Elle n'avait qu'une idée en tête :

—Je sais que nous ne sommes pas loin de cette cache de nourriture. Si nous avions un chien, nous l'aurions déjà trouvée.

—Mais nous n'avons pas de chien, répliqua le vagabond, d'un ton impatient. Pas besoin d'en parler.

Élisabeth s'arrêta. Le sentier s'éloignait de la rivière. Elle hésita un moment.

—Je me souviens, dit-elle, mon mari, pas celui-ci, l'autre avant, m'avait parlé d'un ruisseau pas loin de l'endroit où le sentier quitte la rivière. C'est certainement proche d'ici.

Elle avait à peine fini de parler que se dessina devant eux un petit pont fait de madriers posés les uns près des autres, à la manière d'allumettes dans leur boîte. Il chevauchait d'assez haut un petit ruisseau encaissé tout au fond d'un ravin. Ils le traversèrent, non sans s'étonner du bruit de leurs pas répercuté par cette plate-forme tendue comme une peau de tambour. Ils s'arrêtèrent un moment pour reprendre leur souffle. Le vagabond s'impatienta :

—Personne ne passe donc jamais par ce sentier de malheur ?

—Au plus fort de la chasse, cette forêt voit beaucoup de monde parce qu'elle est pleine de chevreuils. Mais ce n'est pas tout à fait encore le temps, il n'y a pas un seul chrétien.

—Vous savez où il est, ce maudit campe ?

—Mon défunt mari m'en a parlé, ça fait longtemps, je ne me souviens pas très bien.

— L'autre, est-ce qu'il sait où ça se trouve ? Il pourrait nous suivre !

Elle se mit à rire d'un rire similaire à un roucoulement. Dans ses yeux, il y avait un pétillement semblable à des étincelles. Il n'avait jamais vu quelqu'un rire autant avec ses yeux. Il se tut dans l'espoir que ce qu'elle dirait ferait surgir de nouveau ce feu d'artifice. Mais déjà, elle revenait à sa préoccupation de l'instant : trouver au plus vite ce campe de bûcheron. Il la voyait réfléchir profondément, à la façon de quelqu'un qui tente de se souvenir à tout prix. Il l'admirait, coquette sous son chapeau de paille jetant une ombre sur le haut de son visage et faisant de ses yeux des opales. Soudain elle eut un soubresaut.

— Je me souviens ! dit-elle. Il a parlé du ruisseau et du pont de bois… Ensuite, il fallait piquer direct sur l'étoile polaire. À un mille de là, on tombait droit sur le campe et la cache de nourriture.

— Mais même si c'est le bon pont et le bon ruisseau, reprit le vagabond, il faudra attendre jusqu'au soir pour voir l'étoile polaire, à condition que le ciel ne soit pas couvert.

Elle lui rit au nez :

— Qui est-ce qui dit qu'il faut attendre le soir pour savoir où se trouve le nord ? Depuis le temps que je me promène dans les bois, j'ai appris les trucs nécessaires pour m'orienter.

Elle examina la mousse sur les troncs autour d'eux et partit à travers les arbres, droit devant, sans hésiter.

— C'est par là ! dit-elle.

Il la suivit docilement, comme un chien bien dressé, s'arrêtant quand elle s'arrêtait, reprenant sa marche en maugréant quand elle décidait de continuer. C'était un homme habitué à recevoir des ordres. Elle les mena rondement droit au but. Soudain, le campe leur apparut, adossé à un rocher entouré d'épinettes noires.

Ils entrèrent et se mirent à ouvrir les armoires une à une. Ils en sortirent des conserves qu'ils étalèrent sur une table en bois pleine d'encoches. Le vagabond trouva un couteau et une fourchette. Il ouvrit un pot qui contenait des fèves au lard. Il les mangea, telles quelles, sans les faire chauffer. Il tenait son couteau et sa fourchette en l'air, comme un homme prêt à saisir un oiseau en vol.

— Faites du feu, dit-elle, on va se régaler!

Il y avait, près du poêle, du bois sec empilé et des morceaux d'écorce de bouleau. Il mit un quartier d'érable dans le poêle, frotta une allumette sur un des ronds en fonte et enflamma un bout d'écorce. En quelques secondes, on entendit pétiller le feu. Pendant ce temps, elle avait ouvert une boîte de boulettes de viande en sauce. Elle mit le tout dans une marmite, retira un des ronds du poêle et plaça le récipient directement sur le feu.

Le camp fut bientôt envahi de la bonne odeur du repas en préparation. Elle sortit des assiettes, les remplit de ce ragoût qu'ils dévorèrent avec le plus grand appétit du monde, comme deux pauvres affamés. Le soleil disparaissait déjà derrière la cime des arbres.

—Il doit y avoir de l'eau quelque part autour, dit-elle. J'ai soif et j'aimerais me laver.

Ils partirent explorer les alentours, chacun de son côté. Le vagabond ne trouva pas la moindre goutte d'eau. Élisabeth fut plus heureuse. Au bas d'une pente envahie par les ronces, un ruisseau dévalait les rochers avant de former, tout en bas, un étang respectable, assez vaste pour une baignade. Elle y était plongée quand l'homme la trouva, attiré là par ses cris. L'eau dégoulinait de sa tignasse rousse. Pour s'en débarrasser, elle s'ébrouait comme un cheval.

—Ne regardez pas! cria-t-elle. Je suis toute nue! Quand j'aurai terminé, vous pourrez y venir à votre tour.

Il ne se priva pourtant pas de la reluquer quand, du pas souple des chattes, elle sortit de l'eau pour disparaître derrière un rideau d'aulnes. Il se dit: «Comme elle est belle!»

—Vous pouvez venir maintenant. C'est tellement bon, j'ai l'impression de revivre.

Lui qui ne se lavait presque jamais s'avança au bord de l'étang. Pour lui faire plaisir, il se sauça en se tenant accroupi à portée d'un saule dont les branches effleuraient la surface liquide. À le voir de la sorte, vautré dans l'eau fangeuse, elle se moqua de lui. Il attendit qu'elle soit partie pour sortir en vitesse et se laisser sécher au vent levé depuis un moment sur la forêt.

Le soir tombait quand il regagna le campe. Aucune étoile ne paraissait au-dessus des arbres. Au loin, la foudre grondait. Elle lui cria de se presser à cause de l'orage. Il comprit vite que seule, elle avait peur du tonnerre.

Ils passèrent deux jours à flâner dans le camp. Connaissant le rétameur, elle était certaine qu'il était parti à sa recherche.

— Il n'a certainement pas attendu que je revienne, dit-elle au vagabond. La dernière place où il va me chercher, c'est à la maison. Pour l'instant, il doit rôder quelque part sur la route en demandant à chacun s'il ne m'aurait pas vue. Avec mes cheveux roux, je suis facile à repérer. Demain, nous retournerons au village chercher mes effets. J'ai mon idée. Je vais m'en aller si loin de lui qu'il ne me retrouvera jamais.

Le vagabond l'écoutait sans l'interrompre.

— Allez-vous venir avec moi ?

— Peut-être que oui, peut-être que non. Mon idée n'est pas encore faite.

— Si vous veniez, ce serait mieux. Il y a moins de chance qu'on remarque un homme avec une femme sur les chemins, qu'une femme seule.

— Là-dessus, vous avez bien raison.

— Nous apporterons de quoi manger. Sainte-Claire n'est pas si loin que ça, après tout. En moins d'une journée, par la grand'route, nous y serons.

Il sourit, ne comprenant pas trop pourquoi il obéissait à cette femme comme un enfant. Voyant qu'il l'écoutait avec attention, et comme il lui plaisait et qu'elle avait besoin de parler, elle lui raconta la succession de ses récents malheurs :

— Mon premier mari était médecin. Il a été assassiné sur la route. J'ai mis un temps fou à m'en remettre. Un peu pour donner un père à mon enfant, je me suis remarié avec le rétameur, un homme qui s'est révélé sournois et jaloux comme pas un. Nous vivions presque en forêt, mais ce n'était pas encore assez loin pour lui. Je m'appelle Élisabeth, si vous voulez le savoir, Élisabeth Grenon. Le plus grand malheur de ma vie, c'est d'avoir cru ses belles paroles.

— Vous avez un enfant?

— Oui! Heureusement, il est chez mon oncle, le boulanger, pour quelques jours. Un de mes cousins est passé me voir et j'en ai profité pour envoyer mon enfant avec lui chez mon oncle. C'est d'ailleurs pour ça que cette brute m'a frappée et qu'il s'apprêtait à me tuer. Si vous n'étiez pas arrivé avant lui, je crois bien que c'est ce qui se serait passé. Je ne serais pas là pour vous en parler. Jaloux comme il est et dangereux en plus, il va bien chercher à reprendre mon enfant pour m'attirer jusqu'à lui. Mais mon oncle le connaît et il ne le laissera pas l'approcher.

À son tour, le vagabond voulut bien lever un peu le voile sur son existence. Il s'appelait Raoul, avait fait de bonnes études, s'était marié et avait travaillé comme instituteur. Quand sa femme était morte en couches, découragé, sur un coup de tête, il avait tout abandonné pour courir les routes. Après ces confidences, Élisabeth lui dit:

— À partir de tout de suite, c'est plus vous, mais tu.

Elle le vit sourire pour la première fois.

Le lendemain, ils prirent le chemin de Sainte-Claire. La chance les favorisa. Ils croisèrent une des voitures de la boulangerie, conduite par un de ses cousins. Il allait faire une livraison à Saint-Malachie.

— Attendez-moi à l'ombre au bord de la route… Dans moins de deux heures, je serai de retour, assura-t-il.

Elle prit quand même le temps de raconter ses malheurs à son cousin.

— C'est donc pour ça qu'il s'est arrêté à la boulangerie s'informer si on ne t'avait pas vue ! À son dire, il t'avait laissée au presbytère où il devait te reprendre.

— L'affreux menteur ! Et Jean ?

— Rassure-toi ! Il est en sécurité chez Gilbert. Que comptes-tu faire à présent ?

— Je vais aller chez moi, prendre tout ce que je peux emporter et je vais traverser la frontière américaine.

— Où veux-tu aller comme ça ?

— Du côté de Lewiston, le temps qu'il m'oublie ou qu'il crève. Il y a de l'ouvrage là-bas, dans les filatures. Blanche Lacroix, ma bonne amie de couvent, est allée rester là. Je logerai chez elle les premiers temps.

Le lendemain, son oncle lui dit :

— Ma fille, puisque c'est ton désir de partir au loin, voici ce que je te propose de faire. J'y ai jonglé une partie de la nuit. D'abord, tu vas nous laisser Jean. Il est toujours chez Gilbert et ne t'inquiète pas, il va bien s'en occuper. Ensuite, je vais te prêter un cheval et une voiture. Tu vas te rendre à Saint-Malachie chez mon neveu Gérard et tu vas te faire oublier là pour une couple de jours. Tu es mieux là qu'icite, parce qu'il va sûrement repasser voir si tu y es.

— Je ne peux pas me rendre à Saint-Malachie toute seule. Tout à coup que je le rencontrerais…

— C'est vrai, il pourrait reconnaître une des voitures de la boulangerie. Ça tombe mal, parce que pour le moment, mes garçons sont tous occupés.

Raoul, qui était en retrait, intervint :

— J'irai avec elle.

L'oncle poussa un soupir.

— Qu'en dis-tu ? demanda-t-il à Élisabeth.

— Raoul m'a aidée, il continuera à le faire.

Le boulanger, qui semblait jusque-là ne pas trop s'être occupé de lui, examina attentivement Raoul. C'était un costaud capable de se défendre. Il dit :

— Dans ce cas-là, c'est comme ça que nous allons faire. Dans quelques jours, vous reviendrez chercher Jean et prendre ce que tu veux dans ta maison. Après tout, la maison et tout ce qu'il y a dedans t'appartiennent. Ensuite, Albert fera le voyage à Lewiston avec toi et Jean. Il apportera un fusil chargé au cas où. Je vous prêterai deux chevaux et le fourgon pour transporter les gros meubles.

༄

En compagnie de Raoul, elle partit sans tarder pour Saint-Malachie, avec un mot de son oncle pour son neveu. Au bout de deux jours, durant leur trajet de retour à Sainte-Claire, ils firent une rencontre indésirable.

Chapitre 24

La rencontre

Quand Raoul revint à lui, l'eau tambourinait sur la bâche de la charrette lui rappelant un bruit familier. Il pleuvait à torrent. Il tenta de s'asseoir, mais une vive douleur lui fendit l'épaule, le forçant à demeurer étendu sur le dos. Il gémit, puis se tut aussitôt en retenant son souffle. Il venait de se remémorer les derniers événements. D'inquiétude, il fronça les sourcils. Il sentit ses nerfs se tendre, pendant que graduellement, les bruits sourds des battements de son cœur se répercutaient à ses tempes. Il faisait nuit. Imperceptiblement, en s'empêchant presque de respirer, il tendit la main dans le noir. Une main chaude se referma sur son bras. Il hurla. La main le retint fermement.

— Chut! fit Élisabeth. Du calme! Ce n'est pas le temps d'être repérés!

— Ah! C'est toi, dit-il.

Il tremblait encore. Élisabeth poursuivit d'une voix douce mais ferme:

— Tu as perdu beaucoup de sang. Tu dois te reposer. Il ne faut pas t'inquiéter, je veille sur toi.

Raoul, que le coup reçu semblait avoir passablement perturbé, demanda :

— Où sommes-nous ?

— En sécurité, pour le moment.

Les bruits de la forêt envahissaient la voiture.

— Tais-toi ! C'est le mieux à faire, ajouta-t-elle d'un
ton impératif.

Elle alluma un fanal dont la flamme éclaira un instant son visage, tout en dessinant son profil sur la toile
de la bâche. Raoul fut frappé une fois de plus par ses
yeux vifs, où se lisaient en même temps de la douceur
et de la passion. Troublé, il ferma les paupières. Une
lourde fatigue le terrassait, il n'eut pas la force de
résister et sombra dans un sommeil agité.

Il retrouva peu à peu ses moyens, tandis que la
clarté s'infiltrait par les ouvertures de la charrette.
Élisabeth dormait encore. Il toussa. Elle se leva d'un
bond, puis se détendit aussi soudainement, en regardant partout de ses yeux étrangement vifs. Il l'observait sans perdre un seul de ses gestes. Se sentant épiée,
elle se força à sourire. Ses longs cheveux couvraient
entièrement ses épaules. Elle les ramassa d'un geste
habile, en fit une torsade qu'elle noua sur sa nuque.

— Que m'est-il arrivé au juste ? questionna Raoul.

— Tu ne t'en souviens vraiment pas ? Le rétameur !
Ta blessure ! Sans moi, tu mourais au bout de ton sang.

Elle lui tournait le dos, s'affairant à préparer le
déjeuner.

— Il faudra rouler longtemps aujourd'hui, annonça-t-elle. Nous devons nous éloigner le plus possible de ce lieu sinistre. Nous en sommes encore beaucoup trop près.

— Où nous trouvons-nous?

— Dans la forêt, au nord du village où l'accident a eu lieu, car c'est véritablement un accident, rien de plus.

— Le village? L'accident? questionna-t-il afin de la faire parler.

— La voiture renversée au fond du ravin, le rétameur mort en dessous, tout ça ne te dit rien?

— Ça oui! Je m'en souviens. Mais après? J'ai perdu connaissance longtemps?

— Quelques minutes, puis le temps que je t'aide à remonter dans la voiture et tu es retombé dans les pommes.

Il voulut se lever, mais sa blessure le faisait trop souffrir. Il grimaça. De grosses gouttes de sueur perlaient sur son front. Il se sentait fiévreux. Un frisson parcourut tout son corps.

— Cette maudite blessure ne guérira jamais! rugit-il. Il faut trouver un médecin au plus vite!

— Un médecin, ici? reprit Élisabeth en relevant la tête. Tu ferais mieux de chercher un vétérinaire. Des médecins, tu en trouveras en ville, mais par ici... D'ailleurs, ce ne serait pas prudent...

Elle ne termina pas sa phrase, mais ajouta:

— Ne crains rien! Je te soignerai, je connais les plantes qu'il faut.

— Quelles plantes ?

— Celles qui guérissent. Ma belle-mère en possédait les secrets. Elle me les a appris. Au sortir de la forêt, j'irai cueillir celles qu'il faut. En attendant, endure ton mal ! Un peu de fièvre vaut mieux que la pendaison ou vingt ans de prison.

« Elle a tout deviné ou elle a tout vu », songea-t-il. Il se sentit comme quelqu'un qui vient de se faire prendre à voler.

— Tu pourrais être arrêtée pour complicité, la prévint-il.

— Tiens, dit-elle, la mémoire te revient.

Elle pouffa de rire :

— Et après ? Pour ça, il faudrait qu'ils nous retrouvent et qu'ils réussissent à démontrer ce qui s'est passé. Ils n'y parviendront jamais. De toute façon, c'était de la légitime défense. Nous aurions pu le déclarer, mais qui nous aurait crus ? Je vois déjà les titres des journaux : *Une jeune femme aidée d'un complice assassine son mari sur la route.* C'est préférable de se tenir loin de la justice. Avec eux, on ne sait jamais ce qui peut se passer. D'ailleurs, ils ne sont pas tendres pour les vagabonds.

Elle sourit et lui tendit une brioche.

— Grignote lentement, conseilla-t-elle, on ne mangera rien d'autre avant ce soir.

Elle saisit les cordeaux et lança un « hue ! » autoritaire. La charrette s'ébranla.

— À nous la liberté ! soupira Raoul.

Il ferma les yeux. Dans sa tête se mirent à défiler les images des derniers événements.

—Tu veux vraiment que je te raconte ce qui s'est passé? dit-il.

—Si tu t'en souviens.

Il se mit aussitôt à parler comme quelqu'un qui veut se libérer d'un poids trop lourd à porter seul.

—Tu t'en rappelles, c'est toi qui as reconnu au loin la voiture du rétameur. Les moindres détails se sont gravés dans ma tête. Je revois tout comme si ça se passait maintenant, sous mes yeux. Il s'en venait au loin, sur le mauvais chemin de terre qui contourne Saint-Malachie, exactement celui que nous avons pris en pensant ne pas le rencontrer. Dans le vert sombre des feuillus, j'apercevais la tache baie de son cheval attelé à la longue charrette dont la bâche brinquebalait comme une dent lâche, à chaque cahot. Suspendue à une tige en métal fixée à l'avant du véhicule, une clochette s'affolait à chaque secousse. On l'entendait de loin. Elle laissait filer des grappes de tintements aigus. Je le voyais s'éponger le front à tout instant. Le soleil tapait dur. C'est alors que tu as dit: "Il ne faut pas qu'il me voit où que le chien reconnaisse mon odeur. C'est un rusé, il va sans doute faire quelque chose pour te parler." Tu t'es cachée dans le fond de la voiture, puis tu t'es ravisée et tu m'as tendu une pelle, en disant: "C'est la seule arme que nous ayons." Tu es retournée au fond de la voiture. Le soleil était éblouissant. La main en visière, je me protégeais les yeux contre l'éclat de ses rayons afin de mieux suivre l'approche du rétameur.

Raoul fit une pause. Il était étonné de constater à quel point chaque détail était resté gravé dans sa mémoire. Élisabeth ne parlait pas. Il s'inquiéta :

—Je ne t'ennuie pas au moins ?

—J'écoute, murmura-t-elle.

— Comme je m'approchais, il a placé sa voiture de biais en travers de la route. Quand il a vu que j'étais à portée de voix, il s'est mis à jurer : "Sacrament ! Tu vois pas que je suis arrêté ?" "Ça se voit ! En as-tu pour la nuit ?" Son chien dans la voiture s'est mis à japper. Il l'a fait taire, puis il a gueulé : "Si j'en ai pour la nuit ? Tout dépend ! Tu me donnes une réponse tout de suite et le passage se libère. Mais si tu veux fafiner, on y passera le temps que je voudrai." Je lui ai répondu : "Cause toujours, on verra bien !" "J'ai entendu dire qu'il y a avec toi une femme aux yeux verts." "Une femme aux yeux verts ? J'vois pas de qui tu parles." "Tu mens ! Si tu la fais pas sortir, j'vas aller la chercher." C'est là que les choses se sont gâtées. Je lui ai répondu : "Tasse ta maudite charrette, j'ai pas toute la soirée."

« Il a fouillé aussitôt dans sa voiture et en a tiré une masse, qu'il s'est mis à faire passer d'une main à l'autre. Ses muscles saillaient sous sa chemise en coton. Il pensait sans doute m'impressionner. À bout de patience, il a crié quelque chose comme : "Tu me l'amènes ou j'fais l'ménage dret-là. Pas besoin d'être un génie pour savoir qu'elle est avec toé. Ça se voit dans tes yeux et le chien la sent parce qu'il s'énerve."

« En le voyant si agressif, par précaution, j'ai déposé la pelle près de moi, sur le banc. Tout se serait terminé là s'il ne m'avait pas insulté. Il m'a traité de lâche. J'ai peut-être l'air d'un peureux, mais je ne me laisse jamais insulter. Mon sang n'a fait qu'un tour. D'un bond, la pelle en main, j'étais debout sur le banc de la charrette. Il m'a imité en sautant sur le sien. Ses yeux crachaient le feu, ses mains rivées au manche de son outil blanchissaient aux jointures. Je me méfiais. Sa masse est partie aussi subitement qu'une pierre. Je l'ai évitée de justesse. Elle est allée choir au bord de la route en y ouvrant une profonde cicatrice. Il tremblait de rage.

«Après, tout s'est passé très vite. J'ai rabattu ma pelle dans sa direction. Elle a buté contre la ridelle et a rebondi dans le vide. J'étais à bout de bras, si bien que j'ai failli perdre l'équilibre. Très agile pour sa grosseur, il l'a évitée d'un bond en se retrouvant du même coup sur notre charrette. Dans sa main a brillé la lame d'un poignard et il est aussitôt passé à l'attaque. Je n'ai même pas eu le temps de me protéger. Une vive douleur m'a brûlé l'épaule. Instinctivement, pour me défendre, j'ai rué. Mon talon l'a atteint au bas-ventre, ce qui l'a fait se plier en deux. D'un coup de pelle à la nuque, je l'ai envoyé rouler sous la charrette. Le cheval se cabrait. Je suis parvenu à le retenir par les cordeaux, mais en hurlant de douleur tellement mon épaule me faisait souffrir. J'étais étourdi. Je me suis laissé choir sur la route et j'ai mis du temps à reprendre mes esprits.»

Élisabeth n'avait pas dit un mot.

— Mon récit t'intéresse toujours?

— Bien sûr que ça m'intéresse! Qu'est-ce qui t'en fait douter? J'ai assisté à tout ça du fond de la voiture, trop terrorisée pour en sortir.

— Je me suis approché prudemment du rétameur qui ne bougeait plus. Une mare de sang rougissait déjà la poussière du chemin. J'avais de la misère à m'expliquer ce qui était arrivé. Je me suis dit: "Personne ne va croire à ma légitime défense." J'ai fait vite. J'ai saisi ses pieds avec rage et, d'un seul élan, je l'ai juché sur ma bonne épaule avant de le jeter dans sa voiture, que je voulais expédier en bas de l'escarpement. Tous ces efforts m'avaient exténué. J'avais chaud, je suais à grosses gouttes. J'ai décidé de m'asseoir un moment pour retrouver mes moyens, mais j'étais de plus en plus étourdi et, surtout, je craignais de voir quelqu'un arriver.

«Au même moment, je me suis rendu compte qu'une traînée de sang maculait la route, entre les deux voitures, jusqu'à l'endroit où j'avais fait basculer le corps. J'ai dételé le cheval et je l'ai chassé à coups de fouet. Puis, de ma bonne épaule appuyée à l'arrière de la charrette, j'ai poussé de toutes mes forces. Elle a dévalé la pente, tranquillement d'abord, puis de plus en plus vite, avant de plonger dans le ravin au bout de l'escarpement où nous nous trouvions. La clochette s'est étouffée quelques secondes, puis a laissé filer une cataracte de tintements qui sont morts tout doucement. Du ravin est monté un nuage de poussière. J'ai déduit que la voiture s'était échouée à l'envers, parce que j'entendais le grincement des roues tournant encore au ralenti. Au moment de l'impact, le chien a poussé un long hurlement puis a fini par se taire.»

Il s'interrompit. Élisabeth s'était brièvement retournée pour le regarder. Il poursuivit :

— J'étais étendu au milieu de la route, incapable de me relever. L'épaule me brûlait, comme traversée par un fer chauffé à blanc. Du sang dégoulinait le long de ma manche. Tout s'embrouillait. Il me semblait que le ciel s'écroulait sur moi, tel un poing géant venu pour m'écraser. Le reste, tu le connais mieux que moi, puisque c'est toi qui m'as sauvé.

— J'étais descendue de la voiture, ajouta Élisabeth. Je t'ai aidé à y monter. Après quoi, je me suis mise à quatre pattes sur la route et j'ai fait vite disparaître les traces de sang dans le sable du chemin.

Pendant tout le récit de Raoul, Élisabeth avait conduit la charrette. Ils roulèrent tout le jour, sans arrêt, à un rythme doux et régulier. Pourtant, le chemin mal entretenu parsemé d'ornières profondes obligeait le cheval à utiliser constamment toute sa force. C'était une bonne bête, qu'elle dirigeait avec facilité.

Raoul se détendit et s'endormit pendant plusieurs heures, mais se réveilla fiévreux. Sa blessure le faisait tellement souffrir qu'il n'en pouvait plus. Quelques heures avant la brunante, Élisabeth arrêta la voiture à l'orée d'un bois. Raoul voulut se lever. Une douleur foudroyante traversa son épaule et il perdit conscience. Quand il revint à lui, Élisabeth était penchée sur lui.

— Il est temps, dit-elle, qu'on s'occupe de toi ! Je vais cueillir les herbes qu'il te faut.

Raoul tenta de parler puis se tut. Il ferma les yeux. L'image du beau visage de la jeune femme se dessina dans son esprit comme sur un écran. Il se mit à soupirer : « Comme elle est belle ! Elle est en train de m'ensorceler. »

Il ouvrit les yeux. Elle était déjà partie. Il s'imagina qu'il la tenait dans ses bras. Quand elle revint, la noirceur avait gagné la charrette. Elle alluma un fanal puis le réchaud où elle posa une marmite remplie d'eau. Raoul suivait chacun de ses gestes. Il avait hâte qu'elle parle. Sa voix douce l'apaisait :

— La tisane que je prépare fera baisser ta fièvre. Le cataplasme que je vais appliquer sur ta blessure en chassera le mal. Demain, tu te sentiras déjà beaucoup mieux. Nous allons traîner dans le coin pour nous donner une journée de plus avant d'arriver à Sainte-Claire.

Il la remercia avec insistance :

— Sans toi, que serais-je devenu ? Tu es merveilleuse !

— Ne parle pas trop, ça te fatigue. Demain, tu causeras à ton gré.

Il se sentait comme un enfant entre ses mains. Elle avait des gestes aussi doux que sa voix. Il l'aimait, mais tentait en vain de surprendre son regard. Elle n'était attentive qu'à ce qu'elle accomplissait.

La nuit était maintenant tombée. Elle fit chauffer de l'eau, se déshabilla sans pudeur et se lava en chantonnant. Pas un instant il ne la quitta du regard. Elle avait des seins fermes, un corps parfait. Il mourait de désir.

— Tu es la plus belle femme que j'ai vue.

Elle fit mine de n'avoir rien entendu.

— Tu as compris ce que j'ai dit?

— C'est un refrain qu'on m'a déjà chanté. Seul mon Joachim me l'a fredonné pour que j'y croie vraiment.

Elle souffla le fanal. Le ciel brillait de mille étoiles.

Au matin, Raoul n'avait plus de fièvre. Son épaule le faisait moins souffrir. Les herbes avaient commencé à accomplir leur miracle. Il se leva et put même préparer le café.

— Ne va pas trop vite! lui recommanda Élisabeth. La fièvre te guette encore.

Il s'approcha d'elle, voulut l'embrasser. Elle le repoussa vivement en grommelant:

— Ils sont tous pareils. Ils vous prennent, puis ils vous abandonnent comme des pantins.

Tout le jour, ils tournèrent en rond, faisant quelques milles dans un sens puis retournant sur leurs pas. Heureusement, ils étaient en pleine forêt. Leurs manœuvres ne pouvaient attirer l'attention, car personne ne passait par là. Elle n'ouvrit pas la bouche, comme si elle avait tout à coup perdu le goût de vivre. Raoul avait présumé de ses forces. Il se sentait de nouveau tenaillé par la fièvre. Le soir approchait. Ils s'arrêtèrent. Elle s'occupa du souper.

— Tu auras encore besoin de tisane ce soir. Je vais t'en préparer.

Raoul s'inquiétait.

— Aie confiance, cette tisane fera baisser tes fièvres.

— Mes fièvres ?

— Oui ! Celle qui te brûle le corps et te fait souffrir, et celle qui te ronge le cœur quand tu me regardes.

Raoul poussa un soupir. Il avait de la difficulté à rassembler ses idées. Le parfum de la tisane remplissait l'air comme les chauds effluves des plantes printanières. Raoul savait que désormais, cette odeur fixerait cet instant dans ses souvenirs. Élisabeth s'approcha. Elle tenait une louche fumante.

— Avale doucement, conseilla-t-elle, ta fièvre tombera vite.

Il but à petites gorgées, du bout des lèvres, comme s'il se fut agi d'un thé bouillant. L'effet de la tisane fut presque instantané. Il ne sentait plus la douleur qui lui avait jusque-là tranché l'épaule. Élisabeth le dévisageait toujours avec ce regard qui le troublait tant.

— Il faut combattre la fièvre par la fièvre, dit-elle. Maintenant qu'une fièvre s'en va, c'est le temps de s'occuper de l'autre.

Lentement, en se déhanchant, elle se mit à se déshabiller. Elle ne le quittait pas des yeux. Lui, le regard rivé sur elle, tendait les bras pour l'attirer. Il essayait de se lever, mais son corps était en plomb. Il voulait parler, mais aucun son ne sortait de sa gorge. Sa beauté le subjuguait. Jamais il n'avait vu un corps si parfait. Il rageait de désir. Elle s'approcha doucement.

— Pour te remercier, dit-elle.

Elle s'unit à lui. Ses yeux vifs brillaient tels des braises.

∽

Le lendemain, à l'orée de Sainte-Claire, Élisabeth arrêta la voiture.

— C'est ici, dit-elle, que nous nous séparons.

— Comment ça ? Je pensais aller aux États avec toi.

— Dans la vie, il faut trouver le cœur qui ira parfaitement bien avec le sien. Le cœur de mon Joachim était fondu au mien. Je ne crois pas qu'un jour je puisse trouver mieux. Il y a trop de cœurs mal complétés. Je ne prendrai plus jamais le risque que ça m'arrive de nouveau. En plus, si j'aimais encore, je ne survivrais pas à un autre malheur. Tu es un homme bon, Raoul, mais serions-nous parfaitement assortis ? Je pourrais peut-être t'aimer, mais il n'y aura pas d'autre homme dans ma vie. Je ne peux pas prendre le risque d'une autre union qui tournerait mal. J'en ai vécu une malheureuse avec Charlabin, une heureuse avec Joachim et une désastreuse avec le rétameur. Une quatrième me tuerait. Assez c'est assez !

Tout en s'expliquant de la sorte, son regard se faisait fuyant et Raoul avait beau tenter d'y saisir la moindre flamme, il semblait éteint comme un feu inondé d'eau de pluie.

Il eut beau discuter, presque supplier, elle tint son bout :

— Quand je t'ai connu, tu étais un vagabond. Maintenant je te quitte et tu redeviens un vagabond. Merci pour tout ce que tu as fait pour moi. Je ne l'oublierai jamais.

Il hésita encore, puis, tristement, il reprit la route. Quand son oncle la vit arriver seule à la boulangerie, il questionna :

— Et Raoul, où est-il passé ?

— Il m'a laissée quand nous sommes arrivés à l'entrée du village. C'est un vagabond, après tout. Il voulait continuer à vivre seul.

Son oncle fit venir aussitôt Jeannot, Jacques et Albert.

— Allez aider Élisabeth à chercher ses meubles. Si vous voyez le rétameur, ne le laissez pas achaler Élisabeth. Réglez-lui son compte s'il le faut, mais soyez prudents !

Elle prit dans sa maison tout ce qui pouvait lui sembler utile, la table, deux chaises, le buffet, une commode, ses vêtements et un peu de nourriture. Ils allaient partir quand elle demanda à Clément d'aller chercher l'horloge. Ils se retrouvèrent ensuite à la boulangerie, là où Jean, s'étant visiblement ennuyé de sa mère, ne la quitta plus d'un pouce de tout le reste de la journée. Les hommes furent sur le qui-vive tout le jour et profitèrent de la soirée pour déposer meubles et effets dans le long fourgon bâché qui allait servir pour leur transport.

Le lendemain, Élisabeth fit ses adieux à son oncle, sa tante et ses cousins. En compagnie d'Albert, chargé de la conduire à Lewiston et de ramener chevaux et voiture, elle quitta Sainte-Claire, le cœur gros, en laissant derrière elle un mélange de bonheurs et de malheurs. Le jeune Jean était exubérant, heureux d'être du voyage. Il ne semblait pas trop se rendre compte qu'ils partaient pour ne pas revenir. Élisabeth, quant à elle, montrait un visage aussi triste que cette fin d'automne pleine de nuages gris.

Chapitre 25

Lewiston

Ils prirent sans tarder la direction du sud. Albert s'inquiétait :

— S'il fallait que nous arrivions nez à nez avec lui…

— Il est plus loin que tu le penses, l'apaisa Élisabeth. Nous n'avons pas à nous inquiéter.

La route longeait la rivière en épousant chacun de ses méandres. Albert pestait :

— Il me semble que nous n'aurions pas besoin de faire tous ces détours. Si les constructeurs de route pensaient plus loin que le bout de leur nez, ils les traceraient beaucoup plus droites, ce qui nous éviterait de parcourir inutilement des milles et des milles de trop.

Élisabeth le regarda avec un sourire moqueur :

— Accepterais-tu qu'on coupe ta moustache ?

— Qu'est-ce ma moustache vient faire là-dedans ?

— Tu refuserais qu'on te la coupe, n'est-ce pas ? Les habitants font pareil. Ils ne veulent pas céder un pouce de leur terre, surtout qu'une route la couperait en deux.

La conversation mourut là-dessus, avant qu'Élisabeth n'intervienne de nouveau pour demander :

— Es-tu déjà allé à Lewiston ?

— Pas moi, mais Clément oui.

— Dans ce cas-là, c'est lui qui aurait dû nous y mener.

— Il avait trop de travail. Mais qui pourrait se perdre dans Lewiston ?

— Nous trois ! s'écria Élisabeth d'une voix enjouée. On ne sait jamais. Peut-être allons-nous tourner là sans pouvoir nous y retrouver comme dans un mauvais rêve ?

Albert s'exclama :

— Justement, puisqu'il est question de rêve, je vais te parler de celui que j'ai fait la nuit passée.

— Il t'arrive de rêver ? fit Élisabeth, mi moqueuse, mi étonnée.

— Pourquoi je ne rêverais pas comme tout le monde ?

— Parce qu'il me semble que tu n'as pas l'apparence d'un rêveur.

— Depuis quand un rêveur a-t-il une apparence ?

— Depuis tout de suite, s'esclaffa Élisabeth.

Voyant qu'elle se payait sa tête, il refusa de raconter son rêve.

— Allons, dit Élisabeth, fais pas l'enfant. Si tu ne vaux pas une risette, tu ne vaux pas grand-chose, et puis n'oublie pas qu'on se moque le plus de ceux qu'on aime le mieux.

Ses paroles portèrent parce qu'elles lui délièrent de nouveau la langue.

—J'ai rêvé, dit-il, d'un ruisseau sur lequel il ne suffisait que de se pencher pour remplir nos poches d'or.

—Dommage, se plaignit Élisabeth, que ce ne soit qu'un rêve. J'aimerais bien en trouver, moi, un ruisseau plein de pépites d'or.

—Y en a un ruisseau de même, pas loin d'icite.

—Qu'est-ce que tu dis-là ?

—La vérité ! Y a une Gilbert qui a trouvé une pépite d'or dans un ruisseau, pas loin de la rivière Touffe-de-Pin, à Saint-François-de-Beauce. La rivière où elle l'a trouvée s'appelle astheure la rivière Gilbert.

—D'où sors-tu ça ?

—C'est mon père qui me l'a conté. Quand il était jeune, on en parlait beaucoup par là.

—Eh bien ! s'écria Élisabeth, ton ruisseau, il existe vraiment. Ce n'était pas un vrai rêve.

—Sauf qu'aujourd'hui, reprit Albert, y a plus une pépite d'or dedans. Le moindre brin de sable a été criblé.

Ils roulèrent ainsi toute la journée, ne s'arrêtant que pour se dégourdir un peu les jambes et casser la croûte. Élisabeth était nostalgique, bien consciente que c'était la dernière fois avant longtemps qu'elle goûtait au bon pain de son oncle et aux confitures sans pareilles de sa tante. Arrivés à Saint-Malachie, ils allèrent par les routes de rangs rejoindre la route Kennebec, qui longeait la Chaudière, et s'arrêtèrent passer la nuit à Saint-Joseph pour, le lendemain, gagner Saint-Georges.

Le temps était à la pluie, mais la voiture bien bâchée leur permettait de rester au sec. Deux jours plus tard, après avoir roulé une bonne partie de la journée, Élisabeth dit soudainement:

— On s'arrête ici.

Ils étaient sur un tronçon de route étouffé de chaque côté par la forêt. Devant eux se dressait une petite maison où flottait un drapeau. Élisabeth descendit de voiture. Munie d'une pelle et d'un seau, elle s'avança en bordure du chemin et remplit son récipient de terre. Quand elle le déposa dans la voiture, Jean demanda:

— Pourquoi de la terre, m'man?

— C'est de la terre de chez nous. J'y planterai des fleurs. Ça me rappellera tous les jours notre pays.

Albert lança un «*Get up!*» retentissant. Les chevaux reprirent leur marche. La voiture passa de la Beauce aux États-Unis sans le moindre encombre, la frontière à cet endroit n'étant pas gardée. Élisabeth avait l'impression de laisser toutes ses chances de bonheur derrière elle. S'il n'y avait pas eu cette histoire avec le rétameur, elle n'aurait jamais quitté son coin de terre pour se réfugier aux États. Mais, pour le moment, se disait-elle, il était plus souhaitable qu'elle se fasse oublier.

Ils mirent encore deux semaines à rejoindre Lewiston, s'étant arrêtés un jour ou deux en route à Moose River, Bingham et Waterville. Élisabeth n'avait aucune idée à quoi ressemblait Lewiston. Tout ce qu'elle savait de cet endroit était un nom, celui de Blanche Lacroix, son ancienne amie de pensionnat.

Comme ils l'avaient fait tout au long du trajet, ils dormirent dans le fourgon, bien qu'ils fussent aux portes mêmes de la ville. Au petit matin, ils furent réveillés par les sirènes stridentes des moulins des filatures appelant les gens au travail. Ils pénétrèrent dans une ville déserte, vidée de ses habitants au profit des différentes filatures bordant les rives de l'Androscoggin. Élisabeth alla cogner à la porte de ce qui lui semblait être une auberge. Le patron parlait français et la reçut d'une curieuse façon. Se tournant vers son épouse assise en retrait, il commenta :

— Armande, v'là une autre p'tite mère de chez nous à la recherche de la misère.

Élisabeth ne réagit pas à ses propos pessimistes.

— Connaîtriez-vous Blanche Lacroix ? dit-elle.

— Désolé ! Est-ce qu'elle est mariée ?

— Je l'ignore, mais elle est venue ici comme maîtresse d'école.

— Maîtresse d'école ? À qui voulez-vous qu'elle apprenne quelque chose à Lewiston ? À dix ans, les enfants sont aux filatures et les autres plus jeunes, c'est les sœurs qui leur montrent à lire et compter.

— Pourriez-vous me dire où je pourrais rencontrer quelqu'un qui me renseignerait à son sujet ?

La vieille, qui n'avait pas glissé un mot jusque-là, se mit à tousser avant de dire, de sa voix rauque de fumeuse :

— Allez voir Jos Marquis à la *grocery*, à ras la station du Grand Tronc. Si y en a un qui sait, ce sera lui et même si y sait pas, y vous l'dira pareil.

— La gare du Grand Tronc, elle est où?

— Au bout d'la rue, là ousqu'y a des *tracks*, c't'affaire!

— Et Jos Marquis, il a l'air de quoi?

— De Jos Marquis, répondit la vieille en gloussant. Y est pas mal pleumé su' la tête, avec un gros gorgoton. Y voit tout croche. Y a les yeux croisés.

Élisabeth s'apprêtait à sortir quand la vieille lui recommanda:

— Attention de pas vous revirer les pieds, les rues sont pleines de cabosses.

Élisabeth la remercia. Dehors, elle respira profondément tellement l'air de cette maison était nauséabond. Albert et Jean l'avaient patiemment attendue. Suivant les conseils de la vieille, ils descendirent vers la gare. L'épicerie Marquis s'élevait juste en face. Albert arrêta l'attelage à proximité. Élisabeth se dirigea à grands pas vers l'épicerie. Elle passa vivement la porte, déclenchant le tintement d'une clochette.

L'épicier, qu'elle repéra au premier coup d'œil, lui lança:

— Ouf là! Mademoiselle, vous êtes quelqu'un de décidé.

Malgré sa fatigue, Élisabeth esquissa un sourire qui amadoua aussitôt l'épicier.

— J'arrive à Lewiston, dit-elle. Je n'y connais qu'une personne, si elle y est toujours. Elle s'appelle Blanche Lacroix. Elle est venue ici avec l'idée d'y enseigner.

— Blanche Lacroix, répéta l'épicier, faisant visiblement un effort pour secouer ses souvenirs. Blanche

Lacroix. Ah, oui! Une petite brune avec un grand cou et deux fossettes quand elle riait. Une charmante enfant. Dommage, mademoiselle, vous allez être déçue, elle est partie depuis au moins trois ans sinon plus. Si vous ne m'aviez pas dit qu'elle venait comme maîtresse d'école, je ne l'aurais jamais replacée.

— Dans ce cas-là, bredouilla Élisabeth, disons que je ne connais personne à Lewiston et que je dois m'y installer avec mon fils.

L'épicier hésita avant de demander :

— Vous avez quelques moyens ?

— Un peu de sous, quelques meubles, du linge et d'autres effets, de quoi vivre dans un appartement convenable.

— Bon bien alors, ma petite dame, j'ai quelque chose à vous proposer, pas loin d'ici sur la rue Bates, assez près du reste des Canadiens français, et pas trop proche non plus pour ne pas vous faire piler sur les pieds. Vous allez voir que c'est pas mal tassé dans le coin et pas toujours aussi propre qu'on le souhaiterait.

— Vous êtes bien bon de me venir en aide. Quand sera-t-il possible de voir l'appartement ?

— Tout de suite, si ça vous va. Je vous y conduis.

Ils allaient sortir quand du fond de la pièce, une voix féminine lança :

— Jos ! Ousque t'as mis la pelle à poussière ?

— J'y ai pas touché, ma femme, j'y ai pas touché.

L'attelage remonta la rue derrière l'épicier qui s'y promenait comme si la ville entière lui appartenait. Les gens qu'il croisait le saluaient. Élisabeth avait bon espoir de pouvoir emménager le jour même. Toutefois, en mettant les pieds dans l'appartement que l'épicier lui destinait, elle fit presque immédiatement demi-tour. Il était délabré et se trouvait au fond d'une ruelle remplie de détritus de toutes sortes, pourrissant là depuis Dieu sait quand, parmi lesquels elle aperçut deux rats et la carcasse d'un chien. La puanteur qui s'exhalait de ce cul-de-sac lui levait le cœur. Le logis avait été abandonné dans l'état où ses occupants précédents l'avaient laissé. Il était sale et détérioré, laissant voir ici et là des trous dans les murs.

Élisabeth dit à l'épicier :

— Je vous ai parlé d'un appartement convenable. C'est ça que vous appelez convenable ?

— Ma petite dame, si vous avez les moyens de payer plus, je peux vous montrer mieux. Celui-ci, c'est trois piastres par mois.

— Je vous ai dit que j'ai un peu de biens. En plus, j'attends des revenus de la vente de ma maison au Canada.

— Très bien alors, si vous voulez me suivre.

Ils firent à rebours le trajet qu'ils venaient de parcourir. Ils s'arrêtèrent rue Knox, devant un immeuble à étages où un appartement du deuxième était libre. Malgré le fait qu'on n'y accédait que par un escalier étroit, Élisabeth opta pour ce quatre pièces, au loyer de quatre dollars par mois.

Ayant retrouvé Albert et Jean profondément endormis sur le divan, au milieu du fourgon, elle leur dit qu'elle avait choisi son appartement. Puis elle pria

Albert de recruter quelqu'un disposé à l'aider à y monter ses meubles.

— Tu comprends, dit-elle, c'est à l'étage. Tu n'y arriveras jamais seul.

— Je trouverai bien quelqu'un pour m'aider.

Elle alla rejoindre ensuite l'épicier afin de signer le bail. Ils retournèrent à l'épicerie. Il exigea immédiatement un mois de loyer. Confiante de pouvoir tenir le coup et de toucher suffisamment de sous à la fin du mois, Élisabeth ne tergiversa pas et paya la somme convenue.

— Si vous avez besoin de linge et d'autres effets, mademoiselle, mon ami Hubert Proteau tient le magasin général de l'autre bord de la rue. Vous avez rien qu'à aller le voir. Il vend à crédit, tout comme moi.

— J'ai pas l'intention de m'endetter, reprit fièrement Élisabeth.

— Avez-vous des *rubbers*? demanda abruptement la vieille.

— Non!

— Bon ben, quand y mouille, avec la bouette qu'y a par icite, vous faites ben de penser à en acheter.

Élisabeth promit d'y voir. Quand elle sortit, elle se rendit compte qu'une pluie fine tombait. Arrivée à l'appartement, elle constata que les meubles y étaient déjà rendus. Albert avait arrêté un passant qui s'était gentiment offert de l'aider. Ils avaient disposé le tout de leur mieux. Avec l'aide d'Albert, elle mit tout à sa main dans le temps de le dire. Elle qui, quelques années auparavant, vivait dans une maison de médecin se rendait tout à coup compte de son dénuement. Elle redressa courageusement l'échine. Elle n'avait pas le droit de se laisser abattre, son fils avait besoin d'elle.

Chapitre 26

Fileuse

Tôt le lendemain, Jean et Élisabeth firent leurs adieux à Albert et regardèrent la voiture disparaître au bout de la rue. Ils étaient maintenant vraiment seuls au monde. Accompagnée de son fils qui ne la quittait pas d'une semelle, elle se rendit au couvent avec l'idée d'inscrire Jean à l'école et d'y chercher pour elle-même un poste d'enseignante.

Ils furent accueillis par une vieille religieuse dure d'oreille qui mit du temps à comprendre ce qu'Élisabeth lui disait. Elle se contenta de répéter :

— Je vais aller chercher mère supérieure.

La mère supérieure, grande femme sèche au port hautain, apparut au bout d'un moment. En apercevant Jean, elle eut un sourire amical.

— Que puis-je faire pour vous ? dit-elle.

— Nous sommes arrivés à Lewiston hier et j'aimerais inscrire mon fils à l'école.

— En quelle année ?

— En troisième ou quatrième.

— Il sait lire, écrire et compter ?

— Oui, je le lui ai montré.

— C'est vous qui lui avez enseigné ?

— C'est moi. J'ai mon diplôme d'enseignante et il a suivi les cours que je donnais à l'école de rang de Sainte-Claire. Il a fini sa troisième année.

— Nous l'inscrirons alors en quatrième, dès ce matin si vous le désirez.

— Si vite ?

— Pourquoi pas ? Un jour de gagné est un jour de plus pour le bon Dieu.

Élisabeth s'informa des heures de classe et elle promit de venir chercher Jean en après-midi.

— Il ne connaît pas encore la ville. Il devra se familiariser avec la place avant de pouvoir venir seul à l'école.

— Vous-même, demanda la religieuse, je présume que vous travaillerez dans les filatures ?

— J'aimerais enseigner.

— N'y songez pas. Nos sœurs sont assez nombreuses pour le faire.

— Il n'y a pas d'autres écoles à Lewiston ?

— Non, aucune pour les Canadiens français. D'ailleurs, la plupart des parents viennent chercher leurs enfants dès qu'ils ont dix ans et les envoient travailler aux filatures. Voilà pourquoi ils n'ont pas de temps à perdre pour étudier.

— Si j'en ai les moyens, dit Élisabeth, mon fils étudiera beaucoup plus longtemps.

— L'avenir nous le dira, reprit la religieuse avec un sourire forcé qui en disait long.

Jean se fit prier pour quitter sa mère. Ce fut l'arrivée de quelques enfants de son âge qui le décida à délaisser les jupes d'Élisabeth.

Élisabeth passa quelques heures à mettre de l'ordre dans son appartement puis se rendit ensuite à la boulangerie acheter un pain, et à l'épicerie se procurer un peu de nourriture. La triste réalité lui tombait dessus sans ménagement. Par la force des circonstances, elle était devenue une exilée dans une ville où elle ne connaissait personne.

Elle n'avait pas encore pu parler aux voisins. Les appartements se vidaient à cinq heures du matin. La vie y reprenait son cours normal douze heures plus tard, après la fermeture des usines. Comme elle le constata dès ce premier jour à Lewiston, à leur retour du travail, les gens étaient harassés et disparaissaient chez eux sans qu'elle eût même le temps de tenter de faire leur connaissance.

Le lendemain, après avoir conduit Jean à l'école, elle se dirigea avec appréhension vers la première usine sur son chemin, celle des Bates. Elle voulait voir quel genre de travail on y faisait afin de faire son choix. L'homme qui la reçut n'avait pas l'air très complaisant. Il semblait pressé et peu enclin à faire la conversation.

— Vous venez pour une job ? Y a d'la place.

Élisabeth déploya tout son charme pour lui dire qu'elle désirait d'abord se familiariser avec les différents ouvrages qu'on pouvait faire au moulin.

— Pensez-vous qu'on a le temps de faire visiter ? On travaille icite.

— Avant de me lancer dans quelque chose que je ne saurais pas faire, vous ne pensez pas que ce serait préférable que j'essaie ?

— Essayez d'abord et on verra ensuite.

— De toute façon, reprit-elle, je ne peux pas commencer aujourd'hui. Je dois aller chercher mon fils à l'école. Demain matin, je serai là à l'ouverture.

— C'est ça, revenez demain.

L'homme se dirigea vers la chambre des métiers. Quand il ouvrit la porte, un vacarme infernal étourdit Élisabeth si bien qu'elle se boucha les oreilles. Un vieil homme se tenant à l'écart la vit et s'approcha en boitant.

— Bonjour mademoiselle ! Vous avez l'air un peu perdue, puis-je faire quelque chose pour vous ?

— Bonjour monsieur ! Vous pourriez peut-être me dire comment des gens font pour travailler dans un bruit pareil.

Le vieil homme secoua la tête.

— Parlez un peu plus fort, je suis dur d'oreille.

Élisabeth reprit sa question en montant le ton. Le vieil homme répondit tout simplement :

— Ils ne l'entendent plus. On s'habitue, à la longue. Vous voulez sans doute vous engager ? poursuivit-il.

Comme Élisabeth acquiesçait d'un signe de tête, il la prit par un bras.

— Suivez-moi, dit-il, nous allons faire le tour de l'usine.

Du premier étage, où se trouvaient les métiers à tisser, il la conduisit jusqu'au quatrième où travaillaient les enfileuses. Le vieil homme prit le temps de lui expliquer chaque étape du travail. Il s'était sans doute fait à l'idée de la voir au quatrième étage où il n'y avait que des femmes. Il lui montra les immenses fuseaux en fer chargés de fils en coton. Elle regarda les ouvrières s'emparer, à l'aide de crochets, des centaines de fils de chaque rouleau pour les enfiler, comme par le chas d'une aiguille, dans la quinzaine de lames de chaque broche.

—Il ne faut pas qu'elles se trompent, fit remarquer le vieillard, sinon elles doivent recommencer à leurs frais.

—À leurs frais?

—Oui, le patron leur coupe sur leur paye le temps perdu.

—À une piastre par jour?

—Eh oui! Ici, l'erreur n'est pas permise.

Élisabeth remarqua qu'une fois les fils passés dans les lames, les ouvrières continuaient leur minutieux travail. À l'aide d'un crochet, elles faisaient suivre les fils dans un ordre prédéfini entre les dents d'un rouleau, après quoi le rouleau était mis à l'essai sur un métier. Si toute l'opération s'avérait juste, l'enfileuse recommençait le même travail sur un autre rouleau.

—Je ne ferai pas ce travail, dit Élisabeth, j'aime mieux être fileuse qu'enfileuse.

—Vous saurez bien apprendre, l'encouragea le vieillard.

De retour à l'appartement, elle s'assit, songeuse. Elle se demanda comment la vie avait pu tourner aussi mal pour elle, au point qu'elle se retrouve fileuse dans une filature de coton. « Si Joachim me voyait », pensa-t-elle. Mais, ne s'apitoyant pas plus longtemps sur son sort, elle passa le reste de la matinée et une partie de l'après-midi à mettre de l'ordre dans son appartement. Elle trouva le moyen de poser des rideaux aux deux fenêtres qui donnaient sur la rue. Puis, se rendant compte que l'heure passait, elle partit en vitesse vers l'école. Comme elle y arrivait, les enfants en sortaient. Parmi eux, Jean apparut. Elle se rendit compte qu'il la cherchait avec anxiété. Il vint la trouver à la course quand il l'aperçut. Elle lui dit :

— Demain, je ne serai pas là quand tu vas sortir de l'école. Vas-tu pouvoir reconnaître ton chemin jusqu'à la maison ?

Il fit son brave, voulant montrer qu'il devenait un homme :

— C'est facile, dit-il. J'aurai qu'à suivre les autres.

— Et demain matin, tu sauras te rendre à l'école tout seul ? Je ne serai pas là pour t'y conduire.

— Bien sûr ! J'irai avec Armand.

— Qui c'est, Armand ?

— Un grand qui reste dans notre rue.

— Tu le connais ?

— Il est dans ma classe.

Élisabeth poussa un soupir. « Il n'y a pas d'obstacles pour les enfants, se dit-elle, pourquoi y en aurait-il pour nous ? »

Le lendemain à six heures, elle entrait comme fileuse au moulin des Bates.

Chapitre 27

Les choses se corsent

Il y avait maintenant deux ans qu'Élisabeth vivait à Lewiston. De peine et de misère, elle parvenait à mettre de côté l'argent nécessaire pour l'instruction de Jean. Son travail de fileuse lui rapportait un dollar pour douze heures de travail par jour. Elle avait presque perdu contact avec les siens. Elle était parvenue à se faire quelques amies à son travail, mais, tout comme elle, ces femmes n'avaient le temps de causer qu'à la pause du dîner. Trop occupées à préparer les repas de la semaine et à tenir leur appartement propre, rarement trouvaient-elles le temps de se voir un peu le dimanche après la messe.

De temps à autre, elle prenait quelques minutes pour écrire, afin, disait-elle, d'aller aux nouvelles. En retour, elle recevait un mot de Délina ou encore de sa tante de Sainte-Claire. Ce fut précisément par une lettre de Délina qu'elle apprit la mort de son père.

Chère Élisabeth,

Je suis désolée de devoir t'apprendre le grand malheur qui nous a frappés il y a quelques jours. En revenant des champs, ton père s'est senti mal. Il s'est couché tout de suite, ce qui est contraire à ses habitudes. Il ne s'est pas réveillé. Son cœur ne battait plus quand je suis allée me coucher près de lui. Quelle dure épreuve ce fut pour nous tous! Tu ne peux pas savoir comment nous sommes peinées de te savoir si loin de nous. Garde courage et tous tant que nous sommes nous te souhaitons bonne chance en te disant que si jamais tu veux revenir parmi nous, tu y auras toujours ta place. Embrasse Jean pour nous!

Délina

Elle vécut seule la peine qui l'affligeait. Plus tard, elle fut pleine d'appréhension chaque fois qu'elle recevait une lettre. Elle se demandait toujours si cette nouvelle missive serait porteuse de mauvaises nouvelles.

Un midi, le postier lui remit une enveloppe venant de Sainte-Claire. Elle y trouva des coupures de journaux, mais avant de les lire, elle s'empressa de parcourir la lettre qui les accompagnait.

Chère nièce,

Tu seras sans doute heureuse de savoir que le mystère entourant la disparition de ton dernier mari est maintenant levé. Comme te l'apprendront les articles de jour-

naux que nous t'expédions avec cette lettre, tu n'as plus
à le craindre, car il est bel et bien mort. Je ne prends pas
de gants blancs pour te l'écrire parce que je suis persuadée
que cette nouvelle sera un soulagement pour toi comme
il l'a été pour nous tous.

Par contre, ce que tu liras dans les journaux te cau-
sera sans doute beaucoup de peine. Tu nous en vois bien
désolés. Mais si j'ai agi si promptement pour t'écrire,
c'est que je voulais éviter que tu apprennes tout cela
par quelqu'un d'autre qui pourrait le faire avec
malveillance.

Bien que de mauvaises langues laissent entendre que
tu pourrais être impliquée dans sa disparition, à nos
yeux à tous, il n'y a plus d'obstacles à ton retour au
pays si tu le désires. Tu serais bien accueillie chez nous.
Ton oncle et moi, nous nous ennuyons beaucoup de
toi. Après tout, tu étais pour nous un peu la fille que
nous n'avons pas eue. Tes cousins seraient également
heureux de te revoir. Tu y retrouverais ta maison qui,
quoique close depuis ton départ, semble assez bien
conservée.

Par contre, si tu ne crois pas revenir à Sainte-Claire
avant longtemps, ton oncle pense qu'il serait préférable
que tu la mettes en vente avant qu'elle ne soit trop dété-
riorée par le temps ou encore par des vandales. Il dit qu'il
pourrait voir à ce que cette vente se fasse dans les
meilleures conditions et il ne manquerait pas de t'en
faire parvenir les revenus.

Nous t'espérons tous en bonne santé ainsi que ton fils.
Ton oncle me dit qu'il serait bien heureux si tu prenais

*la décision de nous revenir et qu'il compatit avec toi en
tout ce que la lecture de ces articles va t'apprendre.*

Ta tante Alice

Élisabeth déplia avec crainte les coupures de journaux, les mains tremblantes. Puisque son oncle et sa tante avaient pris le temps de la prévenir, elle s'attendait à apprendre des choses qui, sans doute, ne manqueraient pas de la bouleverser. Lentement, elle commença la lecture d'un premier article.

UNE MYSTÉRIEUSE
DISPARITION ÉLUCIDÉE

À la suite d'une information communiquée par un citoyen, la police vient d'élucider la disparition de Fernand Lamirande. Un homme s'étant arrêté, pour des besoins naturels, au bord de la route entre Saint-Malachie et Sainte-Claire a découvert tout à fait par hasard, au bas d'une falaise, une voiture renversée appartenant à celui que tous étaient habitués d'appeler le rétameur.

Nous apprenons que cet homme était disparu depuis environ deux ans. Il était marié depuis à peine quelques mois quand est survenu cet accident. Son épouse, une certaine Élisabeth Grenon, nièce du boulanger de Sainte-Claire, habite depuis deux ans aux États-Unis.

Interrogé à ce sujet, le boulanger de Sainte-Claire certifie que sa nièce est allée gagner sa vie dans les filatures américaines. Elle a quitté le pays après que son mari lui a donné des mauvais traitements. Son oncle se souvient très bien des circonstances dans lesquelles elle a fui, puisqu'il l'a aidée à le faire.

« Il la battait, nous a-t-il dit. Elle a pris cette décision afin de ne plus tomber sous les griffes de cet homme violent et pour protéger le jeune enfant qu'elle avait eu d'une première union. Au moment où elle a gagné les États-Unis avec son fils, son mari la recherchait par tout le comté. »

Qu'est-il arrivé à cet homme ? Les jours prochains sauront sans doute nous le préciser.

Ovide Galarneau

L'article suivant titrait :

DÉCOUVERTE TROUBLANTE AUTOUR DE LA MORT DU RÉTAMEUR

La lumière commence à se faire au sujet de cet homme surnommé le rétameur, dont le squelette a été trouvé sous sa charrette au bas d'une falaise. Il est probable qu'il soit décédé à la suite d'un règlement de compte. Chose certaine, il y a deux ans environ, il a rencontré sur sa route plus fort que lui.

Pourquoi nous permettons-nous pareille affirmation ? Parce qu'un constable de la police, expert dans le relevé de pistes sur les lieux de crime, a fait une découverte majeure. En effet, le constable Guérette, comme il le fait dans chaque cas du genre, a eu la brillante idée de prendre les empreintes de la roue arrière gauche de la voiture du rétameur. On sait que les roues des différents véhicules ne laissent jamais des empreintes identiques. En comparant cette empreinte avec les autres qu'il possède déjà, le constable a découvert que cet individu serait l'auteur de trois meurtres survenus quelques années plus tôt sur les routes du comté.

On se souviendra, en effet, que le docteur Joachim Damour de Sainte-Claire a été assassiné sur la route alors qu'il revenait d'une visite à un malade. Des gens de Sainte-Claire nous ont dit que ce rétameur a été vu quelques fois au domicile du docteur avant son méfait, ce qui peut laisser la porte ouverte à toutes sortes de suppositions. Puisque le rétameur a épousé par la suite la jeune veuve de ce docteur, que pouvons-nous penser de cette histoire? Était-elle de mèche avec le rétameur quand ce dernier a assassiné son mari? Ou encore, aurait-elle appris qu'il était l'auteur du meurtre de son premier mari et engagé quelqu'un pour lui régler son compte?

Interrogée à ce sujet, madame Horace Chapleau, épouse du notaire de Sainte-Claire et grande amie de la jeune veuve, jure qu'elle vivait un très grand amour et était en parfaite harmonie avec le docteur. Voilà pourquoi nous serions portés à croire à la deuxième hypothèse. Apprenant que cet homme avait assassiné son mari, elle l'aurait fait supprimer à son tour.

Peut-être que la police pourra nous éclairer davantage à ce sujet en investiguant du côté des deux autres meurtres commis par cet homme. Quels étaient ses motifs ? Est-ce qu'il a su séduire de la même façon les veuves de ses autres victimes ? C'est une histoire à suivre.

Sans doute que la jeune veuve du docteur Damour pourrait également éclairer notre lanterne sur plusieurs points, mais comme elle habite maintenant aux États-Unis, il nous sera sans doute impossible d'en connaître plus à ce sujet, à tout le moins de sa bouche à elle.

Prosper Lalancette

Après la lecture de ce texte, Élisabeth demeura longtemps songeuse, abasourdie d'apprendre qu'elle avait vécu avec l'assassin de son Joachim. Elle était profondément troublée et se mit à sangloter sans pouvoir chasser cette triste nouvelle de son esprit. Elle hésita un moment avant de lire l'autre coupure de journal qui, fort heureusement, vint lui permettre de retrouver quelque peu son calme. En effet, un journaliste s'indignait des suppositions d'un de ses confrères à propos de cette affaire.

DES SUPPOSITIONS NE SONT PAS DES PREUVES

Pour faire du sensationnalisme, certains journalistes n'hésitent pas à créer de toutes pièces des suppositions qui peuvent entacher vivement et longuement la réputation d'une honnête personne. Nous en avons un fort bel exemple en ce qui a trait à la découverte récente du corps d'un assassin surnommé « le rétameur ».

Cet homme a commis trois meurtres crapuleux, dans des circonstances presque similaires, il y a quelques années. Tous ceux qui l'ont le moindrement connu s'entendent pour dire que c'était un homme au comportement bizarre et d'aucuns soutiennent même qu'il avait parfois d'effrayants accès d'humeur.

Peut-on se surprendre alors qu'il ait pu terrifier la jeune veuve qu'il avait épousée quelques mois auparavant, jusqu'à ce qu'elle choisisse de fuir loin de lui? Pourquoi supposer, sans preuve, et laisser entendre qu'elle pourrait avoir engagé quelqu'un pour le supprimer? Peut-être n'est-elle même pas présentement informée de ce qui lui est arrivé? N'avait-elle pas comme nous tous l'obligation de gagner sa vie? Quelqu'un pourra-t-il la blâmer d'avoir tenté sa chance de le faire aux États-Unis? Qui nous dit qu'elle n'y était pas depuis plusieurs jours ou plusieurs semaines quand le rétameur, par dépit de ne pas la retrouver, a voulu s'en prendre à un voyageur, comme il l'avait déjà fait à trois reprises et que, cette fois, il est tombé sur quelqu'un capable de se défendre?

Par ailleurs, un cultivateur de Saint-Malachie, dont nous tairons le nom, vient de nous apprendre qu'il y a environ deux ans, il a été étonné de trouver sur sa ferme un cheval égaré. Après avoir vainement tenté de savoir à qui il appartenait, il a décidé de le garder et le possède encore. Malheureusement, cet homme n'a pu préciser la date exacte de sa trouvaille. Comme on n'a pas relevé de traces du cheval auprès de la voiture du rétameur, alors qu'on y a trouvé son squelette et celui de son chien, il semble que ce cheval égaré puisse fort bien être celui de ce malheureux. La police tentera de le confirmer.

Tout ce que nous pouvons supposer, c'est que l'animal ait été dételé avant d'être chassé des lieux de l'attentat et que la voiture ait été poussée intentionnellement avec son propriétaire dans le ravin où elle a été trouvée. Le rétameur, semble-t-il, avait de nombreux ennemis. Est-ce l'un d'eux qui lui a fait payer ses meurtres ou bien le hasard a-t-il fait qu'en s'en prenant à un quatrième voyageur, il ait enfin trouvé chaussure à son point? Quoi qu'il en soit, personne dans notre société ne pleurera la perte d'une crapule de son espèce.

Une nouvelle de dernière minute vient confirmer un peu ce que nous supposions. En effet, une femme vient de se rapporter à la police en se disant l'épouse de l'homme disparu. Il semble bien, selon les informations que nous avons pu obtenir, que cet homme était bigame. Cette femme, dont nous tairons le nom, qui demeure dans le comté de Bellechasse, a déclaré qu'elle était parvenue à échapper à ses griffes en se cachant parmi des gens de sa parenté. Elle a été soulagée d'apprendre sa mort. Elle ignorait qu'il avait épousé la jeune veuve du docteur de Sainte-Claire. Elle a insisté pour dire que cet homme était violent et dangereux.

Honoré Beauchamp

Au terme de cette lecture, de nouveau bouleversée, Élisabeth pleura longtemps puis, en bonne Grenon, relevant la tête et serrant les dents, elle dit pour se soulager de toute la tension qui l'habitait : «Merci, mon Dieu! Tout ça est enfin terminé.» Elle réfléchit encore un moment et, consciente qu'elle était rivée pour de bon à Lewiston, se résigna. Le mieux à faire pour l'instant était d'y demeurer.

TROISIÈME PARTIE

LES ANNÉES DIFFICILES

Chapitre 28

La lettre

Lewiston, mai 1893

Que pouvait-il se passer sur les bords de l'Andros-coggin? Rien ou à peu près rien! Tous les jours, sauf le dimanche, se déroulaient de la même manière. À cinq heures, les sirènes des moulins éveillaient le village entier. On entendait les sifflets à vapeur se répondre d'une usine à l'autre. C'était d'abord la voix grave du moulin des Bates, suivie de la flûte nasillarde du Avon, que tentait de surpasser le cri strident du Continental. Quand les trois plus pressés se taisaient, le beuglement du moulin Androscoggin montait en une plainte profonde, écrasant la clameur de celui des Hill. Dès que cessaient ces appels, tout le village se mettait à grouiller. Des lampes s'allumaient dans les maisons. Une demi-heure plus tard, telle une coulée de lave, le village entier dévalait en direction des usines. Les gens s'engouffraient dans les filatures, les machines se mettaient en marche dans un bruit d'enfer et les portes se refermaient pour ne plus s'ouvrir qu'au cri des sifflets en fin d'après-midi.

Les rues s'animaient de nouveau, mais ça ne durait guère plus que le temps de la sortie des filatures. Ouvriers et ouvrières se dispersaient dans toutes les directions, comme les habitants d'une fourmilière géante en détresse. Pendant une heure, le village vivait, puis graduellement portes et fenêtres se fermaient pour la nuit. La journée s'éteignait, comme une bougie, au moment où naissaient les premières étoiles, et le village s'endormait, tel un gros saint-bernard, l'oreille aux aguets et le museau posé sur les pattes. Le lendemain, ça recommençait.

Certains matins, les coqs en oubliaient même de chanter. Chaque jour, le travail imposait sa loi, prévisible, implacable, irréversible. Il y avait déjà onze ans qu'Élisabeth trimait dur au moulin des Bates, et six ans que son fils John (c'est ainsi que tous l'appelaient, maintenant) l'avait suivie au même endroit. À dix-sept ans, il souhaitait depuis longtemps l'événement providentiel qui ferait basculer sa vie.

Un beau matin, alors qu'il marchait tristement vers le moulin, il sentit quelque chose de différent dans l'air. Il fut du coup assuré d'un changement imminent dans son destin. Pourquoi ? Il n'aurait trop su le dire. C'était le printemps et souvent, durant cette saison, des choses inhabituelles surviennent. Il lui semblait que la rivière n'avait pas les mêmes reflets. Le ciel montrait un visage différent. Même le son des sifflets n'était pas le même, et surtout, celui de l'Androscoggin avait meuglé avant tous les autres. On se rappelle tout cela après coup, quand l'inattendu, ou ce qu'on attendait depuis si longtemps, vient à se produire. La journée pourtant fila comme toutes les autres. Ce ne fut qu'une fois de retour à la maison que ses pressentiments s'avérèrent fondés. Une missive l'attendait.

— Tu as reçu une lettre de ton parrain, lui dit sa mère.

— Une lettre de mon parrain? Comment a-t-il eu notre adresse après toutes ces années?

— Je l'ignore, mais elle était à la poste aujourd'hui.

John la décacheta d'un coup sec avec son pouce. Il la parcourut rapidement et aussitôt se dessinèrent successivement sur son visage une expression étonnée puis un sourire. Sa mère demanda:

— Ce sont de bonnes nouvelles?

— De bonnes nouvelles? À qui le dites-vous, m'man!

Le lendemain matin, un pinceau de soleil dessinait une large bande lumineuse au sommet des collines avoisinantes. Le ciel entier s'étirait et frissonnait de mille petits nuages en forme de boules de frimas. Des hirondelles se pourchassaient en jacassant et barbouillaient de multiples graffitis la page grise du ciel. Les arbres penchaient légèrement sous la brise. Hypocrite, la rivière feignait de somnoler tout en veillant d'un œil, tel un chat.

Fasciné par ce spectacle oublié depuis très long-temps, John écouta le jour s'ouvrir en même temps que les fleurs. Les coqs se répondirent d'un poulailler à l'autre, la charrette du boulanger fit crisser les cailloux du chemin. Un chien aboya, au loin, d'une toux profonde. Une porte s'ouvrit tout près, une autre se ferma en un long gémissement. Il y avait une éternité qu'il n'avait pas entendu ainsi vivre l'aurore. Cette lettre avait changé sa routine journalière et lui avait permis de redécouvrir la beauté de la vie matinale.

Encore à l'écoute du matin nouveau, il sursauta quand les sifflets des filatures se firent entendre. Sa mère partit tristement vers l'usine. Pour elle, la vie continuait, misérablement monotone. Pour lui, d'un seul coup, tout venait de changer. La veille, sa mère, après lui avoir remis la lettre du grand-oncle Joseph, et l'avoir lue après lui, avait pris le temps de le conseiller sans trop se faire d'illusions :

— Tu feras bien comme tu voudras !

Il ne fut pas long à se décider. À peine avait-il laissé le temps à sa mère d'en terminer la lecture qu'il déclara d'un ton résolu :

— Je pars lundi.

— Tu pars ? dit-elle d'une voix inquiète.

— Je pars, c'est décidé.

— Tu n'as pas d'argent. Comment t'y rendras-tu ?

— J'ai quarante dollars à la banque. Ce sont toutes mes économies des dernières années. C'est bien suffisant.

—Tu ne feras pas long feu avec ça. Après, comment vivras-tu ?

—J'me débrouillerai. De toute façon ce n'est pas en restant ici que je contenterai ce cher grand-oncle Joseph. Les dernières volontés de quelqu'un sont sacrées. Ne vous inquiétez pas, m'man, je ne le fais pas tant pour moi que pour vous. Il ne se passera pas une journée sans que je pense à vous, et quand je reviendrai, nous serons riches.

Cet argument vint à bout des dernières réticences d'Élisabeth. Mais son cœur de mère ne se faisait pas encore à l'idée de le voir partir.

—C'est ta vie, dit-elle, tu n'es plus un enfant, c'est à toi de la vivre comme tu l'entends. N'empêche que tu vas me manquer comme ce n'est pas possible.

—Je ne suis pas un sans-cœur, reprit-il, je vous en ferai profiter.

Il passa une partie de la journée à préparer ce dont il avait besoin pour son départ. Dans son sac à dos, il glissa deux chemises, deux pantalons, quatre paires de bas de laine, des sous-vêtements, du jambon fumé, un pain, une brique de fromage, une bouteille de vin, son canif, une fourchette, une cuillère, une tasse et une écuelle en fer-blanc. Il plia deux couvertures qu'il ficela par-dessus. Il se rendit ensuite à la banque retirer les quarante dollars qui dormaient dans son compte.

—Tu pars ? demanda le caissier.

—Je vais faire fortune ailleurs, répondit-il d'un ton assuré.

Le commis le regarda en hochant la tête comme s'il n'y avait pas de possibilités de gagner sa vie ailleurs qu'à Lewiston.

John attendit la fermeture des filatures pour rejoindre son ami Jack afin de lui faire part de sa décision. Il n'eut pas besoin de lui expliquer longtemps les raisons de son départ. Son ami approuva aussitôt, tout en ajoutant :

— Si j'étais toi, je ne dépenserais pas un sou pour voyager.

— Que veux-tu dire ?

— Tu as l'intention de prendre le train ?

— C'est bien mon idée.

— À ta place, je « jumperais ».

— Je n'y avais pas pensé, mais c'est pas fou en toute.

— Il m'arrive des fois d'avoir de bonnes idées, dit l'autre en hochant la tête.

— Parfait. Demain soir, à pareille heure, on se retrouve ici, dit John avec enthousiasme.

Ils se quittèrent sur cette promesse.

Le lendemain, dimanche, la ville se remplit de prières, d'odeurs de cierge et d'encens. Les cloches des temples et des églises appelèrent les fidèles aux offices religieux, catholiques à un bout de la ville, protestants à l'autre bout, et entre les deux, pour faire tampon, juifs et anglicans. Les tintements des cloches montèrent, bourdonnèrent, se défièrent en plein ciel avant de se heurter et de retomber en miettes sur les toits. Lewiston quêtait le pardon de Dieu. En pensée,

John se voyait déjà loin de cette ville si triste. Il lui semblait que ce jour ne se terminerait jamais.

Il passa les dernières heures avant son départ en compagnie de sa mère.

— Ne vous en faites pas, m'man. Dès que j'aurai ma fortune en poche, je reviendrai vous chercher.

Elle le serra longtemps dans ses bras tout en se gardant bien de verser une seule larme. Il lui fallait être forte. À la tombée du jour, il la quitta, le cœur serré, assuré qu'à des milles de là l'attendait la richesse et ce qu'elle apporte de douceur à la vie. Il embrassa sa mère une dernière fois et, sans se retourner, alla rejoindre son ami Jack, qui était au poste comme prévu. Sans parler, ils se dirigèrent vers la voie ferrée, au-delà de la gare. En passant près des filatures où il avait trimé si dur depuis tant d'années, il poussa un long soupir. Enfin, cette triste vie d'esclave se terminait pour lui. Après une étreinte et sans un mot, Jack le quitta en esquissant un geste d'au revoir. Il le regarda s'éloigner vers la ville. Avec lui sombraient son enfance et tout son passé.

Il pressa le pas droit devant lui sans se retourner, tâchant d'imiter un homme en route vers son foyer. Les filatures s'estompèrent dans le noir. La voie ferrée lui apparut, alignant ses rails tels des bras tendus. Il continua sa marche d'un pas rapide, attentif aux moindres bruits, anxieux d'être intercepté par un cheminot. Il s'inquiétait pour rien, la voie était déserte.

Un demi-mille après la sortie de la ville, la route d'acier amorçait une courbe. Les trains de marchandises y roulaient à vitesse réduite. Jack l'avait persuadé :

— C'est la meilleure façon de voyager gratuitement. À cet endroit, le train va au ralenti. Tu t'approches des wagons en marche. Tu cours près de l'un d'eux. Tu agrippes la poignée de la porte d'une main. Tu l'entrouvres. Tu continues de courir. Tu calcules tes pas, un, deux, trois. Tu appuies tes deux mains sur le rebord du wagon et d'un bond vif, tu sautes à l'intérieur en te laissant rouler sur le plancher.

— Ne sois pas inquiet, lui avait-il dit, je saurai bien faire.

En contrebas de la voie ferrée, il attendit l'arrivée du train. La nuit coulait lentement. À l'est, la lune se montrait de temps à autre dans une échancrure des nuages. Dès qu'une goutte de lumière éclaboussait l'horizon, un épais nuage gris venait aussitôt l'éponger. De nouvelles gouttes lumineuses se fondaient au-dessus des collines pour être aussi vite absorbées. Malgré la fraîcheur de la nuit, John suait. Une locomotive ahana au loin. Il se sentit aussitôt envahi par une crainte incontrôlable. Une main lui tordait les entrailles. Comme sa mère le lui avait montré, pour se rassurer, il dit à voix haute : « Allons John ! Prends sur toi, tout ira bien. » La main resta là, implacablement fermée. Il manquait d'air, il allait déguerpir.

Le train s'approchait dans un tintamarre assourdissant. Quoique encore loin, il lui paraissait gigantesque et féroce comme un orignal qui charge. Tout son courage s'échappait de lui, telle l'eau d'une passoire. À ce moment précis, une image lui sauta à l'esprit : les filatures de Lewiston. Ce fut le coup de fouet nécessaire.

La locomotive passa devant lui comme s'il y avait un tremblement de terre. D'un bond, il se retrouva à quelques pouces des wagons. Ils défilaient lentement. Il se mit à courir sans pouvoir se décider à sauter. Malgré le bruit assourdissant, il entendait nettement les battements de son cœur. Il se dit: «Allons, c'est ta fortune ou de nouveau les filatures.»

Chapitre 29

Miette

Sans trop savoir comment, il se retrouva étendu sur le dos au milieu d'un wagon. Quelque peu étourdi, il mit du temps à reprendre ses esprits en même temps qu'une respiration normale. Son cœur débattait furieusement, comme celui d'un renard pris au piège. Il faillit manquer de souffle lorsqu'une voix rauque demanda :

— Tu vas où comme ça ?

Il se tourna vivement dans la direction où la voix s'était fait entendre. Il aperçut, assis dans l'ombre, sur une pile de caisses, à l'autre bout du wagon, un vieil homme occupé à l'observer attentivement. Méfiant, il hésita un instant, puis s'approcha de lui. La porte du wagon demeurée entrouverte laissait filtrer la lumière de la lune. Il put à loisir examiner le vieil homme sans l'indisposer. La peau parcheminée de son visage qu'encadrait une barbe de patriarche lui donnait un air vénérable. Il avait le regard lointain de celui qui a beaucoup roulé sa bosse et dont les pensées accrochées quelque part dans le passé mettent du temps à refaire surface. Il n'avait pas répondu à sa question. Obstinément, à mots détachés, l'homme reprit:

— *Where are you going?*

Cette fois il n'avait pas le choix, il répondit:

— *To the west!*

— Au bout de ton chemin, comme tout le monde, marmonna le vieil homme en lissant sa barbe. Tu cherches de l'ouvrage?

— Oui...

— T'as pensé à Saint Paul Minneapolis? Il y en a toujours par là.

L'homme se tut un moment. Le train roulait maintenant à vive allure. Lewiston sombrait déjà dans l'oubli. Le frottement des roues d'acier sur les rails produisait un grondement continu. Le vieil homme s'était remis à parler. Dans ce vacarme, ses propos lui parvenaient tel un murmure. Il chuchotait, comme s'il s'adressait à lui-même.

— Toute la vie, on cherche du travail pour vivre, et on vit pour ne pas perdre son travail. Rien de neuf ne se produit. *Crazy* que nous sommes!

L'homme cracha en direction de la porte entrouverte. Son regard, au fil de ses paroles, s'était allumé. John devina qu'il avait besoin de parler, comme d'autres ont besoin de boire. Penché sur ses caisses, il le dévisageait, l'air songeur, pendant que John de son côté l'observait pensivement. Il enchaîna:

— Moi aussi, je suis parti un jour de mon lointain pays. L'Amérique, comme ils disaient tous, est notre terre d'avenir. Aujourd'hui, c'est déjà la terre de mon passé. Notre avenir, ou ce qu'il en reste, meurt avec nous. L'avenir? Bah! Tu verras, en vieillissant, qu'il loge quelque part dans ton passé, quand tu n'as pas pris la route que tu devais prendre... Quand tu as laissé filer la femme que tu aimais... Quand tu es resté plutôt que parti, et parti à la place de rester.

Plus il parlait, plus John était intrigué. Une bonne dose de sagesse semblait habiter ce grand-père vagabond. Il le trouvait sympathique, beaucoup de chaleur émanait de ses propos.

— Comment t'appelles-tu? lui demanda-t-il.

— John Love.

— *Who*?

— Love... Et vous?

Il ne répondit pas. Sa pensée s'était arrimée au mot *love*, qu'il se mit à répéter sur tous les tons.

— *Love, love, love, what a beautiful name!* L'amour, l'amour, l'amour, la roue qui fait tourner le monde. L'avenir est dans l'amour. Pas besoin de chercher plus loin.

Il tira de sa poche un petit flacon dont il prit une gorgée de ce que John jugea être du gin, avant que l'expression de son visage devienne triste et songeuse. John en profita pour reprendre sa question:

— Comment vous appelez-vous?

— Mon nom est personne!

Il se mit à rire de sa répartie d'un gros rire sonore avant d'enchaîner:

— Je n'ai plus de nom. Je l'ai perdu quelque part dans mon passé. Mon père a disparu de ma vie avant même que je naisse, ma mère est morte, j'avais cinq ans. Je m'appelle Miette. Je n'ai jamais eu le courage de chercher plus loin. Mais qu'importe. Sans passé, sans avenir, seul le présent compte vraiment. Me crois-tu?

John vit une lueur dans ses yeux espiègles. Lui disait-il la vérité ou voulait-il le faire marcher? Il rit de nouveau, prit une lampée à même son flacon et en essuya le goulot du revers de sa manche avant de le tendre à John.

— Bois! l'invita-t-il. Faut goûter au présent pendant qu'il est encore là.

John n'osa pas refuser et prit une gorgée, d'un coup sec, en faisant malgré lui la grimace: c'était de l'eau. Par saccades, en débordant d'un plaisir immense, le vieil homme éclata de rire. Ses petits yeux gris disparurent d'abord derrière ses paupières qui se plissèrent malicieusement. Son rire contagieux éclata en étincelles comme un feu de Bengale. Il était tellement drôle à voir que John ne put résister plus longtemps et sombra à son tour dans un merveilleux voyage au monde du fou rire. Du coup, il se libéra de toute la tension qui l'habitait depuis la veille. Quand, enfin, le vieil homme réussit à reprendre son souffle, il se moqua:

— Je t'ai bien eu! Tu m'avais jugé d'avance, sans me connaître. Ça t'apprendra. Ma bouteille, c'est la vie. Quand tu penses qu'elle va te combler, elle te joue un vilain tour. Ta vie, mon garçon, si tu veux le conseil d'un vieux fou comme moi, prends-la pendant qu'elle passe, même si la plupart du temps, elle n'a que le goût de l'eau claire.

Il se remit à rire encore un petit moment, comme pour épuiser le plaisir qu'il prenait à cette situation, puis il ajouta, mi-badin, mi-sérieux :

— Miette ! Miette ! La vie ne m'a laissé que des miettes, mais quels bons morceaux tout de même !

Il gloussa encore et se tut. John se leva et ferma la porte demeurée entrouverte. Le train ralentissait pour s'arrêter à une petite gare. Le vieux se racla la gorge, prit une nouvelle gorgée d'eau et tira une pipe de sa poche. Il s'acharna à la bourrer, ne manquant pas de recueillir minutieusement chaque grain de tabac tombé sur le plancher. Il attendit que le train se remette en marche avant d'allumer son brûle-gueule.

— Si tu fumes, conseilla-t-il, attends toujours que le train roule. La fumée se disperse plus rapidement. C'est plus prudent. Il y a des cheminots qui ont le nez fin pour détecter les clandestins comme nous.

John lui demanda :

— Avez-vous une idée jusqu'où va ce train ?

Miette le dévisagea, un sourire en coin, ses petits yeux gris remplis de malice :

— Si tu as la patience d'y rester, avec de la chance, il se rendra jusqu'à Frisco peut être, sinon dans l'éternité.

— San Francisco ? fit John, étonné.

— Eh oui ! Le wagon où nous sommes appartient à une compagnie ferroviaire de l'Ouest. Il transporte de la quincaillerie, marchandise qui peut voyager des milliers de milles sans problème.

— Vous avez l'habitude de vous déplacer ainsi ?

— J'ai souvent voyagé de cette façon, simplement pour le plaisir, comme aujourd'hui. Plus jeune, je jumpais les trains en marche, comme tu l'as fait. Aujourd'hui, mes vieilles jambes ne me le permettent plus. Je prends d'autres moyens plus simples pour monter à bord.

— J'aimerais bien les connaître, avoua John.

Miette se leva pour secouer sa pipe contre le mur du wagon, puis s'approcha de John. Il lui donna un coup de coude en disant :

— Tu peux apprendre beaucoup à fréquenter un vieux malcommode comme moi. Si tu restes assez longtemps en ma compagnie, tu n'es pas au bout de tes surprises.

John avait faim. Il tira de son sac pain, fromage et vin. Il en offrit à Miette, qui ne se fit pas prier pour y faire honneur. Le train continuait sa course en les secouant de belle façon. John s'inquiétait de leur destination. Insouciant, Miette mangeait de fort bon appétit en dégustant chaque bouchée.

— Hum ! Comme c'est bon ! répétait-il à tout moment.

Rien ne semblait l'inquiéter. John demanda :

— Par où passera ce train, selon vous ?

— Chicago ! Tous les trains de marchandises en direction de l'Ouest traversent cette ville.

— Pourrons-nous en descendre ?

— Tout dépend de l'endroit où tu désires te rendre.

John ne voulait pas encore lui parler de la lettre de son oncle. Il balbutia :

— Pour une job, vous avez parlé de Saint Paul Minneapolis.

— C'est juste. Mais quelle sorte d'ouvrage sais-tu ou veux-tu faire ? Travail de ferme, navigation, chantiers, élevage de bestiaux, mines ?

— Qu'importe, pourvu que ça rapporte.

— Tu ne deviendras pas millionnaire avec des jobs comme ça.

Sa dernière réflexion laissa John songeur. Le train ralentissant, il en profita pour jeter un œil à l'extérieur.

— Portsmouth ! annonça Miette, sans bouger de sa place.

Le train entrait effectivement dans la gare de cette ville. John s'étonna :

— Comment le saviez-vous ?

— Rien de plus simple. Quand tu auras voyagé autant que moi, mon garçon, tu traverseras l'Amérique les yeux fermés. Remarque, ajouta-t-il en se tapant sur les genoux, je ne te le conseille pas. Les yeux fermés, tu manquerais le plus beau.

Après Boston, le convoi prit la direction de Cleveland. Il roula sans arrêt jusqu'au petit matin. Il longeait le lac Érié. De fortes vagues venaient mourir sur les berges à quelques pieds à peine de la voie ferrée. Leur écume éclaboussait les parois des wagons, laissant l'impression à John d'être en pleine mer.

— À Chicago, lui confia Miette, je vais en profiter pour refaire mes provisions et rendre visite à un vieil ami, tu pourras m'accompagner si ça te chante.

Son invitation tombait à point. Chicago était précisément la destination de John. La seule évocation de cette ville et ce qui l'y attendait le rendaient impatient et nerveux. Il avait hâte de descendre du train. En bon observateur, Miette s'en rendit compte :

— Pourquoi es-tu si pressé ?

— J'ai hâte d'être à Chicago.

— Quelqu'un t'y attend ?

— Non ! Je n'y connais personne.

— Alors, pourquoi t'énerver ? Chicago n'est pour toi en réalité qu'un amas de maisons. Une ville ne nous est réellement chère que lorsqu'on y compte des amis.

Une fois de plus, John fut contraint d'admettre la sagesse de tels propos. Comme il l'avait mentionné, Miette pouvait sans doute lui apprendre beaucoup. Cet homme l'intriguait, il décida de le suivre en se disant qu'il pourrait le quitter à n'importe quel moment. Le train, tout comme la vie, continuait sa course. Que lui réservait demain ? Alors qu'il se posait cette question, Miette s'étendit sur ses caisses. Deux minutes plus tard, il somnolait.

Chapitre 30

La lettre du grand-oncle Joseph

John tira de sa poche la lettre de son grand-oncle Joseph et en profita pour la relire.

Cher filleul,

Quand tu prendras connaissance du contenu de ces pages, ton grand-oncle Joseph aura accroché son chapeau pour l'éternité. C'est donc de l'autre monde que je t'observerai dans tes démarches pour satisfaire mes dernières volontés. Crois-moi, je prendrai beaucoup de plaisir à te voir te débattre pour remplir les exigences du vieil original que je suis. Si par hasard tu désires obtenir de plus amples informations au sujet de ce qui va suivre, tu pourras t'adresser à mon notaire et exécuteur testamentaire, maître George Smith, domicilié au 23, Elmer Street, à Chicago.

Voici donc quelles sont mes attentes à ton égard. Étant décédé sans héritier, j'ai légué une bonne partie de mes richesses à une œuvre de bienfaisance : L'Aide aux veufs et aux veuves solitaires. Le directeur de cet organisme habite désormais ma maison de Chicago, qui en est devenue le siège social. Dans la pièce qui me servait de bureau se trouve un coffre-fort dans lequel dort l'autre moitié de ma fortune. C'est à toi que je l'ai léguée. Cependant, tu ne pourras y toucher que si, d'ici deux à quatre ans, tu auras rempli, à la satisfaction de mon exécuteur testamentaire, l'une ou l'autre des deux conditions suivantes.

Premièrement. Si d'ici deux ans tu épouses Betsy Hawkins qui demeure au 52, Elmer Street, à Chicago, mon notaire George Smith te remettra la combinaison du coffre-fort et tu pourras disposer à ta guise de ce que tu y trouveras. Toutefois, tu devras vivre au moins quinze ans sans interruption avec cette femme dont tu partageras la chambre et le lit. Maître Smith pourra, à son gré, vérifier auprès de mademoiselle Hawkins si tu es bien fidèle à remplir toutes les clauses de cette dernière exigence. Si tu n'y es pas fidèle, tu devras rembourser tout ce que tu auras utilisé jusque-là de ma fortune. S'il advenait que Betsy Hawkins meure au cours de cette période de quinze années, pour continuer de profiter de mes sous, tu devras prouver que sa mort était naturelle ou survenue dans des conditions où tu n'étais pas impliqué directement ou indirectement.

Si, par contre, tu ne veux pas épouser Betsy Hawkins, ce qui est parfaitement ton droit, je veux bien te laisser une autre chance de toucher ma fortune. Dans les quatre années qui vont suivre ta rencontre avec mon exécuteur testamentaire, rencontre qui devra s'effectuer dans moins d'un mois après ma disparition de ce monde, tu devras, par des moyens honnêtes, amasser cinquante mille dollars. Dès que tu auras rempli cette dernière condition à la satisfaction de maître Smith, tu pourras toucher au contenu de mon coffre-fort. Si tu n'y parviens pas dans les quatre ans, le reste de ma fortune ira aux veufs et aux veuves solitaires.

Tu trouveras sans doute singulière cette façon de me départir de mes biens. J'aurais pu te les verser simplement sans y mettre de conditions. Mais puisque nous pouvons disposer de nos avoirs comme nous l'entendons, j'ai voulu donner les miens selon mes convictions profondes. Ici-bas, rien ne s'acquiert facilement. Nous devons travailler dur pour faire fortune. Par contre, à mon avis, nous sommes tous égaux devant Dieu. Aussi la discrimination ne devrait pas exister entre les humains. Tous devraient avoir les mêmes chances. La beauté et la laideur ne devraient rien changer aux règles du jeu. Toute personne devrait avoir au moins une fois dans sa vie sa chance de bonheur et de richesse. Tu es privilégié parce que je t'offre justement cette chance. À toi d'en profiter !

Mes dernières volontés à ton égard te sont maintenant connues. Tâche d'avoir la sagesse de les exécuter à ton profit. Quoi qu'il arrive, je meurs en paix. Tu ne pourras jamais me reprocher de ne pas t'avoir donné ta chance.

Ton grand-oncle et parrain,
Joseph Laflamme

La relecture de cette étonnante lettre l'avait si profondément absorbé qu'il en avait oublié Miette, qu'il croyait endormi, mais qui, pendant tout ce temps, l'observait sans rien dire. John terminait sa lecture quand son compagnon le fit sursauter en l'interrogeant sur ses projets d'avenir :

— Que comptes-tu faire, une fois à Chicago ?

— Rien de plus facile. Cette lettre me dicte ma conduite pour les années à venir.

Sa réponse piqua la curiosité du vieil homme. John ne le fit pas languir et décida de lui faire part des exigences de son cher grand-oncle, qui firent bien rire Miette.

— Que feriez-vous à ma place ?

Le vieil homme réfléchit longuement avant d'hasarder une réponse :

— D'abord, je ne suis pas à ta place, mais tout de même, en premier, j'irais voir la fille, on sait jamais... Cependant, permets-moi de croire que tu tenteras plutôt de ramasser cinquante mille dollars. Tu auras quatre ans pour le faire et toujours l'option d'épouser la fille avant deux ans si nécessaire, c'est pas si mal.

Pendant tout le temps qu'il parlait, il regardait John avec un drôle d'air, en esquissant un sourire qui en disait long. Cette fois encore, son sourire l'intriguait. Voyant que John n'avait guère le goût de rire, il s'empressa d'ajouter :

— J'aurais bien aimé connaître ton grand-oncle.

Chapitre 31

Chicago et Mary

Cette conversation lui avait fait pratiquement oublier que le train continuait de rouler.

— Chicago! annonça Miette.

Ils étaient encore loin de la gare. Des petites maisons rouillées défilaient en procession, tels des pèlerins en route vers un lointain sanctuaire.

— Chicago? dit John. Comment pouvez-vous le savoir?

Imperturbable, Miette précisa:

— L'odeur, mon garçon, l'odeur. Chaque ville a son odeur ou son parfum particulier. Miami sent la mer... Milwaukee, le houblon... Chicago, le bétail!

Il lui semblait justement percevoir dans l'air l'odeur caractéristique des grands troupeaux. Miette l'observait du coin de l'œil, un imperceptible sourire aux lèvres. John avait de la difficulté à le croire: il avait toujours l'air de se moquer. Vraie boîte à surprises, qu'allait-il encore inventer? Faisait-il exprès pour saupoudrer de mystère la moindre chose qu'il laissait entendre? Semait-il à volonté le doute pour mieux se payer sa tête par la suite? John devenait méfiant malgré lui. Pourtant, les choses arrivèrent infailliblement comme Miette les avait prédites. Cinq minutes plus tard, le train entrait en gare à Chicago. John jeta un coup d'œil à l'extérieur. Les rails se multipliaient dans toutes les directions, comme les branches d'un arbre dont chaque rameau portait des wagons, de couleur jaune pour le transport des fruits, blanche pour celui du lait, noire pour le charbon, rouille pour les marchandises en vrac, aux dires mêmes de Miette.

Le train s'immobilisa au son du gémissement prolongé des rails. À l'intention de John, Miette posa l'index sur ses lèvres:

— Chut!

Ils disparurent en même temps dans l'ombre des caisses. Au bord de la voie ferrée, les cailloux crissaient sous le pas des cheminots. La gare entière, immense caisse de résonance, sonnait comme un tambour. Des trains arrivaient, repartaient, se croisaient, freinaient. Dominos géants, les wagons s'entrechoquaient au gré des arrêts et des départs répétés. Au bout de dix minutes, alors que John s'apprêtait à jeter un coup d'œil dehors, la porte s'entrouvrit. Il se précipita dans l'ombre, le cœur battant. Miette se leva sans montrer le moindre signe d'émotion. Un cheminot éclaboussé de lumière passa la tête par l'ouverture:

— Vous y êtes, monsieur Miette. Vous pouvez descendre.

— Nous arrivons, fit-il.

Il sortit un billet de cinq dollars de sa poche et le tendit au cheminot.

— Pour le passage de mon jeune ami, commenta-t-il.

— Faites vite, fit l'homme en bleu. Suivez-moi.

D'un bond, ils furent sur la voie et, rapidement, Miette l'entraîna vers l'est, de l'autre côté de la gare. L'homme lui dit, sur un ton de reproche :

— Il faudra prévenir à l'avenir.

— Promis, je le ferai, fit Miette qui n'avait visiblement pas l'intention de le faire.

L'homme les quitta au moment où ils arrivaient dans la rue. John suivit Miette qui, pour son âge, marchait d'un bon pas. Sa façon de voyager clandestinement n'était guère originale. Il achetait tout simplement un cheminot. Mais où prenait-il son argent ? John allait lui faire part de sa réflexion quand il s'arrêta devant une épicerie.

— C'est ici, dit-il, que nous ferons provision.

La ville sortait à peine de la nuit. Malgré l'heure, sans hésiter, Miette se mit à bombarder la porte de vigoureux coups de poing tout en hurlant à pleine voix :

— C'est ça, les prétendus amis ! Ça sait pas recevoir son monde !

Une fenêtre du deuxième étage s'ouvrit brusquement. Un petit vieux aux yeux de souris y passa la tête en criant d'un ton courroucé :

— Qu'est-ce que c'est ?

Pour qu'il l'aperçoive mieux, Miette recula de quelques pas. Le vieux hésita un moment puis s'exclama :

— Baptême, c'est Miette !

Heureux de son effet, ce dernier esquissa quelques pas de gigue en ricanant. Quelques secondes plus tard, tout essoufflé de sa course, l'épicier ouvrait la porte. Les deux hommes tombèrent dans les bras l'un de l'autre, exprimant leur plaisir de se voir en se donnant de grandes claques dans le dos.

En examinant l'épicier de plus près, John comprit à coup sûr d'où venait l'amitié qui les liait, lui et Miette. Ils se ressemblaient par plusieurs de leurs traits : même taille, même sourire moqueur, même regard enjoué, même allure générale. Les effusions du premier moment passées, Miette présenta John. L'épicier le reçut à bras ouverts, comme si le seul fait d'accompagner son ami suffisait à le rendre digne de confiance à ses yeux. Il les fit entrer et referma la porte à clé derrière eux.

Plongée dans la pénombre, l'épicerie paraissait être l'antre mystérieux de contrebandiers tapis au cœur de la ville. John s'attendait d'un instant à l'autre à voir surgir du haut des étagères quelques corsaires borgnes, sabre en main. Des odeurs fines d'épices flottaient dans l'air et rendaient l'endroit encore plus exotique. Mais aussitôt que les rideaux de la vitrine furent tirés, l'enchantement sombra comme un vieux navire crevé. Un matou, endormi entre deux pots de fleurs, uniques ornements de la pièce, se réveilla, s'étira paresseusement puis vint se frotter contre ses jambes. John resta là un long moment avant que Miette et son ami soient revenus des émotions de leur rencontre. Ils continuaient vivement à se raconter les péripéties des derniers mois sans se soucier de lui. Le chat miaula effrontément pour attirer leur attention. John éternua dans le même but. Rien n'y fit, ils continuèrent leur causette, tout à leurs souvenirs, dont seul un cri rauque provenant du fond de la pièce parvint à les faire émerger :

— Max ! Tu viens ? Le déjeuner est prêt.

— J'arrive avec de la visite !

Le dénommé Max vérifia de nouveau le verrou de la porte, puis se dirigea vers l'arrière. La pièce communiquait avec ce que John avait deviné être la cuisine. Remplie d'égards, une vieille dame les accueillit en multipliant les courbettes. Elle semblait connaître Miette, mais n'exprima guère le plaisir qu'elle pouvait ressentir à le voir. John en conclut qu'elle désirait maintenir ses distances à son égard. Que pouvait-il être à ses yeux ? L'épicier les invita :

— Vous allez manger ?

Miette répondit d'un oui qu'il ne voulait pas laisser paraître trop empressé. La vieille avait préparé des crêpes qui furent accueillies de fort bon appétit et englouties en quelques minutes. Ils eurent droit ensuite au meilleur café que John ait goûté de toute sa vie. Il dégageait un arôme de vanille qu'il ne retrouverait jamais dans aucun autre café par la suite. Il le sirota les yeux fermés, en avalant chaque gorgée le plus lentement possible.

Sans doute pressé, Max passa à l'épicerie en compagnie de Miette. John s'apprêtait à les rejoindre quand une jeune femme entra dans la cuisine en chantonnant. Habitué à ne côtoyer que les pauvres filles des filatures de Lewiston, John fut étonné de voir apparaître une si gracieuse et délicate personne. Sa seule présence égayait la pièce entière. Elle ne paraissait pas étonnée de le voir et lui sourit d'un air assuré tout en se servant prestement une tasse de café.

— Tu en veux? demande-t-elle en tendant la cafetière. Impressionné, John approcha timidement sa tasse.

— Il n'y a pas meilleur café dans tout Chicago, ajouta-t-elle. Tu fais bien d'en profiter. Faut prendre ce qui est bon quand ça passe.

Elle reposa la cafetière, s'assit au bout de la table et se mit à boire délicatement, en tenant sa tasse à deux mains. John l'observa à la dérobée un long moment, ne sachant que dire, incapable de distraire son regard de cette fascinante personne.

— Tu aimes Chicago?

— Je ne saurais dire, j'y arrive à l'instant.

— Tu aimeras, promit-elle. Fais-moi confiance.

Témoin de la conversation, la vieille intervint brusquement:

— Tu ne vas tout de même pas engager ta journée?

La jeune fille esquissa un sourire. Sans perdre contenance, elle enchaîna aimablement:

— Pourquoi pas? Un jour de congé de temps à autre n'a jamais fait de tort à personne.

Visiblement contrariée, la vieille regagna l'épicerie en grommelant.

— N'y prête pas attention, recommanda-t-elle. Ma grand-mère réagit ainsi chaque fois que je m'absente. Si tu veux, ajouta-t-elle, je te ferai visiter Chicago.

Comme John ne savait que répondre, alors qu'aucune proposition ne pouvait lui faire autant plaisir, il avala une gorgée de café pour se donner contenance. Le sang lui monta aux joues, mais il osa lancer :

— Tu es ravissante !

Elle sourit et reprit d'un air taquin :

— Et toi ravi, je suppose ? Devine mon prénom, alors !

John en risqua quelques-uns : Élisabeth, Marguerite, Sarah, Ann, Louisa, Naomi.

À chaque nouveau prénom, elle secouait la tête avec un large sourire, en encourageant son interlocuteur à persévérer.

— C'est le plus simple qui soit, suggéra-t-elle.

— Marie ?

Elle applaudit vivement, puis demanda :

— Et toi ! Quel est ton prénom ?

— À ton tour de deviner !

— Ça ne peut être que James, John ou Joe, murmura-t-elle. Ai-je raison ?

Au signe d'acquiescement de John, elle enchaîna aussitôt :

— Il me semble que celui qui t'irait le mieux, c'est John.

Ce dernier s'écria :

— En plein dans le mille !

Elle fit un tour sur elle-même, les deux bras levés en signe de victoire, puis lui tendit la main.

— Mary Picket, dit-elle. Sois le bienvenu chez nous !

— John Love, à ton service, dit-il gauchement.

— *Wonderful* ! lança-t-elle avec enthousiasme et elle l'entraîna à sa suite.

En son agréable compagnie, il passa la matinée dans les rues animées de Chicago. D'un parc à l'autre, en ajoutant au passage la visite d'un musée, la jeune femme parlait sans arrêt en vantant la beauté de cette vaste cité. Ils se frayaient un chemin parmi les passants de toutes les ethnies : Chinois, Mexicains, Lituaniens, Italiens, Polonais, Norvégiens. Remplie d'usines, de magasins, de marchés, de parcs et de monuments, la ville entière bourdonnait comme une ruche. John en était à la fois étourdi, émerveillé et bouleversé. Une marchande vendait des fleurs. Il acheta un bouquet qu'il offrit à Mary. Pour le remercier, elle l'embrassa. Il n'en fallait pas plus pour qu'il tombe amoureux d'elle. Tout était si simple et si merveilleux en sa compagnie qu'il lui semblait qu'ils se connaissaient depuis toujours.

Il n'oubliait pas pour autant qu'il lui fallait rencontrer une certaine Betsy Hawkins. Il demanda à Mary de le conduire, à travers le dédale des artères, jusqu'à Elmer Street. Cette rue traversait tout Chicago. Fort heureusement, la maison du notaire Smith s'élevait dans la portion de la rue où ils venaient d'arriver. Les coups de John à la porte, répétés avec de plus en plus d'insistance, finirent par attirer l'attention d'un jeune homme qui vint ouvrir, l'air peu engageant. John avait eu un jour la surprise de voir apparaître juste sous son nez une belette qui sortait de son trou. L'arrivée subite de ce jeune homme produisit sur lui le même effet de surprise. D'une laideur repoussante, lunettes au bout du nez, il arborait les deux longues incisives et les petits yeux de cette bête sanguinaire. Il se présenta comme le clerc de maître Smith. Malgré l'insistance de John pour parler au notaire en personne, le clerc refusa avec véhémence de le laisser entrer, soutenant que lui seul avait l'autorisation de prendre des rendez-vous au nom de ce dernier. Il condescendit enfin à lui en fixer un pour le lendemain matin, neuf heures.

Chapitre 32

Miette et Max

John retourna avec Mary à l'épicerie. À leur arrivée, rien ne semblait avoir bougé depuis le matin. Assis exactement au même endroit qu'au moment de leur départ, Miette, un chapeau de feutre d'un gris douteux bien enfoncé sur le crâne, continuait de philosopher le plus sérieusement du monde :

— Je te le dis, Max, tu penseras à cela dans tes temps libres : on mange, on digère, on évacue, c'est la vie ! On naît, on meurt, entre les deux, tout ce qu'on cherche, c'est de gagner suffisamment d'argent pour manger tous les jours afin de ne pas être dévoré trop vite à notre tour. Il n'y a que ça dans la vie : travailler et manger !

Affairé auprès de ses clients, Max l'écoutait d'une oreille distraite, un sourire énigmatique au coin des lèvres. Pendant ce temps, Miette, qui venait de repérer John et Mary, se faisait plus solennel dans ses réparties :

— Tu peux toujours rire, Maxime Picket, mais rien n'empêche que j'ai parfaitement raison. C'est pour ne pas crever trop vite qu'on travaille toute notre vie.

— Toi, travailler ! s'esclaffa Max. L'as-tu vraiment jamais fait ? Pourtant, ça ne t'empêche pas d'arpenter encore le plancher des vaches.

Feignant l'indignation, Miette rétorqua vivement :

— C'est ça, Maxime Picket, continue d'être injuste à mon égard pour te donner raison. Tu sais trop bien comment j'ai travaillé dur dans mon jeune temps.

— Ne le prends pas mal, Miette, je suis absolument d'accord avec ce que tu dis. Habituellement, il faut travailler pour manger. Je l'ai compris depuis long-temps. C'est même pour cette raison que je suis épi-cier. Tout le monde doit manger pour vivre. Pour gagner mon pain, j'en vends aux autres. De cette façon, je devrais être un des derniers à en manquer.

L'épicier reprit son souffle et se mit à regarder Miette d'un air moqueur, les yeux pétillants de malice.

— Sois pas trop certain de ce que tu avances, reprit Miette. N'oublie pas que les plus gros avalent facile-ment les plus petits. Avec ton épicerie de rien du tout, tu ne serais pas difficile à croquer.

Pendant cette réplique, l'épicier avait suivi une cliente réclamant des biscuits qu'elle disait ne pas trouver sur les étagères. Miette, qui regardait dans la direction de John et Mary, ne s'était pas aperçu de la disparition de son ami. En se retournant, il se rendit compte qu'il venait de parler dans le vide. Il éleva la voix :

— C'est ça, Maxime Picket, tu te pousses quand ça devient trop sérieux.

Cette boutade eut le don de déclencher chez Mary et John un fou rire incontrôlable qui les secoua un bon moment. Témoin de la scène, Miette souleva son chapeau, se gratta le crâne et continua sa réflexion à haute voix :

— Tout se résume à ça, consommer. La preuve : avant de crever sur sa croix, le Christ lui-même a dit : "Tout est consommé !"

L'épicier venait tout juste de regagner son comptoir. Miette enchaîna à son intention :

— Crois-tu à ça, Max, qu'il est revenu ?

Distrait, il n'avait pas écouté.

— Qui est revenu ? questionna-t-il.

— Le Christ, saint-Étrette !

— Pas une deuxième fois ! Depuis quand ?

— Depuis la dernière fois qu'ils l'ont dit, c't'affaire.

L'épicier se tourna vers John et Mary, leur lança un clin d'œil et demanda innocemment.

— Qui ça, ils ?

Miette s'indigna :

— Veux-tu me faire marcher ou es-tu carrément stupide ? Les curés l'ont dit assez de fois qu'il est revenu. Tu sais bien qu'ils soutiennent que leur patron est le seul à être allé de l'autre bord et à en être revenu.

Après un moment de silence qui produisit l'effet d'une accalmie, Miette, l'air pensif, sortit pipe et blague à tabac de sa poche et se mit à bourrer son brûle-gueule d'un doigt expert. Mary et John étaient pâmés de le voir monter en drame, parce qu'il les avait comme auditoire, les faits les plus anodins.

— Max, as-tu des allumettes? cria-t-il soudainement.

— Pour sûr que j'en ai!

— Où les fourres-tu?

— À la même place que de coutume. Tu devrais le savoir, ça fait vingt ans que tu viens m'en quémander. Je ne les ai pas changées de place. Regarde sur la tablette du haut, derrière la lampe à pétrole.

Il y avait une pointe d'ironie dans la voix de Max, mais Miette ne s'en formalisa pas. Il étira le bras, prit quelques allumettes, puis sans sourciller ajouta:

— À mettre sur mon compte.

Cérémonieusement, il alluma sa pipe, en tira quelques bouffées, tout en regardant l'épicier d'un air interrogateur. Max protesta:

— Ton compte? Tu me dois bien deux cents dollars, il y a une éternité que tu ne m'as pas payé.

— Au moins deux cents dollars, acquiesça Miette, si on exclut les nombreux services que je t'ai rendus autrefois et que tu ne m'as pas remboursés.

Cette fois, c'en était trop. L'épicier parut contrarié.

— Va fumer dehors, lança-t-il, ton maudit tabac empeste plus que jamais et indispose mes clients.

— N'oublie pas ce que je t'ai dit, grommela Miette avant de sortir.

— Quoi donc en particulier? questionna Max. Tu m'as tellement rebattu les oreilles…

Miette se tourna vers lui, solennel:

— On est tous des consommateurs en sursis d'être consommés à notre tour. Toute notre vie, on est fin seul, sauf six pieds sous terre où on a beaucoup de compagnie. Malgré tout, la vie est belle !

Avant de sortir, il exhala une puissante bouffée de fumée et, à son tour, lança un clin d'œil à John et Mary. La porte se referma derrière lui en entraînant les tintements de la clochette. Mary se rapprocha de John et lui tendit la main. Il lui semblait que le monde entier venait de cesser de respirer. Elle le poussa vers sa chambre. Pour la forme, il protesta :

— Et tes grands-parents, que vont-ils penser ?

— Chut ! fit-elle. Grand-père est à l'épicerie et grand-mère à ses dévotions. Si nous le voulons, nous avons la vie devant nous.

Jusqu'au souper, le reste de l'univers cessa d'exister pour eux. Miette, John en était persuadé, avait tort sur au moins un point : il n'en tient qu'à nous de ne pas être seul…

Chapitre 33

Betsy Hawkins

Rien de la journée du lendemain ne se passa comme John l'avait imaginé. Son aventure avec Mary avait rempli son cœur de sa présence. Au lever, alors qu'il désirait tant la revoir, il se rendit compte qu'elle était déjà sortie, mais non sans lui avoir dessiné sur une carte le trajet qu'il devait suivre.

— Mary n'est pas là ?

— Elle s'est absentée pour une heure, dit sa grand-mère.

Il déjeuna en vitesse, pressé de se rendre chez le notaire Smith. Quand il quitta l'épicerie, Mary n'était pas encore de retour, Miette se levait à peine et Maxime dressait l'inventaire de ses pots de confiture.

Sans Mary, la ville entière lui parut triste et morne. Il n'avait rien remarqué de cela la veille. Une couche de suie couvrait toits, trottoirs, poteaux, fenêtres et clôtures. L'odeur nauséabonde des abattoirs amalgamée à la fumée âcre des usines prenait à la gorge.

Chicago venait de perdre à ses yeux une grande partie de ses charmes.

En suivant le plan que Mary lui avait tracé, il marcha vivement en direction d'Elmer Street, pressé d'en finir avec les tractations du grand-oncle Joseph. Il ne mit guère de temps à repérer la maison du notaire, froide, rigide et grise, à l'image, il en était sûr, de son propriétaire.

Maître Smith le reçut sans chaleur. Il exigea d'abord ses honoraires avant même de lui communiquer le moindre renseignement. Pour ce qu'il lui apprit, vingt-cinq dollars était une fortune, car il lui confirma simplement les dernières volontés de son parrain en lui précisant que quand il parlait de cinquante mille dollars, il fallait entendre en argent ou en valeurs. Il le pria vivement d'aller rencontrer Betsy Hawkins, qu'il ne connaissait pas. « Votre grand-oncle, précisa-t-il, y tenait beaucoup. » John eut beau tenter par tous les moyens de lui soutirer quelques renseignements sur cette mystérieuse demoiselle, il ne voulut rien dire. « Vous verrez par vous-même », fut la seule réponse qu'il opposa à chacune de ses questions. Tout ce qu'il parvint à savoir, c'est que la jeune fille venait, tout comme lui, de fêter ses dix-sept ans. Il n'en apprit pas plus sur elle qu'au sujet de la fortune de son oncle.

Elmer Street présentait de somptueuses demeures alternant avec de grouillants taudis qui l'enlaidissaient comme des pustules au milieu d'un visage. Cependant, le numéro 52, sans être une propriété cossue, était plutôt coquet. La maison ressemblait à un coquillage perdu au milieu d'un bouquet de fleurs. Roses grimpantes, liserons, pétunias, pensées et pivoines montaient le long de l'allée centrale à l'assaut de l'entrée. Un peu étourdi par les parfums ambiants et fébrile à l'idée de rencontrer enfin celle qui deviendrait peut-être sa femme, John frappa à la porte.

Une domestique vint ouvrir. Elle était coiffée d'un bandeau couleur rouille qu'elle avait noué sur son front de manière à retenir la masse de ses cheveux. Elle roulait des yeux à la fois étonnés et incrédules. Le notaire avait sans doute annoncé sa visite et fait mention des raisons qui la motivaient, sans que personne l'ait cru. À la vue de John, la servante se montra si étonnée qu'il faillit repartir sans rien dire.

— Qui vous envoie ici ? demanda-t-elle sans hésiter.

— Mon grand-oncle.

— Votre grand-oncle ?

— Oui, il est décédé, mais si je veux toucher mon héritage, je dois rencontrer Betsy Hawkins.

Plus John parlait, plus la domestique semblait sceptique. Il finit par décliner son nom. Elle le fit entrer tout en le priant d'attendre au boudoir. La pièce, toute petite, sentait le camphre et l'ammoniaque. Aux murs, emprisonnés dans leur cadre doré, des ancêtres aux regards sévères l'observaient. Les portraits se ressemblaient tous, issus sans doute de la main malhabile du même artiste. John attendit longtemps, anxieux de voir paraître cette Betsy Hawkins que son parrain tenait tant à lui jeter dans les bras. Il tenta vainement d'imaginer ses traits à travers le portrait de l'une ou l'autre de ses aïeules guindées.

En traînant la jambe, la domestique vint le prévenir :

— Ma maîtresse, dit-elle, est trop souffrante pour vous recevoir à l'instant. Elle vous prie de revenir en fin d'après-midi.

— Très bien, acquiesça John, je reviendrai vers cinq heures.

Ce contretemps ne fit qu'ajouter à sa déception. Il erra de longues heures dans les rues de cette ville morose, s'interdisant de retourner à l'épicerie, de peur qu'un nouveau contact avec Mary ne vienne influencer la décision qu'il lui faudrait prendre en rencontrant Betsy pour la première fois. Il espérait, sans trop se l'avouer, rien d'autre que le coup de foudre. Il arpenta ainsi la ville en songeant à ce que deviendrait sa vie dès qu'il pourrait toucher la fortune de son grand-oncle. À son gré, l'après-midi mit beaucoup trop de temps à s'écouler. Le ventre noué par le trac, il se sentait dans la peau d'un artiste avant le lever du rideau. Une seule rencontre, un regard, quelques mots, quelques gestes pouvaient décider de sa vie entière.

Quand il se rendit compte que le soleil sombrait derrière les toits, il retourna dans Elmer Street. Le scénario du matin se reproduisit dans les moindres détails jusqu'au retour de la domestique qui, cette fois, lui annonça que la jeune demoiselle viendrait le rejoindre au boudoir. Nerveux, le cœur battant, il se mit à arpenter la pièce en cherchant à se rappeler les paroles qu'il se proposait de dire lorsqu'un bruit de pas mit un terme à ses réflexions. Munie d'une canne à pommeau d'or, une vieille dame entra dans la pièce. Elle était toute frêle, toute menue, et se déplaçait avec la lenteur des personnes qui croulent sous le poids des ans. John remarqua son visage ridé et ses cheveux blancs fournis noués en toque sur la nuque. Il la salua en lui demandant :

— Vous êtes sans doute la grand-mère de Betsy ?

Elle le dévisagea tout en tendant l'oreille. Il éleva la voix pour poser la même question. Elle se pencha vers lui lentement et, d'une voix éteinte, déclara :

— Je suis Betsy Hawkins.

L'étonnement de John fut si grand qu'il demeura figé sur place, interloqué, absolument incapable de proférer une seule parole. Ce fut elle qui parla :

— Les chats vieillissent de sept ans par année, je suis de la même race qu'eux. Ma mère, en réalité, paraît beaucoup plus jeune que moi. On m'a dit que tu voulais me voir, quelle en est la raison ?

— On m'a sans doute mal renseigné, balbutia-t-il.

— Si on t'a dit que j'ai dix-sept ans, on ne t'a pas trompé, murmura-t-elle. Je souffre d'une forme de sénilité précoce aiguë.

John intervint aussitôt :

— C'est mon parrain qui...

Il ne termina pas sa phrase, jugeant tout à fait inapproprié de tenter une explication quelconque, fût-elle vraisemblable.

— Tu n'es pas le premier qu'un oncle, une tante, un père, une mère à l'esprit tordu songent à expédier ici, dit-elle en se dirigeant vers la porte.

Elle l'ouvrit et lui fit signe de sortir :

— Je ne suis pas une curiosité de cirque, quoi que les vieux oncles en pensent, et de plus, je suis fatiguée.

John s'excusa, en la quittant presque sur la pointe des pieds. Sur le chemin du retour, encore sous le choc de ce qu'il venait de vivre bien malgré lui, il ne pouvait pas s'empêcher de revoir ce triste visage rempli d'angoisse et songeait aux paroles du grand-oncle Joseph : « Toute personne devrait avoir au moins une fois dans sa vie sa chance de bonheur et de richesse. » Était-ce cette chance que Joseph voulait donner à Betsy Hawkins en forçant John à la choisir pour assurer instantanément son avenir, ou voulait-il simplement lui donner une bonne leçon afin de lui permettre d'apprécier sa chance ?

De retour à l'épicerie, la première personne que John rencontra fut Mary. En la revoyant, il poussa un soupir de soulagement en se disant : « Ce sera la femme de ma vie. » À peine cette idée lui avait-elle effleuré l'esprit que Miette arrivait à son tour et réagit en le voyant. Sa visite avait tellement bouleversé John que son trouble se lisait sur son visage. Miette s'en inquiéta :

— Que t'est-il arrivé ? As-tu perdu un pain de ta fournée ?

John n'avait guère le cœur à répondre, mais il avait besoin d'en parler à quelqu'un et nul mieux que Miette n'était en mesure de le comprendre. Il lui dit :

— C'est la pire aventure de ma vie.

— Vous allez m'excuser, dit Mary, j'ai de l'ouvrage.
Elle les laissa entre eux.

John raconta à Miette les péripéties de sa visite.
Miette s'en amusa un moment, puis se mit à réfléchir
tout haut :

— Une fortune et une femme de dix-sept ans qui
en affiche quatre-vingts, ou pas de fortune et la liberté
d'en faire une d'ici quatre ans. Par ailleurs, un mariage
et la probabilité d'être veuf dans un an ou deux, quel
dilemme ! Pourtant, quand on a vingt ans, la liberté
n'a pas de prix et on ne doit se marier que quand on
aime vraiment. Si je m'appelais John Love, je me met-
trais immédiatement en route pour faire fortune.

John décida de suivre le conseil de Miette.

Chapitre 34

Bill le shaker

Le lendemain, aux petites heures, Miette tira John du sommeil à coups de poing dans les côtes.

— Debout, paresseux, si tu ne veux pas manquer ton train !

— Quel train ? Pour où ?

— Veux-tu devenir riche ?

— Certainement ! Je veux toucher la fortune de mon parrain.

— Dans ce cas, il n'y a pas une minute à perdre. Habille-toi et suis-moi ! On ne devient pas riche en flânant au lit, mais bien en fréquentant des gens qui ont de l'argent et savent comment en faire.

John le regarda d'un air incrédule.

— Douterais-tu de moi, par hasard ?

— Je n'ai pas de raison de douter, mais vos propos m'étonnent.

— Fais-moi confiance et tu feras fortune.

Avant même que John se rende réellement compte de ce qui se passait, ils étaient en route vers la gare.

Leurs sacs débordaient de provisions dues à la générosité de Max. John rouspétait en déplorant le fait de ne pas avoir eu le temps de saluer Mary.

— Si tu l'aimes vraiment, tu lui écriras. L'amour quotidien s'use vite. L'éloignement et l'écriture, au contraire, l'entretiennent comme de bonnes bûches nourrissent un bon feu.

John lui fit remarquer :

— Nous aurions pu rester ici quelques jours encore.

— Il était préférable de partir pour toutes sortes de bonnes raisons. D'abord, on doit savoir quand arriver et surtout quand partir. L'hospitalité a aussi ses limites de tolérance. Les amis nous apprécient mieux quand on ne s'incruste pas et qu'on sait les quitter à temps. De plus, pour toi, c'était mieux ainsi. Tu garderas un meilleur souvenir de Mary et tu rêveras de ce que vous ferez ensemble la prochaine fois que vous vous verrez. Enfin, tu ne feras pas fortune seulement en admirant les beaux yeux de ta belle.

John se tut. Il n'y avait rien à redire à ces paroles qui lui semblaient le fruit de l'expérience et d'une grande sagesse. Miette expliqua ensuite longuement le scénario à suivre en vue de sauter dans le premier train en partance pour l'Ouest. Il s'amusait de cette situation comme un enfant. Son plan s'avérait fort simple :

— Pendant que tu vas t'entretenir avec le préposé à la surveillance des wagons, je me faufilerai derrière. Je verserai du poivre le long des rails en vue de neutraliser d'éventuels chiens dépisteurs et je profiterai de la distraction du surveillant pour me hisser dans le premier wagon de marchandises, dont je laisserai la porte entrebâillée.

— Et après? questionna John d'une voix impatiente.

— Après? Quand tu me verras en sûreté, tu descendras le long de la voie ferrée quelques centaines de pieds plus loin et quand le train passera, tu sauteras à bord.

Tout se déroula comme prévu, avec une facilité étonnante. Heureux de l'avoir comme auditoire, Miette s'apprêtait à recommencer ses éternels monologues. Avant qu'il ne se lance dans ses «divagations sentimentales», comme il disait, John lui demanda:

— Le poivre, était-ce bien nécessaire?

Miette sourit et dit:

— Non pas vraiment, mais ça met du piquant dans la sauce, ne trouves-tu pas?

Pendant qu'il lui répondait de la sorte, il le regardait comme un enfant qui attend qu'on l'approuve.

— Disons que c'est original comme idée, acquiesça John.

Miette se mit ensuite à discourir sur l'inconfort des grandes villes, sur la pluie et le beau temps, et à disserter sur mille autres sujets sans rapport les uns avec les autres. Ses propos dégageaient un pessimisme auquel Miette n'avait pas habitué John, qui le lui fit remarquer. Son compagnon répondit avec une nuance d'impatience:

— Garde tes illusions si tu veux! À ton âge, on ne voit pas la vie et on ne raisonne pas comme à soixante ans.

— Chicago m'est devenu cher, avoua John.

— Mary ? questionna Miette.

— Oui !

— C'est un bon choix. Peux-tu te figurer, jeune homme, qu'il y a eu plus d'une Mary dans ma vie quand j'avais ton âge ?

— Aucune en particulier ? s'enquit John.

Il ne répondit pas tout de suite. John sentait qu'il forçait ses confidences. Miette prit le temps d'allumer sa pipe avant de poursuivre.

— Bien sûr qu'il y en a eu une en particulier, et une belle femme à part ça. Trop belle sans doute... Trop remplie d'elle-même... Elle est partie au bras d'un autre. Depuis ce temps, j'ai tracé une croix sur toute les Mary de mon existence.

Il tira de sa poche son indispensable flacon, en prit une lampée et le tendit à John qui déclina son offre... « Par amitié ! », insista Miette. John en avala une gorgée et s'étouffa. C'était du gin. Miette éclata de rire. Son excès d'hilarité le secoua pendant un bon moment puis, lentement, il s'apaisa comme une girouette qui s'arrête, faute de vent. Il essuya quelques larmes du revers de la main et il rappela, en se tapant sur les cuisses :

— La vie a parfois de ces surprises !

Le voyage de Chicago à Saint Paul Minneapolis s'effectua en quelques heures. Lorsque leur convoi s'immobilisa, Miette, qui semblait avoir des amis partout et s'était mis dans la tête de rendre John riche, l'invita :

— Tu viens ? J'ai quelqu'un à te présenter.

À peine avaient-ils quitté le train qu'il entraîna John sans tarder vers la banlieue de la ville.

— Tu connais les shakers ? questionna-t-il.

— Les shakers ? Je n'ai jamais entendu parler d'eux.

— Pour ton information, mon garçon, sache que les États-Unis d'Amérique sont d'une incroyable tolérance à l'égard de tous les marginaux. Les shakers en sont. Ailleurs, on les chasserait sans doute… Ici, on les tolère. Il n'y a que ce grand pays pour admettre des sectes comme celle-là.

— Qu'ont-ils de si terrible ?

— Ils sont tout à fait inutiles, un poids pour la société. Mais à quoi bon, tu verras bien toi-même puisque nous allons profiter de l'hospitalité d'un de leurs prétendus prophètes.

Ils parcoururent encore plusieurs milles avant de parvenir à une vaste villa entourée de jardins.

— Ici, dit Miette, s'élève le royaume de Bill le shaker.

— Bill le shaker ?

— Tu n'en as jamais entendu parler ?

— Jamais.

John admira l'édifice. Sa façade courait sur une soixantaine de pieds. À chacune de ses extrémités, une aile au moins deux fois plus longue prolongeait la maison vers l'arrière. Si on excluait les deux ailes, de construction plus récente, la villa ressemblait, vue de l'extérieur, en tous points à ses voisines. Une fois à l'intérieur, toutefois, ils constatèrent qu'elle en différait certainement beaucoup, puisque plusieurs murs avaient été jetés à terre afin de permettre l'aménagement d'une vaste salle qui se transformait tous les dimanches en lieu de prière. De chaque côté de cet amphithéâtre, des portes donnaient sur les chambres réservées aux visiteurs et aux disciples. Tout au fond, la dernière s'ouvrait sur les appartements du prophète attenants à la cuisine et à la salle à manger.

Bill le shaker les reçut à bras ouverts.

— Les amis de mes amis sont aussi les ennemis de mes ennemis, lança-t-il en guise de bienvenue.

John vit immédiatement que l'homme avait de la faconde. Il captait rapidement l'attention et mettait dans ses propos quelque chose qui les rendait envoûtants. Ils eurent droit à des recommandations fort convaincantes sur l'importance d'abandonner tout bien terrestre pour se consacrer à la louange de Dieu. Peu familier de la Bible, John eut de la difficulté à suivre le cheminement de sa pensée, tant il maniait avec habileté les textes des divers livres inspirés. Il se rendit vite compte, cependant, qu'il en utilisait les paroles à son propre avantage.

— Jésus, commença-t-il, nous a prévenus : "Ne prenez rien pour le voyage, ni bâton, ni sac, ni pain, ni argent et n'ayez pas deux tuniques." Isaïe a dit : "Mangeons et buvons, car demain nous mourrons."

C'était une invitation à peine voilée à dépenser tous leurs avoirs en sa compagnie.

— C'est comme ça que tu te fais des disciples ? se moqua Miette. Ça apporte de l'eau à ton moulin.

Sans perdre contenance, Bill rétorqua en dévisageant John :

— Vous conviendrez avec moi qu'il vaut mieux s'attirer des disciples par la parole que par le fusil.

Il les conduisit ensuite vers les pièces mises à sa disposition. Toutes avaient un cachet très particulier. L'une d'elles servait de lieu de détente. Sur le sol, des coussins étaient partout disposés sur lesquels les visiteurs avaient le loisir de s'asseoir pour méditer en attendant d'être reçus par le prophète. Les murs nus affichaient pour tout ornement un triangle rouge vif sur l'un et en face un cercle vert tendre. Bill expliqua :

— Si quelqu'un vient méditer, assura-t-il, et qu'il a les nerfs à vif, il n'a qu'à fixer le point vert et son esprit trouvera la paix. Si, au contraire, il est engourdi et amorphe, en concentrant son regard sur le triangle rouge, son esprit s'éveillera.

Sceptique, John demanda :

— Cette méthode réussit vraiment ?

— À qui le dis-tu ! Je suis son inventeur et j'en garantis l'efficacité.

Plus loin, ils pénétrèrent dans un appartement plongé dans la pénombre où Bill le shaker accueillait les disciples qui désiraient le rencontrer. Dans cette pièce qui respirait le mystère et le recueillement se déroulaient depuis des années les rencontres décidant de la vie et de l'avenir de centaines de ses disciples. Il devait être passé maître dans l'art de la persuasion pour être parvenu à regrouper autant de fidèles autour de lui. Il expliqua avec fierté à John :

— Les chambres sont toutes occupées. Les dortoirs abritent chaque nuit des dizaines d'adhérents à mes croyances.

— Y en a-t-il qui restent ici en permanence ?

— Certainement ! Je ne retiens personne, mais certains décident de demeurer entre nos murs. Tout ce que je leur demande, c'est de payer leur logement et leur nourriture.

John s'interrogeait sur ce qui pouvait les attirer dans ce milieu et il se posait également des questions sur les liens pouvant exister entre Miette et ce prophète. Où Miette l'avait-il connu ? Était-il un de ses disciples ? Pour lui, le mystère planait aussi obscurément sur cette étonnante relation que sur les origines de cette étrange secte.

Sans se départir de son air moqueur, Miette écoutait distraitement Bill. Imperturbable, après chaque sentence de son ami, il ajoutait invariablement un amen équivoque. Bill n'y prenait pas garde et continuait ses recommandations le plus sérieusement du monde, tout occupé à convaincre John de l'importance de ses propos. Ce dernier n'était pourtant pas dupe et se rendait bien compte des véritables motifs qui animaient le prophète. À ses yeux, toute personne représentait une possibilité de gain. Il se servait de la religion comme d'un appât pour parvenir à ses fins et avait bâti sa fortune à même la naïveté de ses disciples. N'eussent été la présence et l'attitude de Miette, John était bien conscient qu'il aurait pu, comme bien d'autres, tomber dans ses filets.

Plus tard, il fit part de ses réflexions à Miette, qui s'amusa beaucoup à ses dépens :

— Tu ne veux pas devenir riche ?

— Bien sûr que je le veux.

— Dans ce cas, fonde ta propre religion et dans quatre ans, tu auras en poche beaucoup plus que cinquante mille dollars.

— Mon parrain a demandé que je fasse fortune de façon honnête.

— Que vois-tu de malhonnête dans les agissements de mon ami Bill ?

— Il exploite les gens naïfs.

— C'est à eux de ne pas se laisser prendre. Il ne leur tord pas les bras. S'ils sont assez stupides pour lui donner leur argent, c'est leur affaire.

John ne savait qu'objecter aux arguments de Miette.

— Bill serait un excellent professeur pour toi, poursuivit Miette. Tu apprendrais en quelques mois à ses côtés comment te faire des disciples et tu pourrais fonder ta propre secte ailleurs au pays.

— Mais je n'aurais jamais la conscience tranquille et je ne serais pas fier de moi d'exploiter les autres de cette façon, répondit John.

— Comme tu voudras ! conclut Miette, l'air déçu. Mais avant de prendre une décision définitive, attends au moins d'avoir assisté à un de leurs offices.

Chapitre 35

Chez les shakers

Le dimanche suivant, l'office religieux se tint dans la grande salle de la villa. De lourdes draperies masquaient les fenêtres. Quelques lampions allumés aux quatre coins de la pièce assuraient l'éclairage. Les disciples se massaient au centre, assis dans une attitude de profond recueillement. Habile metteur en scène, comme sa fonction de prophète l'exigeait, Bill le shaker surgit de ses appartements dans un nuage de fumée. Sa voix grave retentit brusquement comme un coup de gong, en rompant sans pitié le silence dans lequel chacun de ses disciples s'était drapé.

— Repentez-vous, mes frères et mes sœurs, si vous voulez échapper au courroux céleste.

Quelques gémissements montèrent des quatre coins du temple. Un long cri vint s'ajouter aux premières plaintes, puis une voix lança :

— Repentons-nous !

Des mouvements saccadés des mains et de la tête firent trembler un bon nombre des assistants. Le prêcheur reprit la parole :

— La miséricorde infinie de Dieu jaillit sur ceux et sur celles qui savent se reconnaître pécheurs.

Les plaintes et les gémissements reprirent de plus belle. Des cris plus aigus couvrirent la voix du prédicateur.

— Pardon Seigneur! hurla un disciple.

— Pardon Seigneur! reprirent d'autres voix comme en écho.

Le mouvement des mains et des têtes s'amplifia, gagnant toute l'assistance. Le grondement sourd des voix s'accentua pour devenir une clameur. Tel un diapason géant, le temple répercuta pendant un long moment ce son profond et grave comme le cri d'une corne de brume. Plus le son s'intensifiait, plus les fidèles s'agitaient, tremblant de tous leurs membres. D'un seul élan, tous se levèrent, en proie à de vives convulsions qui se transformèrent peu à peu en des bonds de plus en plus chaotiques.

John n'avait jamais assisté à pareil spectacle.

— Loué soit le Seigneur! clamait Bill le shaker.

— Loué soit le Seigneur! hurlaient ses disciples en sautant comme des cabris.

Après quelques minutes de cet étrange manège, le calme revint progressivement. Le prédicateur éleva la voix:

— Qui a péché, péchera! Qui regrette, obtiendra miséricorde. Malheur à qui se marie! Malédiction sur celui et celle par qui la procréation arrive! Il n'y a de salut qu'en Dieu. Seul tu es né, seul tu mourras.

La voix du prophète envahissait la pièce et, par un phénomène que John ne pouvait s'expliquer, se répercutait comme un écho. Autant l'agitation avait été grande, autant l'immobilité devint étonnante.

— Faites place en vos cœurs à l'amour. Partagez, mes frères et mes sœurs, ce que vous possédez. Donnez et vous recevrez. Le don efface la faute, suscite le pardon, libère l'âme.

Un cri strident déclencha une nouvelle vague de tremblements. L'assemblée entière se mit à bouillonner comme les eaux d'un puissant rapide. Aux cris épars succédèrent des hurlements continus qui se muèrent progressivement en un son grave, déclencheur de hauts bonds et d'inquiétants hoquets. Cette fois, l'agitation dura beaucoup plus longtemps. Bill le shaker l'alimentait du haut de son estrade par une transe parfaitement feinte. Les disciples l'imitaient dans un défoulement collectif ponctué de scènes d'hystérie qui durèrent une bonne dizaine de minutes. En même temps que les personnes sautaient, leurs vêtements volaient de toutes parts, jusqu'à ce que graduellement cet emportement meure de lui-même. Les hommes et les femmes tombaient dans les bras les uns des autres en gémissant, à bout de souffle. Pour réanimer la flamme, l'animateur répétait comme un leitmotiv :

— Frères et sœurs, que la paix soit avec vous ! La paix soit avec vous ! La paix soit avec vous ! Réjouissons-nous tous dans le Seigneur. Une fois de plus sa grâce nous habite. Portons-lui généreusement nos offrandes pour que la paix totale envahisse notre esprit.

Pendant quelques secondes, il y eut un répit, puis la vague progressivement se reforma mais d'une façon beaucoup plus ordonnée. Il se produisit un mouvement de l'arrière jusqu'à l'avant. D'une main à l'autre, les offrandes s'acheminèrent jusqu'aux pieds du prophète.

— Dieu soit loué ! hurla-t-il. Une fois de plus, nous possédons la vérité. Il n'y a pas de plus grande joie que de s'offrir à notre créateur dépouillé de tout, comme notre ami Job. Nus nous sommes nés, nus nous mourrons. Une fois encore, laissons-nous bercer par la voix de Dieu. Abandonnons-nous à sa divine volonté. Laissons-nous porter par sa puissance, forger par sa force, immerger dans son esprit.

Sur ces paroles, il fit voler en l'air sa tunique et, nu comme un ver, descendit de son estrade se joindre à ses disciples. Son geste déclencha un mouvement dans la foule. Tout se mit à vibrer et à trembler. Les corps se balançaient au même rythme d'avant en arrière, puis de gauche à droite. Certains commencèrent à osciller, d'autres à tournoyer à la manière des derviches tourneurs. Un cri déclencha une série de « ahan » parfaitement rythmés. Un nouveau cri cassa la cadence et marqua le début de sauts qui semblaient caractéristiques à cette secte. Ce ne fut ensuite qu'un immense murmure s'amplifiant en crescendo au rythme des transes individuelles. Le mouvement s'accentua, bien ordonné. Il dura plus de vingt minutes sans jamais perdre de son intensité, jusqu'au hurlement suprême de Bill le shaker qui marqua la fin de cette espèce d'orgasme collectif.

Brusquement, comme si un ressort venait de casser, les disciples exténués s'affalèrent les uns sur les autres au sol, duquel montait une puissante odeur de poussière et de sueur. Ils mirent de longues minutes à retrouver leur souffle et leurs sens. La plupart étaient nus. Ils se revêtirent, satisfaits, ayant refait le plein pour la semaine à venir. Encore rempli des échos de cette clameur, le temple se vida graduellement. Le prophète salua son monde sans montrer le moindre signe d'impatience. Mais, dès que le dernier disciple eut passé la porte, il se lança sur les offrandes comme un rapace sur sa proie. Sur son visage se dessina un sourire satisfait. Il emporta son butin dans ses appartements.

Abasourdi, John demeura un long moment à repasser dans son esprit les images de cette étrange cérémonie. Miette se chargea de le ramener à la réalité.

— As-tu aimé le spectacle ? demanda-t-il en observant de près sa réaction.

— J'en ai mal au cœur.

— Allons donc, tu prends tout beaucoup trop au sérieux.

— C'est de la supercherie ! s'indigna-t-il.

— Tut ! Tut ! C'est une façon de gagner sa vie. Justement, le prophète n'oublie pas ses amis. Il nous attend pour dîner.

John allait décliner l'invitation, mais Miette ne le voyait pas de cet œil.

— Tu as encore beaucoup de choses à apprendre de la vie. Ne perds jamais la chance de t'instruire.

Comme ils approchaient de la cuisine parvint à leurs narines une bonne odeur de bœuf rôti. Miette se tourna vers John et lui adressa un clin d'œil :

— Tu vois, d'habitude les shakers sont végétariens, mais leur prophète est au-dessus de toutes les règles, surtout quand il attend des invités !

Bill le shaker les reçut avec enthousiasme. Il leur apprit le résultat des dernières offrandes, plus de deux mille dollars.

— Mes disciples sont très généreux, expliqua-t-il. Ils donnent le dixième de leur salaire de la semaine pour faire vivre leur prophète et leur secte. La plupart trouvent que ce n'est pas suffisant et versent généreusement jusqu'à vingt-cinq pour cent de leurs avoirs.

John n'en croyait pas ses oreilles. Miette se pencha vers lui et murmura :

— Toi qui veux devenir riche, tu ferais un excellent prédicateur.

Il y avait de l'ironie à la fois dans sa voix et dans son regard. Riche, John désirait bien le devenir, mais certainement pas de cette façon. Il se sentit soudainement mal dans sa peau, comme dans un habit trop serré. Il n'avait plus qu'un désir : quitter cet endroit en vitesse.

Chapitre 36

Ramirez

En compagnie de Miette, fort heureusement, on ne traînait pas trop longtemps au même endroit. Il avait convaincu John de faire une croix sur Stillwater et son projet d'emploi chez un fermier de cette région.

— Tu ne ramasseras pas cinquante mille dollars en travaillant quatre ans comme garçon de ferme. Il te faut quelque chose de plus payant en travaillant à ton compte. C'est dans l'Ouest que t'attend la fortune.

— Mais qu'est-ce que je vais faire ? s'inquiéta John. À part travailler dans une filature, je n'ai rien appris.

— Tu verras en temps et lieu.

À la levée du jour, ils se faufilèrent comme des chats entre les wagons, jusqu'au train repéré par Miette.

— Celui-ci part pour l'Ouest, assura-t-il.

John eut à peine le temps d'apprécier la fraîcheur de ce petit matin rempli de parfums comme un bon panier de fruits qu'il sautait déjà dans le wagon de marchandises. Il en avait maintenant l'habitude, il suivait Miette machinalement.

Leur train s'ébranla, secoué par la puissante locomotive. L'Ouest entier les attendait. Le convoi traversa d'abord Minneapolis. Les voies tissaient leur
large toile d'araignée dans toutes les directions. Dans
ce dédale, le train cherchait sa route.

— Quel bord nous allons prendre ?

— Le nord ! prédit Miette.

Docilement, la locomotive tourna son grand œil de
cyclope franc nord. Des petites villes pimpantes les
saluèrent au passage : Anoka, Ello River, Saint Cloud,
Sauk Center, Osakis, Alexandria, Fergus Falls,
Barnesville. Le Dakota du Nord leur faisait du charme,
mais l'Ouest lançait son vibrant cri d'appel. Le train
hésita de nouveau, chercha un instant sa voie. Miette se
leva, s'étira, jeta un coup d'œil dehors au moment où le
train ralentissait.

— Terminus ! cria-t-il subitement en ouvrant la
porte.

Le train roulait à peine. Ils sautèrent au bord de
la voie. Les lumières de la gare de Fargo brillaient
à moins d'un demi-mille. Miette tira John par la
manche. Il se demandait quel moustique l'avait piqué.
Il l'entraîna en direction d'une enseigne lumineuse
où était inscrit en grosses lettres : RAMIREZ
CIRCUS.

— Je ne savais pas qu'il était ici, dit Miette.

— Qui ça ?

— Mon ami Ramirez.

John s'informa d'un ton acerbe :

— Un autre ami aussi bizarre que Bill le shaker ?

— Un ami, si étonnant soit-il, vaut mieux que pas d'ami du tout. Tu veux savoir comment on devient riche ? Mon ami Ramirez te l'apprendra.

C'était la première fois que John mettait les pieds dans un cirque. Tout l'étonna : la grande tente, les trapèzes, les cages, les bêtes sauvages, les roulottes. De tous les coins surgissaient des personnages colorés : cracheurs de feu, dompteurs de fauves, clowns, jongleurs, prestidigitateurs, équilibristes, danseurs, trapézistes.

Ils rejoignirent Ramirez. Puissant d'épaules, carré de mâchoires, moustache tombante, cheveux de jais, yeux de feu, l'homme paraissait fait en roc. Son expression ne changea pas à leur approche, même quand il reconnut Miette. Était-il heureux de le voir ? Rien ne transpira de ses émotions. Son accueil plutôt froid laissa John perplexe. Miette ne s'en formalisa pas et attaqua tout de go :

— Je t'amène un jeune homme qui veut devenir riche.

Ramirez dévisagea John, esquissa un semblant de sourire avant de dire :

— Tu as une bonne tête. Si elle est agrémentée d'une assez forte cervelle ça pourra toujours aller. Si tu sais écouter et observer, tu découvriras rapidement ici les clés de la réussite.

Il les entraîna ensuite dans son sillage en ajoutant :

— Vous me semblez fatigués, vous dormirez dans ma voiture.

En retrait, les roulottes bariolées des romanichels ajoutaient un air exotique à cet étrange environnement.

Ramirez les guida vers la plus grande, la sienne, où les attendaient de bons lits. John s'étonna de ce confort. Ramirez expliqua :

— Dans un cirque, le travail est dur et la tension, toujours grande. Qui trime dur mérite un bon lit.

John remarqua l'ordre. Rien ne traînait. Chaque objet avait sa place précise et s'y trouvait. Comme s'il avait lu dans ses pensées, Ramirez précisa :

— Dans un cirque, une coche mal taillée, une petite négligence, un détail oublié et c'est la catastrophe. Si vous prenez quelque chose, remettez-le là où vous l'avez pris. Ne dérangez surtout rien de ce que vous voyez, même si ça peut vous paraître insolite.

De ces journées au cirque, John garda un souvenir à la fois agréable et troublant. Il y apprit que la réussite tient à peu de chose : travail, ordre et persévérance. Mais ce monde insolite ne l'attirait pas. Vu de l'extérieur, tout semblait si merveilleux, mais de l'intérieur le cirque montrait un tout autre visage. Tout n'était que clinquant, trompe-l'œil, camelote. Miette riait de son étonnement.

— Un cirque, c'est l'image même de l'Univers. Dans le monde, tout fonctionne de cette façon. Regarde, écoute, observe et tu verras. Tout est feint, truqué, fallacieux. On vit constamment dans l'équivoque, le mensonge ou la demi-vérité. Essaie de savoir de quelqu'un ce qu'il pense vraiment de toi. Sa réponse grouillera d'échappatoires, de faux-fuyant. La vérité n'est jamais qu'un peu d'illusion, la richesse du trompe-l'œil, la politique du mensonge, l'amour de l'insaisissable, le plaisir de l'éphémère. Il n'y a de vrai que le rêve. Croire à ses rêves, avoir l'habileté de les rendre réels, le courage de les réaliser jusqu'au bout, c'est ça, vivre.

Il se tut un moment avant d'ajouter :

— Ramirez et ses saltimbanques nous permettent de vivre nos rêves durant quelques heures. Ils réveillent en nous le clown qui dort, le jongleur qui ne veut pas prendre de risques, l'équilibriste qui a peur de tomber, le trapéziste qui aimerait voler. C'est pour ça que nous apprécions tant leur spectacle. Ils nous font vivre nos rêves. Tu as tort de critiquer les moyens qu'ils prennent pour y parvenir.

John ne parlait pas. Miette avait sans doute raison, mais John aurait eu de la difficulté à bâtir sa vie sur du sable aussi mouvant : tables et coffres truqués, baguettes escamotables, fausses armes, trappes dissimulées, objets camouflés, visages masqués, substitutions, tours de passe-passe.

— J'ai bâti ma fortune sur le désir des gens d'échapper à la réalité, dit Ramirez. Nous trichons à peine, même si, vues de l'envers du décor, beaucoup de choses ici paraissent fausses. Les gens le savent, mais ils aiment qu'on les étonne et ils en redemandent. Peu importe les moyens employés pour faire jaillir l'imprévu, l'inattendu, pourvu que ça les sorte de leur quotidien, que ça leur permette d'oublier, ne serait-ce qu'une heure. Ils payent pour ça. Au fond, ils ont raison. Qui n'a pas besoin de merveilleux ? Nous les rendons heureux. Tant mieux si nous faisons fortune du même coup !

Ramirez n'avait pas tort. C'était le beau côté de son métier, il distribuait le merveilleux à pleines mains. Mais, par malheur, John avait vu l'envers du décor. À répéter tous les soirs les mêmes gestes, ces amuseurs ne s'amusaient plus. Il comprenait pourquoi les clowns, tout en faisant rire, étaient si souvent tristes.

— Il vaut mieux parfois ne pas connaître l'envers de la médaille, dit-il à Miette. J'aurais aimé ne pas savoir pour pouvoir faire durer le rêve et l'émerveillement.

Chapitre 37

Rutherford

Le cirque de Ramirez s'estompa rapidement dans la brume de ses souvenirs. Avait-il réellement existé ? N'avait-il pas jailli plutôt au détour d'un de ses désirs ? Le train, bien réel, imposa de nouveau sa banalité quotidienne. Les plaines et les montagnes du Montana les accueillirent dans une débauche de soleil. Miette devint plus taciturne et se mit à marmonner à l'intention de John :

— Ça veut devenir riche et ça rechigne sur les moyens. Que puis-je encore lui offrir ? Me reste-t-il d'autres amis à lui présenter ? Voyons ! En admettant qu'au fond nous sommes tous millionnaires de quelque chose... de millions de dettes, de problèmes, de peines, de joies, de désirs, de fleurs... Il me reste encore plusieurs millionnaires dans ma manche.

Il se tourna dans la direction de son élève et ajouta :

— Mon ami Platt est millionnaire à sa façon, tout comme son patron Frank Simpson. Le temps venu, je te les ferai connaître tous les deux à Great Falls, mais auparavant, je tiens absolument à ce que nous nous arrêtions saluer mon ami Rutherford.

De nouveau, sur des milles et des milles, sans limites, la route de fer s'allongea en saluant au passage des villages aux noms chantants : Buford, Poplar, Wolf Point, Lambettes, Medicine Lodge, Trading Post, Belknaps, Fort Assiniboine, Fort Benton. Puis, à un arrêt, sans mot dire, Miette poussa John hors du wagon. Rutherford devait habiter dans les parages. Ils reprirent la route poussiéreuse en traînant leurs havresacs.

Fort Benton somnolait sous un soleil brûlant comme une plaie. La villa Rutherford, cachée derrière des haies en rang d'armée, semblait de loin un monument élevé dans la verdure. Son propriétaire adorait sans doute la pierre, car tout chez lui se dressait droit, lisse, froid et nu comme un tombeau. Quel était le mystère Rutherford ?

Les regards de John se posèrent derrière la villa, au-delà d'une petite rivière dont le cours sinueux tranchait la vallée comme une balafre. L'énigme, tel un mirage, s'estompa aussitôt.

— C'est là ? questionna John

— Oui, répondit Miette. Rutherford est gardien d'un cimetière.

Les tombeaux en pierre se dressaient sur le versant sud de la rivière, bonzes immortels tournés vers un invisible royaume. John se demandait comment un gardien de cimetière pouvait être riche. Cependant, ce champ de morts lui paraissait spécial avec ses tombes et ses mausolées d'une étonnante splendeur. Ceux et celles qui dormaient en ce lieu avaient dû être aimés passionnément et regrettés amèrement. Miette l'invita à traverser un pont qui, en face du cimetière, enjambait d'un seul bond la rivière. Plus ils approchaient de l'autre rive, plus John était intrigué. Un vaste bâtiment longeait le cours d'eau. Miette déclara :

— Voici l'hôpital !

John ne comprenait plus rien. Des aboiements leur parvenaient en même temps que des odeurs de chenils atteignaient leurs narines. Plus loin, des écuries venaient ajouter leurs relents caractéristiques. Miette ne parlait plus. Il observait John du coin de l'œil, en attendant qu'il finisse par comprendre. Quand le jeune homme emprunta la première allée du cimetière où gisaient les précieux restes de ces êtres chers, enfin, la lumière se fit en lui. De naïves épitaphes clamaient la peine profonde des survivants.

Furie ! Tu étais toute ma vie
En te perdant, j'ai tout perdu
Puisses-tu en ta contrée bénie
Accueillir ton maître éperdu.

Rutheford exploitait un cimetière d'animaux. Il dirigeait également un hôpital vétérinaire, une école de dressage et un salon de toilettage. Le maître des lieux les reçut poliment, sans montrer trop d'empressement. C'était un homme rougeaud et rondelet qui roulait plus qu'il ne marchait. Il parlait d'une voix doucereuse en sifflant ses « i », se frottant continuellement les mains d'un air satisfait, ce qui le rendit aussitôt antipathique à John. Ils eurent droit à une visite guidée de sa villa. On y trouvait de tout en si grande abondance et d'un si mauvais goût qu'on se serait soudainement cru au milieu d'un marché aux puces.

Rutherford, tout à coup, s'enthousiasma. Plein de suffisance, il tira Miette par la manche.

— Viens, cher ami ! Viens voir ce que le Grand Rutherford a acheté. C'est une merveille !

Ils lui emboîtèrent le pas. Partout, la vaste demeure montrait le visage désolé de l'encombrement. À chaque pas on butait sur des maquettes de tombeau. Dans un coin, de lourds rideaux gris drapaient une forme vers laquelle Rutherford se dirigeait prestement.

— Mon trésor ! s'exclama-t-il.

Cultivant le mystère, il les laissa quelque peu languir avant de dévoiler un extraordinaire monument plaqué or créé à la gloire d'un cheval nommé Célébrité. Sculptée dans la position où elle se cabre, la bête avait vraiment belle apparence. Rutherford jubilait.

— Avez-vous déjà admiré plus beau monument ?

Miette lui-même admit que la pièce était fort bien réussie.

— C'est un chef-d'œuvre qui doit avoir beaucoup de valeur, fit-il remarquer.

— Plus que tu ne le crois, reprit Rutherford. Ce monument vaut une petite fortune et je l'ai vendu hier à la personne qui me l'avait commandé. Elle doit venir le chercher aujourd'hui même.

Il n'avait pas terminé sa phrase que se présentait à lui une jeune femme portant un voile de deuil et vêtue d'un habit de jockey. À la vue de la sculpture, elle se mit à gémir et à pleurer comme un enfant. Rutherford la soutint et la fit asseoir.

— Comme je compatis avec vous ! dit-il, le visage éploré. Quelle grande perte !

— Vous ne le direz jamais assez, bredouilla la jeune femme tout en poussant encore de profonds soupirs. C'était mon seul véritable ami. Que la vie est triste !

Rempli d'une feinte sollicitude, Rutherford lui prodigua encore quelques mots de consolation :

— Vous en garderez un souvenir immortel avec ce monument.

La jeune femme leva les yeux en poussant un gémissement. Elle releva son voile et essuya quelques larmes. Des hommes soulevèrent la statue et la portèrent à l'extérieur. Rutherford se frottait les mains.

De nouveau, des larmes roulèrent sur les joues blêmes de la jeune femme. Elle renifla, tira de sa manche un mouchoir dont elle s'essuya les yeux avec précaution avant de retourner auprès de son seul véritable ami. Après son départ, Rutherford leur confia :

— Célébrité, c'était son fils. Elle n'a jamais voulu avoir d'enfant. Elle trouvait ça trop encombrant, tandis que pour ce cheval, elle aurait donné sa vie et sa fortune.

Miette se pencha vers John et lui souffla à l'oreille :

— Elle a payé ce monument trente-cinq mille dollars alors qu'il n'en vaut pas vingt.

Rutherford pouvait bien jubiler. Il était devenu millionnaire en exploitant la peine des gens. John resta là, éberlué. Quand, au bout d'un moment, il se tourna vers Rutherford et l'aperçut tout souriant, il ne sut trop pourquoi, une image de conte de fées traversa son esprit : celle d'un ogre qui se frotte les mains avant d'avaler un enfant

Chapitre 38

Platt et Simpson

Le lendemain, John ne se fit pas prier pour reprendre le train vers l'Ouest. Cette fois, Miette lui avait fait part de leur destination : Great Falls. À leur arrivée dans cette petite gare plantée au beau milieu des champs, un vieil homme assis sur un banc en retrait du quai principal sortit doucement de sa torpeur aux cris de Miette.

— Platt ! Tu es venu !

Les deux hommes s'embrassèrent avec chaleur. Dans les yeux bleu ciel de Platt passa une lueur de tendresse. Miette se mit à parler et à gesticuler en un grand débordement d'enthousiasme. Son flot de paroles déferla sur eux comme une débâcle. Paisiblement, le vieux Platt dénoua de leur poteau les cordeaux de son cheval en les invitant d'un geste à monter dans sa voiture, un genre de charrette à brancards aussi âgée que lui.

— Veuillez m'excuser, jeune homme, de ne pas être venu vous chercher dans une meilleure voiture.

— Qu'est-ce que ça change, dit John, pourvu qu'elle nous mène à destination.

Ils prirent la direction du sud, vers Great Falls. John ne tenta même pas de s'expliquer comment Miette avait pu contacter son ami pour qu'au bon moment il soit là à les attendre. Quelques milles plus loin, ils entraient dans ce village qui n'avait de grand que le nom. Une poignée de maisons les y accueillirent, fouines attroupées en curieuses autour d'une petite église. Plus au sud, une grande habitation fleurie comme une corbeille et flanquée d'un beau jardin jetait un coup d'œil vers les montagnes par-dessus une clôture en pierre. Platt les y conduisit au petit trot de son cheval.

— C'est la demeure de mon patron, Frank Simpson, dit-il. J'y travaille comme jardinier.

Ils pénétrèrent dans un hall aux murs tapissés de trophées de chasse : têtes de bison, de grizzly, de chèvre de montagne, de loup, de coyote. Au mur pendait un râtelier chargé de carabines luisantes comme les pièces d'une coutellerie.

— Mon maître a cinq passions : les voyages, les chevaux, les fleurs, la chasse et les armes à feu.

Ils passèrent dans un salon du même style que le hall : peaux de mouton, de buffle, d'ours, table et fauteuils en chêne, bibliothèque et foyer, tout était impeccable. Le vieux Platt les invita à s'asseoir.

— Veuillez excuser mon patron, jeune homme, il m'a prié de vous tenir compagnie ce soir. Vous pourrez sans doute le rencontrer demain.

Exténué, Miette s'était enfoncé dans les coussins d'un large fauteuil. Il dormait déjà, la bouche grande ouverte et la tête renversée en arrière. Le vieux jardinier ne s'en formalisa pas, sans doute habitué à pareil comportement de sa part.

— Miette et moi sommes des amis de longue date, précisa-t-il. Mais vous, jeune homme, je devrai apprendre à mieux vous connaître. Voulez-vous me rappeler votre nom ? Quand on vieillit, vous savez...

— John Love.

— Quel joli nom ! C'est américain ?

— Non ! C'est français du Canada, de la province de Québec, mais traduit en anglais. En réalité, je m'appelle Jean Damour.

Platt sourit aimablement et lui fit répéter son nom en français. Puis sans transition, il déclara :

— Miette et moi, nous nous ressemblons sur plusieurs points. Nous n'avons pas besoin de beaucoup de choses pour vivre heureux. Lui, quand il a de la compagnie, ça lui suffit. Moi, regarde ce jardin : c'est ma vie.

John s'approcha de la fenêtre qu'il lui désignait et jeta un coup d'œil dehors. Les yeux de John se perdirent dans une symphonie de couleurs : tout n'était que fleurs.

— Ça te plaît ?

— Bien sûr, dit-il avec enthousiasme, je n'ai jamais vu tant de fleurs !

— Sans la passion de Frank Simpson pour les fleurs, il n'y aurait pas de jardin ici, ajouta-t-il. Pour ton information, mon jeune ami, s'il te plaît de l'apprendre, je te dirai qui est Frank Simpson.

Voyant l'intérêt de John, il commença le récit des aventures de son patron. John retint surtout le fait que Simpson avait quitté l'école à seize ans, ce qui ne l'avait pas empêché de faire fortune. Il avait commencé à travailler comme simple gardien de vache pour un rancher du Texas, qui l'envoya conduire un troupeau dans l'Est. Débrouillard, Simpson parvint à vendre les bêtes à un très bon prix, ce qui le mit dans les bonnes grâces de son patron, dont il épousa la fille aînée. En guise de cadeau de noces, son beau-père lui fit don de deux cents têtes de bétail, des Hereford, et de quatre mille hectares de terre au Montana. Il découvrit que ce territoire possédait la plus grande richesse qui soit : le seul point d'eau à des milles à la ronde. Il en réglementa l'accès pour tous les éleveurs du voisinage, en chargeant un prix pour chaque bête qu'ils y amenaient s'abreuver. Il fit construire un ranch et agrandit son territoire grâce à un avis public dans lequel il revendiquait comme pâturage toute la vallée du Judith Basin. Personne ne contesta puisque le seul point d'eau de ce territoire lui appartenait déjà. Il regroupa autour de son ranch les demeures de ses ranchers, construisit une forge pour l'entretien des voitures et le ferrage des chevaux, une ferblanterie, une laiterie et une cantine.

Le vieux Platt était intarissable. Il vouait une admiration sans bornes à son patron. Il conta encore à John comment Simpson, en achetant du bétail au bon moment, parvint à accroître rapidement sa fortune. Un jour, un éleveur tenta de faire traverser les Bitteroot Mountains à ses bêtes. Les montagnes trop élevées forcèrent le troupeau à rebrousser chemin. Le malheureux éleveur qui habitait à plus de cent milles de là se vit contraint de céder à Simpson, à un prix ridicule, plus de mille bêtes épuisées par cette ascension difficile. C'était par des transactions semblables qu'il était devenu millionnaire. John avait hâte de le connaître. Il demanda à Platt :

— Quelle sorte d'homme est-il dans la vie de tous les jours ?

— C'est un maître ferme, mais juste. Il n'a jamais toléré sur son ranch et parmi ses ranchers un désordre quelconque. Les armes, les jeux d'argent, les blasphèmes, les femmes et l'alcool sont interdits chez lui.

Miette, qui avait roupillé pendant tout ce temps, venait de se réveiller.

— Je me lève pour aller me recoucher, dit-il à Platt.

— Les lits sont prêts, mais vous allez bien manger un peu avant d'aller dormir ?

— John a sans doute faim, supposa Miette. Quant à moi, j'ai surtout sommeil.

C'est ainsi que se termina la soirée de John : en compagnie du jardinier, devant une table fort bien garnie.

Chapitre 39

Chacun sa richesse

Le lendemain au déjeuner, Platt dit à John que Simpson, mis au courant de son intention de travailler, offrait de l'engager dans un de ses ranchs situé à une trentaine de milles de Great Falls. Il fallait qu'il se présente à un certain Joe Montana. Miette proposa à John d'accepter cette offre sans trop tarder.

— Je ne pourrai jamais amasser cinquante mille dollars ici en quatre ans ! protesta-t-il.

— As-tu un meilleur endroit où aller ? rétorqua Miette. Pendant que tu cours les grands chemins et que tu refuses les offres de mes amis, tu ne gagnes pas un sou. Ici, au moins, tu recevras un salaire et si tu sais faire profiter ton argent, peut-être bien que tu auras tout ce qu'il te faut dans quatre ans.

— Cinquante mille dollars ! C'est impossible.

— "Impossible" ne doit pas faire partie de ton vocabulaire, rétorqua Miette. Suppose que tu amasses dix mille dollars la première année et qu'avec cet argent tu achètes des bêtes que tu revends à profit un an plus tard, tu pourras presque doubler ton capital. Ajoute à cela ce que tu gagneras durant les trois autres années et refais le même calcul, je te gage que dans quatre ans, tu frôleras les cinquante mille dollars.

John n'en croyait pas ses oreilles. Était-ce possible de gagner autant d'argent en si peu de temps?

— Y avez-vous pensé? s'étonna-t-il. Comment vais-je faire pour ramasser dix mille dollars en une seule année?

— En ne dépensant que pour l'essentiel et en travaillant à temps supplémentaire chaque fois que tu le pourras, tu devrais y parvenir, assura Miette. À ta place, je ne perdrais pas une minute de plus.

Platt semblait du même avis. Il le pressait de partir.

— Je te prêterai un cheval, proposa-t-il. Tu pourras le garder pour ton travail. Tu me le payeras quand tu auras touché tes premiers gains.

Les deux hommes étaient tellement persuasifs que John décida de suivre leur conseil. Miette se fit rassurant:

— Tu n'as pas à t'inquiéter. Tu pourras toujours compter sur les vieux renards que nous sommes. Après un an, tu feras ton bilan et si tu as besoin de bons conseils, nous serons là pour t'en donner. Moi, je suis persuadé que tu auras ce qu'il te faut d'ici quatre ans pour aller toucher la fortune de ton oncle.

Cette remarque fit tomber ses dernières appréhensions. Il décida de se rapporter le soir même à Joe Montana.

—Tu ne partiras pas avant d'avoir fait le tour des jardins de Platt, insista Miette. C'est sa richesse, c'est un millionnaire à sa manière.

—Comment ça ?

Miette sourit de l'air moqueur que John lui connaissait bien.

—Il possède des millions de fleurs, dit-il en désignant le jardin.

Ils parcoururent tranquillement le royaume fleuri de Platt, parmi les roses, les campanules, les pivoines, les clématites, les pensées, les ancolies, les hibiscus et les dahlias.

—Si jamais tu trouves plus belle merveille que les fleurs, tu me le feras savoir, dit Platt, pour que j'aille admirer avec toi.

—Les oiseaux et les papillons, dit John.

—Ce sont de magnifiques spécimens de la nature, j'en conviens, répondit Platt, mais ils demeurent insaisissables. Tandis qu'avec les fleurs, tu n'as ni besoin de fusil, ni de filet, tu peux les admirer de près sans jamais te lasser.

Au passage, il cueillit une rose et la lui tendit :

—Regarde-la bien ! Prends le temps de la voir, de l'admirer. On prend si peu le temps de voir vraiment.

Comme un enfant qui en découvre une pour la première fois de sa vie, John fit tourner la rose dans ses mains.

—N'est-ce pas extraordinaire ? poursuivit Platt. C'est un chef-d'œuvre, comme d'ailleurs chaque fleur, et ma richesse à moi, pauvre jardinier. Crois-moi, ça vaut bien tous les millions du monde. Je suis millionnaire de mes fleurs.

Ils poursuivirent ainsi la visite de son jardin, s'arrêtant à chaque pas pour se remplir les yeux de la beauté des orchidées, des azalées et des bougainvillées. Le vieil homme savait se taire au bon moment, s'arrêter, admirer et prendre le temps de vivre. Dans ce monde tout nouveau pour lui, John se sentait bien loin des filatures de Lewiston! La compagnie de Platt et de Miette le comblait. C'étaient deux hommes heureux. Il les observait et les enviait tous les deux: rendus au dernier tournant de leur vie, ils étaient joyeux, sereins et millionnaires à leur façon. Mais il ne comprenait pas vraiment où ils puisaient leur joie de vivre. Dans son esprit, les fleurs et les amis ne suffisaient pas à rendre heureux. Il lui semblait que seule la richesse pourrait vraiment le combler de bonheur.

Quand il les quitta pour le ranch, ils eurent chacun un mot d'encouragement. Miette lui dit:

— Tu fais bien d'aller gagner ta vie. Tu mets toutes les chances de ton côté. Dans quatre ans, j'en suis persuadé, tu toucheras l'héritage de ton parrain.

Platt ajouta:

— Tu sais où nous trouver. Tu seras toujours le bienvenu.

Miette prévint:

— Si tu veux me voir, n'oublie pas de me faire signe à l'avance, car tu risques de me manquer, j'ai encore beaucoup de trains à prendre. Platt saura te dire où je me balade.

De nouveau, au moment où John leur tendait la main en les remerciant de leur amitié, Miette ajouta :

— Si un jour tu as besoin d'aide, viens nous voir. N'oublie pas, nous sommes millionnaires, alors que toi, tu dois le devenir.

John crut déceler de la malice dans sa voix, ou peut-être était-ce tout simplement de l'émotion. Il ne savait jamais très bien si Miette était réellement sérieux ou moqueur.

Chapitre 40

Le rêve de John

Le ranch se dressait au fond d'une petite vallée en forme de fer à cheval perdue dans le contrefort des montagnes. Grossièrement construite, l'habitation semblait inachevée. Flanqué d'un appentis où l'on accrochait selles et lassos, le dortoir sentait le cheval, le bœuf, la sueur, le tabac et le suif. Les lueurs des lampes à pétrole révélaient le plus grand des désordres : pantalons, vestes, chapeaux étaient échoués sur le plancher comme les pièces éparses d'un navire naufragé. Le contremaître, Joe Montana, guida John habilement à travers ces épaves. Au bord d'une fenêtre, dans l'encoignure du toit, un renfoncement laissait tout juste l'espace nécessaire pour un lit.

— Voici ta place ! lui indiqua-t-il.

— C'est pas très grand !

— C'est suffisant, tu t'y habitueras.

John déposa son sac. Il devenait par la force des choses un gardien de vaches, qui mériterait vraiment de porter son nom quand il aurait suffisamment goûté à des doses massives de journées et de nuits à cheval, de bivouacs à la belle étoile, de pluie, de brume et de soleil.

Joe Montana lui fit faire le tour du propriétaire, après quoi il le laissa s'installer tant bien que mal dans ce qui allait devenir son royaume pour les quatre années à venir. Quand John eut fini de ranger ses affaires, il demanda où il trouverait plume et papier avant de se mettre aussitôt en frais d'écrire à sa mère.

Ranch Simpson, 7 juillet 1893

Chère mère,

J'ai peine à croire que j'ai quitté Lewiston depuis bientôt deux mois tellement le temps passe vite. Durant tous ces jours, je n'ai pas cessé de penser à vous sans toutefois trouver une minute pour vous écrire, non pas parce que je ne le voulais pas, mais bien parce que j'étais bousculé tous les jours par la vie. Soyez sans inquiétude, je suis en fort bonne santé et maintenant je compte pouvoir vous tenir plus régulièrement informée de mes activités. Elles se résumeront d'ailleurs à rien d'autre qu'à un travail de cow-boy dans un ranch du Montana.

Vous allez sans doute me dire que ce n'est pas ainsi que je gagnerai suffisamment d'argent pour toucher la fortune de mon parrain. Mais détrompez-vous, je me suis fait depuis mon départ de Lewiston un très grand ami nommé Miette. C'est un vieil homme fort original qui, mis au courant des exigences de mon parrain, a tenté par tous les moyens de m'aider à faire fortune par divers métiers. Ses conseils se sont toujours révélés judicieux, si bien que je me suis retrouvé ici avec le sentiment de pouvoir gagner cinquante mille dollars dans les quatre prochaines années.

Vous vous souvenez sans doute que j'aurais pu éventuellement mettre la main sur la fortune de mon parrain après seulement deux années de vie avec une demoiselle Hawkins de Chicago. Mais j'ai préféré plutôt garder ma liberté et prendre quatre années pour arriver au même but. Je vous raconterai un jour plus en détail ma rencontre avec mademoiselle Hawkins.

Comme je n'avais pas d'adresse fixe, vous n'avez certainement pas pu m'écrire. J'ai tellement hâte d'avoir de vos nouvelles. Vous pourrez donc à l'avenir m'écrire à l'adresse suivante : Ranch Simpson, Great Falls, Montana.

Je tâcherai bientôt, dès que mon travail me le permettra, de vous écrire de nouveau pour faire le point sur le but que je poursuis ici et que vous connaissez bien. Chère mère, je vous sortirai de Lewiston et vous pourrez vivre, à l'aise et en paix, la vie que vous méritez tant. C'est pour vous que je suis ici, je ne l'oublierai pas un seul instant.

Votre fils aimant, John Love, alias Jean Damour

Un mois à peine après son arrivée à ce ranch, une vie ponctuée de plusieurs heures de balade à cheval par jour valut à John une peau rude et tannée. Il avait des ampoules aux fesses. Il sentait le vieux bouc. Il avait de la poussière plein la voix et jusqu'au fond du cœur. Il savait que jamais il ne se ferait à cette vie rude, mais il lui fallait s'y résigner. Il y avait certainement d'autres chemins vers la fortune, mais c'était, pour l'instant, le meilleur qu'il avait trouvé. Joe Montana lui avait fait signer un contrat d'engagement. Il devait toucher huit mille dollars par année, logé et nourri. S'il demeurait disponible les fins de semaine, le soir et la nuit, en un an, il pouvait pratiquement doubler son salaire. Il avait beau calculer de toutes les façons possibles, c'était nettement insuffisant pour lui permettre de posséder cinquante mille dollars au bout de quatre ans.

Mis au courant des inquiétudes de John, Miette se moqua de lui :

— Tu penses ne pas pouvoir ramasser cinquante mille dollars en quatre ans ? Pourquoi travailles-tu comme cow-boy alors ? Tu devrais trouver une job plus payante.

— Où ?

— C'est à toi de la dénicher si jamais tu veux toucher l'héritage de ton parrain. Mais à ta place, je m'assoirais et je calculerais mon affaire comme il faut.

— Que voulez-vous dire ?

— Souviens-toi de ce que je t'ai dit : l'argent attire l'argent. Si au bout d'un an tu amasses dix mille dollars et que tu en emploies six mille à acheter des bêtes et quatre mille à les nourrir pendant un an et que tu les revends, tu peux presque doubler ta mise. Tes dix mille sont devenus quinze mille et plus. Tu les ajoutes aux dix mille que tu vas gagner durant ta deuxième année de travail. Tu possèdes vingt-cinq mille dollars. Tu achètes pour quinze mille dollars de bêtes et tu en gardes dix mille pour les nourrir et les entretenir. Tu les revends au bout de l'année. Combien possèdes-tu après trois ans? Près de trente-cinq mille plus tes dix mille de la dernière année... Quarante-cinq à cinquante mille dollars!

—J'aurai des dépenses et certainement pas assez d'argent pour toucher la fortune du grand-oncle Joseph.

Comme il le faisait toujours, Miette se mit à se moquer de lui. Pourtant, John ne le trouvait pas drôle. Il ne comprenait pas qu'il puisse agir ainsi alors qu'il se désespérait de trouver une solution à son problème.

—Je ne toucherai jamais la fortune de mon parrain, dit-il. J'abandonne.

—Tu es prêt à lâcher avant même d'essayer? Voyons! s'indigna Miette, je t'avais surestimé, je te croyais plus coriace que ça.

Sa remarque piqua John au vif:

—Je ne suis pas un imbécile, tout de même! Je sais compter et je vois bien que je perds mon temps à vouloir gagner en quatre ans ce que je ne toucherai pas en dix.

Pendant tout ce temps, Miette le dévisageait avec l'air qu'il lui connaissait bien.

—Pauvre enfant, dit-il en tirant de sa poche son inséparable flacon, tu oublies un léger détail.

—Lequel?

—Les bêtes font des petits. Celles que tu vas acheter en feront forcément. En comptant toutes celles qui vont s'ajouter à ton troupeau durant trois ans, ne penses-tu pas que tu pourrais posséder facilement cinquante mille dollars avant qu'il soit trop tard pour toucher la fortune de ton parrain ?

Il avait raison. La chose était possible, mais à condition que tout se passe comme prévu. Une épidémie parmi les bêtes et le rêve de John s'envolerait.

—À ta place, John Love, ajouta Miette, je me remettrais immédiatement au travail.

Ce fut ainsi que pendant trois ans, John trima dur jour et nuit pour réaliser son rêve. Il ne vivait plus. Tout ce qu'il faisait, il ne l'accomplissait que dans un seul but : gagner des sous. Il ne parlait plus à personne. Il n'allait plus voir Miette et Platt. Il n'écrivait plus à sa mère qui se désespérait de ne pas recevoir de ses nouvelles. Il ne vivait plus que pour un but : ramasser assez d'argent pour toucher la fortune de son grand-oncle. Tout le monde se moquait de lui. On l'avait surnommé « Crazy Love Money ».

Pour augmenter son salaire, il attrapait des vaches au lasso, leur entravait les pattes de derrière et les trayait malgré les quolibets des cow-boys qui levaient le nez sur un travail aussi terre-à-terre et ridiculisaient tous ceux qui osaient le faire. Avec le lait, il barattait du beurre qu'il vendait aux passants ou encore aux habitants, qui l'écoulaient au marché. Il possédait aussi quelques poules, ce qui lui permettait d'ajouter des œufs au beurre et au lait vendus. Durant l'hiver, il participait à la chasse aux loups, touchant dix dollars par paire d'oreilles. Après plus de trois ans de ce régime, il alla trouver Miette pour établir avec lui le bilan de tout ce travail.

Les bêtes qu'il avait achetées avaient rapporté moins que les sommes espérées. Il avait beau compter et recompter tous ses sous, il n'avait que quarante mille dollars. Il était loin du compte et désespéré. Malgré cela, Miette trouvait qu'il avait accompli là une besogne incroyable. John lui annonça qu'il en avait assez de cette vie de cow-boy et qu'il songeait sérieusement à retourner dans l'Est. Sa mère avait besoin de lui. Durant ces quatre années, il avait été tellement accaparé par son travail et sa quête d'argent, qu'il n'avait pratiquement pas trouvé le temps de lui écrire alors que c'était pourtant pour elle qu'il se désâmait. Dans chaque lettre qu'il recevait d'elle, elle lui demandait s'il comptait être bientôt de retour et se plaignait de sa pauvre condition de fileuse. « Je me sens prisonnière à la fois de ce pays et du travail que j'y fais, écrivait-elle. Rapporte-nous au plus tôt l'argent de ton grand-oncle, que nous puissions sortir enfin de notre malheur. »

Dès qu'il trouvait une minute pour le faire, il lui écrivait une lettre en trois phrases, toujours les mêmes : « Ne désespérez pas. Je vais bientôt pouvoir toucher la fortune de mon parrain. Dans quelque temps, je serai avec vous et j'y resterai pour vous aider tout au long de vos vieux jours. » Il s'en voulait vraiment de l'avoir abandonnée pour courir après un héritage chimérique.

Chaque fois que John relisait les lettres reçues de sa mère, sa culpabilité augmentait. « J'aurais dû l'emmener avec moi », se reprochait-il.

Par ailleurs, il avait trouvé le moyen pendant tout ce temps de correspondre avec Mary. Pendant trois années, la jeune femme avait fidèlement répondu à ses lettres, puis celles qu'il lui faisait parvenir depuis un an lui étaient revenues avec la mention « Inconnu à cette adresse ».

— Adieu la fortune du grand-oncle, soupira Miette. Tu abandonnes au moment où tu es si près du but. C'est incroyable.

— Comment, si près du but ? Tout comme moi, vous voyez bien que dans six mois je n'aurai pas la somme qu'il me faut pour toucher l'héritage.

— Pourquoi désespères-tu ? Les amis, à quoi servent-ils ?

Il regardait John en hochant la tête, à la manière de quelqu'un qui est profondément déçu. John était révolté par son attitude.

— Vous pouvez me prêter les milliers de dollars qui vont me manquer ? s'écria-t-il. Ou alors, vous avez un ami qui est prêt à me donner cette somme ?

Miette ne répondit pas tout de suite. Puis, calmement, il dit :

— J'ai un ami qui devrait te prêter ce montant le moment venu.

Tout au long des mois suivants, John continua à travailler d'arrache-pied. Un mois avant la date d'échéance des quatre années, il fit le bilan de ce qu'il possédait. En vendant toutes ses bêtes, en additionnant toutes les sommes qu'il possédait et en remboursant toutes les sommes qu'il avait empruntées pour diverses dépenses, il n'avait que quarante-trois mille dollars. Son manque à gagner de sept mille dollars le faisait rager. «Pour cette somme, grognait-il, juste pour cette somme, je ne toucherai pas l'héritage.»

Il fit savoir à Miette qu'il désirait le voir. Fort heureusement, ce dernier se trouvait à Great Falls. John l'aborda en lui disant son désarroi :

— Il me manque sept mille dollars.

— Seulement ça ? C'est un pet !

La réponse de Miette le fit pratiquement sortir de ses gonds. Il croyait que Miette se moquait de lui.

— Quelle sorte de cœur avez-vous ? Vous trouvez encore moyen d'en rire ?

— Au contraire, tu t'es admirablement débrouillé, lui dit Miette. Sept mille dollars, ce n'est rien. Je t'ai dit qu'un de mes amis te les prêtera.

— Qui ? demanda-t-il vivement.

— Frank Simpson.

John haussa le ton :

— Je travaille pour lui depuis près de quatre ans, et pas une seule fois je ne l'ai rencontré. Il n'est jamais là quand je viens.

Miette protesta :

— Tu étais tellement préoccupé à faire des sous que tu n'as pas réellement pensé à venir le rencontrer quand il était ici. Je l'ai fait pour toi. Il est prêt, dès à présent, à t'avancer l'argent dont tu as besoin.

— À quelles conditions ?

— D'abord, en promettant de lui rendre ce montant dès ton retour de Chicago. C'est, bien entendu, un prêt temporaire qu'il te fait, et sans intérêt.

John protesta :

— Je ne me sens pas honnête en agissant de la sorte. De l'argent prêté ne nous appartient pas tant qu'on ne l'a pas remboursé. Je ne pourrai pas prétendre devant le notaire Smith qu'il est à moi.

— Tu pourras le faire, assura Miette, car tu auras une deuxième condition à remplir.

— Quoi donc ?

— En garantie, tu t'obligeras à travailler encore deux ans pour Frank Simpson.

Sur ces mots, il tira de sa poche un contrat préparé à l'avance et signé par Frank Simpson. Il ne fit qu'ajouter, dans l'espace prévu à cette fin, le chiffre sept. Il le donna à John en disant :

— Prends le temps de le lire. Si cela te convient et que tu signes, dans dix jours tu pourras partir pour Chicago avec en main toutes les preuves que tu possèdes cinquante mille dollars.

John était abasourdi. Jamais il n'aurait osé imaginer pareil scénario. Miette souriait, heureux de son bon coup.

— Je suis persuadé, déclara-t-il, que ton grand-oncle voulait te voir rapporter cinquante mille dollars parce que c'est probablement cette somme qu'il te laisse en héritage. Y as-tu pensé ? Dans peu de temps tu seras à la tête d'une fortune de cent mille dollars.

Chapitre 41

L'héritage du grand-oncle Joseph

Chicago, juin 1897

Dix jours plus tard, John partit pour Chicago. Il avait hâte de se présenter chez le notaire Smith et de lui annoncer qu'il venait toucher son héritage. Il était persuadé que le notaire ne le croirait pas et qu'il prendrait tout le temps qu'il faut pour vérifier ses allégations. Dès sa descente du train en gare de Chicago, il se rendit chez lui. Comme il l'avait prévu, le notaire ne crut pas un mot de ce qu'il lui disait.

— Pour qui me prenez-vous, jeune homme? Allez raconter à d'autres votre histoire à dormir debout.

— C'est exactement ce que je vais faire, répliqua John en claquant la porte.

Il lui fallait trouver un autre homme de loi qui prendrait le temps de certifier ce qu'il disait. Où le trouver? Mary, dont il n'avait plus de nouvelles depuis plus d'un an, pouvait lui être d'un grand secours. Il n'eut pas trop de peine à retrouver le chemin de l'épicerie. Mais en parvenant sur les lieux, les deux bras lui tombèrent : il ne restait plus rien de ce qu'avaient été la maison et l'épicerie de Maxime Picket. Tout avait été rasé.

Il frappa à la porte voisine. Un homme fripé comme une vieille chaussette vint répondre.

— Qu'est devenue l'épicerie ? lui demanda-t-il sans autre préambule.

— Comment ? Tu ne sais pas ? fit le bonhomme. Tu es certainement d'ailleurs.

— Que s'est-il passé ?

— Tout a flambé avec ses occupants.

Le cœur faillit lui manquer. Il dut s'appuyer contre le chambranle pour ne pas tomber. L'homme se rendit compte que la nouvelle l'avait bouleversé. Il s'excusa :

— T'es un parent, je suppose ?

— Un ami. Ils sont tous morts ?

— Le grand-père, la grand-mère et leur petite-fille.

— C'est arrivé quand ?

— Ça doit bien faire un an.

John était atterré. Mary, qui l'avait attendu et qu'il espérait épouser, n'était plus. Son séjour à Chicago commençait on ne peut plus mal. À tout hasard, il s'informa :

— Vous ne connaîtriez pas un avocat dans les environs ?

L'homme lui parla d'un certain maître Lawlor. «Lui ou un autre, se dit John, pourvu que je le paye, prendra bien le temps de faire bouger le notaire

Smith.» Les choses allèrent rondement par la suite. Deux jours plus tard, en compagnie de son avocat, il se présentait chez le notaire Smith. Ce dernier n'eut d'autre choix que d'ouvrir le coffre-fort. Il était vide, à l'exception d'une enveloppe où était écrit : « À mon filleul John.»

Il l'ouvrit en tremblant. Son grand-oncle avait simplement écrit :

> *Grâce à moi, te voilà riche de cinquante mille dollars que tu as su gagner à la sueur de ton front. On me croyait millionnaire alors que je n'avais pas un sou. Mais je voulais te laisser un héritage, c'est pourquoi je t'ai lancé ce défi. Tu l'as relevé : sois fier de toi! C'est là mon seul héritage. Je t'aurai appris une chose : dans la vie, il ne faut compter que sur soi-même. Adieu!*
>
> *Ton grand-oncle et parrain,*
> *Joseph Laflamme*

Après cette lecture, John n'avait plus qu'un désir : se saouler jusqu'à en perdre la carte. Mais, malgré sa déception, il n'arrivait pas à en vouloir à son défunt grand-oncle et parrain, qui était parvenu à ses fins en le poussant à se dépasser. Il avait bel et bien en main une fortune de quarante-trois mille dollars. Sans lui, il ne se serait jamais imaginé pouvoir gagner tant d'argent en si peu de temps. Ce qu'il regrettait le plus, c'était qu'il devrait, comme il s'y était engagé par contrat, travailler encore deux ans pour Frank Simpson.

〰

Le lendemain matin, dans le train qui le ramenait à Great Falls, il tenta d'imaginer ce que serait la réaction de Miette en apprenant le tour que lui avait joué son parrain. Il le voyait déjà s'esclaffer, mais il savait aussi qu'il ne lui en voudrait pas de le faire, car sans lui et sans ses encouragements, il ne serait jamais parvenu à relever le défi.

Dès son arrivée à Great Falls, il s'empressa d'aller faire part de sa mésaventure à Miette. Ce dernier en rit beaucoup et rappela à John qu'il aurait aimé connaître son grand-oncle.

— Il t'a joué un bon tour, dit-il. Il ignorait que de la sorte, il allait faire de toi un cow-boy pour deux ans de plus.

— Ça, grogna John, ce n'est pas garanti.

— Tu t'y es engagé, n'oublie pas.

— Mais mon oncle m'a trompé. Je vais rendre les sept mille dollars empruntés et je ne me sentirai plus lié par aucun contrat.

— Un contrat reste un contrat et on doit l'honorer à partir du moment où on l'a signé.

La perspective de le voir encore travailler pour deux ans, même si elle ne plaisait guère à John, semblait réjouir Miette.

— À propos, dit-il, à brûle-pourpoint, Frank Simpson est ici. Il désire te voir à son bureau demain matin à neuf heures.

❧

Le lendemain, à l'heure dite, John se présenta avec quelque peu d'appréhension au bureau de Frank Simpson. Les quelques rares fois où il avait voulu le rencontrer, l'homme était toujours absent. La porte du bureau était close. Il frappa pour annoncer son arrivée.

— Entrez ! fit une voix qui lui sembla familière.

Le bureau était plongé dans la pénombre. Assis dans un large fauteuil pivotant recouvert de cuir, Simpson lui tournait le dos. Pour faire de la clarté, il tira soudainement le rideau de la fenêtre derrière son bureau et fit pivoter sa chaise afin de faire face à John. Ce dernier resta pétrifié. Simpson n'était autre que Miette. Il lui tendait une bouteille qui pouvait contenir de l'eau ou de l'alcool. Dans ses yeux, John pouvait lire à la fois toute la malice et toute la tendresse du monde.

Chapitre 42

Un dernier tour de Miette

Great Falls, 1899

Les hommes étaient rassemblés autour du ranch. Au signal, ils sautèrent sur leur monture et se mirent en route. Ils se suivaient à la queue leu leu. Le long cortège remonta près du ranch vers la prairie toute proche. Derrière la longue file de cow-boys suivaient plusieurs chariots occupés par des hommes âgés, des femmes et des enfants. Ils se rassemblèrent autour d'un grand chêne solitaire, au milieu de la prairie, comme une sentinelle en devoir. Les hommes descendirent de leur monture, les chariots se vidèrent. On pouvait voir au pied de l'arbre une fosse fraîchement creusée. Six gaillards s'ouvrirent un chemin parmi la foule. Ils portaient un cercueil sur leurs épaules. Précautionneusement, ils le déposèrent près de la fosse. Un homme âgé prit la parole :

— Il était notre maître à tous. C'était un homme juste, un sage qui aimait la vie et qui savait en profiter.

Sa volonté de créer ce ranch et ce domaine, de peine et de misère, a permis à des centaines d'entre nous d'y gagner leur pain. Il n'est plus aujourd'hui, mais s'il était toujours là, il nous dirait sûrement de profiter de ce jour dans la joie. Il ne voudrait pas que nous pleurions pour lui. Il a choisi d'être mis en terre ici, parce que pour lui, cet arbre à l'ombre duquel il va dormir à jamais était un symbole de force, de droiture et de réconfort. C'est lui qui l'a planté là, dès les premiers jours de son arrivée en ces lieux. C'était un planteur de vie. Il aura été fidèle à lui-même jusqu'au bout. Ceux qui croient en l'au-delà, dites une prière pour le repos de Frank Simpson; ceux qui ne croient pas en l'au-delà, souhaitez un long et heureux voyage à Miette. Il a été un exemple pour nous. Il nous a tracé la voie. Nous n'avons plus qu'à la suivre.

Le vieil homme s'inclina. On fit descendre le cercueil dans la fosse. Chacun défila pour y jeter sa poignée de terre. Parmi eux, à la toute fin, John, très ému, s'arrêta longuement au pied de l'arbre. Dans sa tête, les souvenirs remontaient tels des bulles chargées de bonheur.

— Miette, tu as été pour moi un deuxième père, dit-il. Tu as bien fait les choses en décidant de partir au moment où je me tourmentais pour savoir si j'allais te quitter. Je te dis adieu. Tu ne me dois plus rien, j'ai touché ma dernière paye. Je ne te dois plus rien, sinon de m'avoir appris que la vie, si dure soit-elle, peut aussi être faite de grands bonheurs. Je quitte ces lieux demain. Je m'en retourne où je suis né. Mais ne crains pas, je te porterai toujours au plus profond de mon cœur.

John retourna au ranch. Avant de partir, il voulait absolument vérifier quelque chose. Il entra dans le bureau de Simpson et s'assit à sa place. Par la fenêtre perçant le mur de gauche, par laquelle il pouvait chaque jour s'évader vers l'extérieur, se dessinait au milieu de la prairie le grand chêne qu'il y avait planté et sous lequel désormais il dormait en paix. John resta là un moment à se remémorer tout ce qu'il avait vécu en compagnie de cet homme.

Soudain, quelqu'un frappa à la porte. John se demanda s'il devait répondre. Il n'eut pas à le faire, parce que Platt, le vieux jardinier, entra :

— Je ne voulais pas te voir partir, jeune homme, sans te saluer une dernière fois.

— Je n'aurais pas manqué d'aller vous voir avant de m'en aller.

Le vieux Platt s'avança vers le bureau où se tenait John. Il ouvrit un tiroir, y prit une enveloppe et la lui remit.

— Il m'avait fait promettre de te la donner.

— Vous savez ce qu'elle contient ?

— Je l'ignore, avoua Platt, mais connaissant mon patron comme je le connaissais, je suis certain que ce sera avantageux.

Platt tendit la main à John.

— Adieu et bonne chance, dit-il. Je dois y aller, mes fleurs m'attendent.

༄

Pour ouvrir l'enveloppe, John attendit d'être dans le train le ramenant vers l'Est. Il y trouva une courte lettre et une autre enveloppe cachetée. Il lut la lettre.

Cher John,

Pendant quatre ans, tu auras travaillé pour moi sans savoir que j'étais le patron. Seulement quelques-uns de mes intimes connaissaient mon nom de Miette. Tu en étais. Un peu comme ton grand-oncle, j'aimais m'amuser dans la vie. Nous sommes si peu longtemps sur le plancher des vaches que nous devons profiter du temps où nous avons la chance d'y être.

Je n'ai pas eu d'enfant. J'aurais aimé avoir un fils comme toi. Dès que je t'ai vu dans le train, j'ai su que nous passerions de bons moments ensemble. Quand tu liras ces lignes, je serai six pieds sous terre et si jamais mon esprit survit, je ne manquerai pas de m'amuser à te voir te dépêtrer dans la vie. Tout ce que je souhaite pour toi, c'est d'y passer désormais du bon temps pour ce qu'il t'en reste.

Je n'ai pas voulu quitter ce monde sans penser à te récompenser pour tous les efforts que tu as consentis afin de toucher une fortune qui n'existait pas. Cette récompense, tu la trouveras dans l'enveloppe jointe à celle-ci. Veux-tu, chaque fois que tu utiliseras ce que tu y trouveras, avoir une pensée pour moi ?

Adieu. On ne peut jamais profiter des autres sans leur faire du tort, mais on peut profiter de la vie sans qu'elle se plaigne. Ne manque pas de l'exploiter à fond. C'est le dernier conseil de ton vieil ami Miette.

John resta longtemps songeur. Les dernières paroles du vieil homme se gravaient dans son esprit. Il avait maintenant une grande hâte de profiter de sa chance et de retrouver sa mère pour lui rendre enfin la vie plus douce.

John ouvrit l'autre enveloppe. Il y trouva ce mot :

Les sept mille dollars que tu m'avais empruntés ont fait des petits pendant ces deux années. Je te les lègue et j'y ajoute la différence pour faire cinquante mille dollars, ainsi tu auras réalisé ton rêve. Te voilà riche de cent mille dollars. Mais me connaissant comme tu me connais, tu dois savoir que je ne te lègue pas cette somme sans condition.

Je tiens à ce que la moitié de mon legs soit employée uniquement pour te gâter. Aussi, quand tu décideras de le faire d'une manière ou d'une autre, tu n'auras qu'à communiquer avec mon exécuteur testamentaire James Murray, ici à Great Falls, et lui expliquer à quelles fins tu veux utiliser le montant que tu lui demanderas. Il devra toujours pouvoir vérifier l'exactitude de ta demande. Aussi devras-tu lui fournir des preuves comme quoi les sommes qu'il t'aura octroyées auront bien été dépensées aux fins pour lesquelles elles étaient destinées.

Afin qu'il soit bien assuré que la demande vient bien de toi, voici le code à huit chiffres que tu devras lui mentionner : 18930521.

Ton vieil ami Miette

John relut tranquillement le billet et sourit malgré lui. Le vieux renard de Miette était parvenu à lui dire à sa façon qu'il faut aussi savoir profiter de la vie. Quant au code qu'il lui donnait, John finit par trouver que c'était la date précise du jour où, à Lewiston, en sautant dans le train, il avait fait sa connaissance.

« Sapré Miette, se dit-il, il faudra bien que je trouve le moyen de toucher ce qu'il me lègue sans que ce soit uniquement pour me gâter. Je saurai bien lui jouer un bon tour. Son notaire ne saura certainement pas ce qu'il y aura dans ma bouteille. »

À cette évocation, il éclata d'un grand rire.

Chapitre 43

Le retour

Parti de Great Falls, le train grignotait lentement les milles séparant John de Lewiston. Du Montana, le train était passé par Bismark, dans le Dakota du Nord. Il filait maintenant vers le Minnesota. Habitué à des activités intenses, John se morfondait dans ce train où il avait déjà passé une partie de la journée et toute la nuit, et il se demandait quoi faire pour tuer le temps. Il ne tenait plus en place. Il décida d'arpenter le train jusqu'au premier wagon. Ce fut alors qu'il revenait sur ses pas qu'il la remarqua. Elle était menue, assise seule à regarder défiler le paysage. Désireux de parler à quelqu'un, ne serait-ce que de pluie et de beau temps, il décida de s'adresser à elle :

— Vous êtes seule, mademoiselle, et c'est aussi mon cas. Me permettriez-vous de vous faire la conversation pour un moment ?

Elle le regarda, lui sourit et lui fit signe de s'asseoir. Ce regard et ce sourire lui suffirent pour qu'il se dise : « Celle-là, si jamais elle est libre, je ne devrai pas la perdre de vue. »

— Excusez mon audace, mademoiselle, mais ce voyage me semble si long que j'ai pensé en raccourcir le trajet par une conversation avec une aimable personne. Le sort a voulu que je tombe sur vous.

— Le sort, vraiment ? dit-elle, avec des yeux moqueurs. De plus, y avez-vous pensé, si vous tombiez sur moi, vous m'écraseriez.

Cette réplique mit John en joie.

— D'après ce que je peux voir, enchaîna-t-il, le sort et beaucoup de chance m'ont favorisé.

Elle sourit de nouveau. Il enchaîna :

— Pardonnez-moi mon indiscrétion, mais il me plairait fort de connaître votre nom.

— Je vous assure que vous êtes pardonné, dit-elle d'un ton moqueur. Pour tout vous dire, je me nomme Marie-Anne Gilbert, mais tout le monde m'appelle Marie, et comme je devine que vous allez me demander d'où je viens, je vais vous épargner de le faire en ajoutant que je suis native de Lévis, en face de Québec, et que je reviens de San Francisco où je suis allée rendre visite à mon frère aîné.

— Je n'en demandais pas tant, reprit John, mais je vous en sais gré. Permettez que je me présente : Jean Damour, alias John Love. Je reviens de Great Falls, où j'ai travaillé depuis six ans, et je m'en vais à Lewiston, dans le Maine, rejoindre ma mère dont je suis le fils unique. À partir de tout de suite, je reprends mon prénom de Jean.

— Vous êtes Canadien français?

— En effet, je suis né à Sainte-Claire-de-Dorchester.

— Pas très loin de Lévis, dit-elle. Je connais l'endroit sans y être allée. Un de mes oncles y a demeuré.

Pendant toute cette conversation, Jean ne la perdait pas du regard. Plus il l'observait, plus il se sentait heureux d'avoir eu l'audace de lui parler. Il admirait ses yeux bruns et vifs plein d'intelligence et il détaillait ses traits délicats, sa bouche exquise, son nez fin et retroussé surmonté d'un front large et sans plis. Mais il revenait sans cesse à ses yeux, captivé par la vivacité de son regard franc et chaleureux. N'ayant pas perdu le fil de la conversation, il dit:

— Je n'ai certainement pas connu votre oncle. Je n'ai vécu que quelques années à Sainte-Claire. Mon père en était le docteur. Je me souviens à peine de lui. Il a été tué sur la route.

— Un accident?

— Non! Un assassinat.

— Vraiment? Vous m'en voyez désolée.

— C'est ce qui a obligé ma mère à déménager à Lewiston, où elle gagne sa vie dans les filatures. J'ai travaillé là, moi aussi, dès l'âge de douze ans.

— Et vous en êtes parti pour aller où?

— Au Montana. J'en reviens justement.

— Qu'est-ce-ce qui vous a mené là?

— Oh! Ça, c'est une longue histoire avec laquelle je ne voudrais pas vous ennuyer.

— Au contraire, racontez-moi, ça m'intéresse. Je suis toujours curieuse de connaître l'histoire des autres parce que la mienne est si banale.

À la manière de quelqu'un qui cherche une position confortable pour écouter, elle prit le temps de se lever pour se rasseoir en meilleure posture et, du regard, elle invita Jean à raconter. Il en avait long à dire. Sans l'interrompre, elle l'écouta discourir sur le grand-oncle Joseph, sur Miette et sur ses années au ranch Simpson. Quand il eut résumé sa vie des dernières années, elle commenta :

— Vous avez eu une vie fort mouvementée. Ce n'est pas mon cas, loin s'en faut. Je suis musicienne à mes heures, mais je n'ai guère eu la chance de quitter la maison, puisque j'ai dû soigner ma mère malade. La pauvre est morte il y a quelques mois à peine. J'en suis depuis à me demander sérieusement ce que je ferai de moi.

— Notre rencontre n'est peut-être pas fortuite, s'empressa de dire Jean.

Pendant qu'ils causaient, leur convoi avait ralenti pour s'arrêter à Saint Paul Minneapolis. Jean fit aussitôt remarquer :

— Tout comme vous, je crois, je devrai changer de train ici. Me permettez-vous de vous aider ?

— Pourquoi pas ? dit-elle en souriant. Après tout, j'ai besoin d'un bon porteur de valises.

Elle avait dit cela avec tant d'espièglerie que Jean éclata de rire.

— Attendez, dit-il, je vais chercher mes bagages, puis je me transforme et je vous reviens la figure toute noire.

Ce fut ensemble qu'ils parcoururent la distance les séparant de Chicago. John l'invita à souper au wagon restaurant. Là encore, il ne cessa d'admirer sa compagne, subjugué par son charme et sa jovialité. Elle se faisait discrète, mais se réjouissait de l'entendre raconter avec enthousiasme ses aventures dans l'Ouest. Il l'intéressa vivement en lui décrivant le jardin du vieux Platt, son «millionnaire à fleurs», comme il l'avait baptisé. Avant de la quitter à Chicago, puisqu'ils ne prenaient pas le même train, Jean nota précieusement son adresse.

— Je pourrais, dit-il, vous laisser mes coordonnées à Lewiston, mais je crois bien ne pas moisir là bien longtemps.

— Vous avez les miennes, précisa-t-elle. Si jamais vous désirez avoir de mes nouvelles, ça sera à vous de m'écrire.

Ils se quittèrent, non sans avoir échangé une très longue poignée de main. Jean ne manqua pas de la regarder droit dans les yeux pour garder d'elle une image dont il pourrait longtemps se souvenir. Par la suite, chaque fois qu'il pensait à elle, il la revoyait souriante sur le quai de la gare avec dans le regard cette étincelle qui, dès leur première rencontre, la lui avait rendue si sympathique.

QUATRIÈME PARTIE

LES ANNÉES D'ABONDANCE

Chapitre 44

Les retrouvailles

Quand il descendit du train à Lewiston, Jean ne put retenir une exclamation :

— Comment avons-nous pu échouer ici ?

« Pauvre mère, pensa-t-il, condamnée à travailler dans ces maudits moulins depuis tant d'années. Je ne devais la quitter que durant quatre ans, me voilà de retour après six longues années. Qu'est-elle devenue pendant tout ce temps ? J'avais besoin de tous mes sous. Je lui ai fait parvenir des sommes importantes au cours des deux dernières années, mais l'argent n'est pas tout, il n'inclut pas le bonheur. Y en a-t-il seulement une parcelle pour elle ? »

Il se sentait honteux de ne pas lui avoir donné plus souvent de ses nouvelles, trop occupé qu'il était à faire fortune. Il se dirigea lentement vers l'appartement où elle habitait. Il l'avait prévenue de son arrivée, sans toutefois pouvoir préciser le jour exact.

Par sa réaction en l'apercevant, elle ne l'attendait visiblement pas ce jour-là. Elle le regarda d'abord avec des yeux étonnés. Il était devenu un homme. Il ne laissa pas percevoir à quel point il la trouvait changée. Il la serra longuement dans ses bras, sans dire un mot, heureux d'être enfin là pour elle.

— À partir de tout de suite, m'man, vous allez mener votre vie comme vous l'entendez. Fini le travail dans les filatures, fini la misère, nous sommes très riches.

— Le plus beau cadeau que tu me fais, répondit-elle, c'est d'être là. Tu ne peux pas te figurer à quel point tu m'as manqué.

Il se rendit compte qu'elle pleurait. Étaient-ce des larmes de joie ou de peine ? Il n'osa pas le lui demander. Tout ce qui comptait maintenant, c'était qu'ils étaient de nouveau réunis. Il se faisait tard. Elle voulut tout de suite se mettre au fourneau pour lui préparer à souper. Il la retint doucement :

— Je n'ai pas faim. Tout ce que je souhaite, c'est de pouvoir prendre une bonne nuit de sommeil. Voyager n'est pas de tout repos.

Elle se précipita pour lui préparer son lit. Il la fit asseoir et lui dit :

— M'man, vous allez m'écouter. Il va falloir, à partir de tout de suite, vous habituer à penser à vous. Vous n'aurez plus de soucis d'argent. Commencez à songer à ce qui vous ferait le plus plaisir et nous nous occuperons de le réaliser.

Elle avait l'air sceptique, ayant bien de la difficulté à imaginer que tout cela fût désormais possible. S'en avisant, John ajouta :

— La nuit porte conseil. Dès demain, j'aimerais savoir lequel de vos rêves vous tient le plus à cœur. Il ne nous restera plus ensuite qu'à le réaliser.

John se réveilla en sursaut à quatre heures trente quand les sirènes des filatures se mirent à meugler. « Vivement, se dit-il, que nous quittions cet endroit. » Il entendit sa mère s'agiter. Il se leva. Elle se préparait à partir travailler.

— Les filatures, m'man, c'est fini. Je vous l'ai dit hier.

— Crois-tu que je vais vivre à ton crochet ?

— C'est le retour du balancier, m'man. Je vous dois des années de gâteries. Vous avez toujours été là quand j'avais besoin de vous. À partir d'aujourd'hui, les rôles sont inversés.

— Mais si je ne vais pas travailler, je ne verrai pas mes amies.

— Vous les verrez après leur ouvrage.

— Ce n'est pas pareil, elles ont leur travail à la maison.

— Vous les verrez le dimanche.

Ses arguments ne semblaient pas la convaincre, mais elle accepta toutefois de ne pas se rendre à la filature.

— Voilà qui est plus raisonnable, dit-il. Il me semble que nous n'aurons pas assez de toute la journée pour nous conter nos bonheurs et nos malheurs des six dernières années.

Il vit qu'elle était profondément émue. Il remarqua quelques rides autour de ses yeux et s'avisa de quelques cheveux blancs dans sa chevelure rousse. Elle avait vieilli, mais malgré le rude travail en filature et l'air malsain qu'on y trouvait, sa forte constitution lui avait permis de tenir le coup. Il la serra de nouveau dans ses bras.

— J'ai hâte de vous entendre dire lequel de vos rêves vous désirez voir se réaliser en premier.

— Nous parlerons de ça plus tard.

— Très bien, dit-il. Mais pour le moment, je crois que nous en avons long à nous dire.

Elle voulut lui faire raconter en détail les péripéties de ces six années passées loin d'elle ; il insista pour qu'elle lui parle de sa vie à Lewiston durant tout ce temps. Elle se rebella :

— Qu'est-ce que tu veux que je te dise ? Ici, c'est toujours pareil. Je me lève avant l'aube pour me rendre à l'usine. Je m'installe toute la journée devant le banc à broches et je file jusqu'au soir pour à peine plus d'un dollar. Arrivée à la maison, je soupe en vitesse et je me couche pour pouvoir recommencer le lendemain. C'est ça ma vie, depuis que je suis à Lewiston. Tu le sais aussi bien que moi, tu as vécu ça. Tu étais si heureux de partir, il y a six ans.

Il y avait tant d'amertume dans sa voix que Jean se sentit coupable :

— M'man, pardonnez-moi, je m'en veux d'être resté si longtemps là-bas. Mais je n'avais pas le choix si je voulais toucher l'argent du grand-oncle et remplir le contrat passé avec mon patron. Ce n'est pas de ma faute si mon parrain m'a joué le vilain tour dont je vous ai parlé dans une de mes lettres. Tout cela est maintenant du passé. J'ai quand même réussi en six ans à mettre près de cinquante mille dollars de côté et mon patron y a ajouté ce qui manquait pour faire cent mille. Il y a là de quoi vous permettre de pouvoir réaliser tous vos rêves. Avez-vous songé à ce qui vous plairait le plus?

Elle le regarda en hochant la tête:

— Si tu es certain qu'on peut se le permettre, j'aimerais tellement rendre visite aux miens... D'abord à Sainte-Claire, et ensuite à Métabetchouan.

— Non seulement nous allons nous y rendre, mais si vous le désirez, m'man, vous pourrez passer là tout le temps que vous voudrez.

Il vit enfin se dessiner une esquisse de sourire sur les traits fatigués de sa mère.

Chapitre 45

Sainte-Claire

Élisabeth mit du temps à se faire à l'idée qu'elle pouvait sans crainte abandonner son travail. Dès que fut fixée la date de leur départ de Lewiston, Jean expédia un télégramme à Marie. « Serai gare Lévis 5 septembre midi. »

Ils quittèrent Lewiston par le train, un matin de septembre, y laissant tous les meubles, sauf quelques menus objets dont le journal de Joachim et l'album de photos qu'elle tenait à apporter. Jean avait pris la précaution de payer à l'avance deux mois de loyer au cas où sa mère exprimerait le désir de revenir à Lewiston. Il l'avait aidée à faire sa malle et, graduellement, il l'avait vue se détendre. Elle n'était plus la femme usée prématurément par son travail de fileuse, elle retrouvait le courage qui lui avait toujours donné la force de vivre.

De Lewiston, par un train du Grand Tronc, ils gagnèrent New York. De là, ils prirent un train les menant à Montréal et un autre à Lévis. En deux jours

et une nuit, ils y étaient. À la gare de Lévis, Marie les
attendait. Quand Jean la lui présenta, sa mère sympa-
thisa tout de suite avec la jeune femme. Elle se revoyait,
au même âge, dans les rues de Québec.

De Lévis, ils prirent le train vers les Maritimes,
mais en descendirent à Saint-Michel. Élisabeth ne
voulut pas quitter l'endroit sans s'attarder à admirer le
fleuve, tranché au beau milieu par l'île d'Orléans.
Aussi loin que le regard se portait au-delà de l'île, le
paysage se remplissait de montagnes survolées par de
paisibles nuages. Le soleil luisait comme une pièce de
monnaie neuve. Il y avait tellement longtemps qu'elle
n'avait pas admiré un paysage si grandiose qu'elle
demeura là un long moment, sans dire un mot, le cœur
en émoi et la larme à l'œil.

Quand ils montèrent dans la voiture qui devait les
conduire à Sainte-Claire, les larmes lui vinrent aux
yeux au souvenir de son périple avec Joachim. Maintenant, c'était à travers les yeux de son fils et les regards
de Marie qu'elle se remémorait la scène. Il lui semblait
que ce n'était encore qu'hier, alors que c'était il y avait
bien longtemps déjà.

Ils arrivèrent à Sainte-Claire en fin de journée.
Gilbert, qui tenait maintenant la boulangerie à la place
de son père, leur fit fête. Il expédia son plus vieux chez
ses frères. Une heure plus tard, la maison, pleine
comme un œuf, débordait de rires. Toujours de ce
monde, l'oncle Lucien et la tante Aline se joignirent à
la fête. Dans l'euphorie du moment, Élisabeth ne se
rendit pas compte que les moments passés en ces lieux

étaient bel et bien révolus. Le lendemain matin, au déjeuner, alors que la maison s'était vidée de tous ceux qu'elle connaissait, la réalité s'imposa à elle. Les années avaient brassé les cartes. Seuls demeuraient les souvenirs.

— Cousine, lui dit Gilbert, goûte à ce pain.

— C'est maintenant toi qui le fais ?

— Depuis cinq ans.

Élisabeth dégusta lentement. Elle sourit :

— Ne le dis surtout pas à ton père, mais je pense qu'il est aussi bon que le sien, sinon meilleur.

Satisfait du compliment, Gilbert bomba le torse. Marie demanda :

— Vous ne produisez pas seulement du pain ?

— Des gâteaux, des biscuits, des brioches, selon les saisons. Ma galette des rois, entre autres, est quelque chose à goûter.

Jean formula un souhait à son tour :

— J'aimerais bien voir comment vous vous y prenez.

— Rien de plus simple, s'enthousiasma Gilbert, je vous le montrerai après déjeuner.

Élisabeth intervint :

— Tes frères étaient tous là hier, sauf Albert. Où est-il donc passé ? Je croyais le voir ce matin.

— Tu ne le sais pas, cousine ? Il est parti de Sainte-Claire depuis au moins trois ans. Il reste dans Charlevoix, astheure. Il est gardien du phare à l'embouchure du Saguenay depuis à peu près deux ans.

— Gardien de phare ?

— Rien de moins.

— Comment, de boulanger, a-t-il pu devenir gardien de phare ?

— Il s'est marié pas longtemps après ton départ pour Lewiston.

Rolande, la femme de Gilbert, intervint.

— Son oncle Théophile, du côté de sa femme, tient le phare du Brandy Pot. C'est une famille de marins de père en fils. Ils sont de Montmagny. C'est lui qui lui a proposé ce travail-là.

— Tu connais Albert, reprit Gilbert. Au fond, c'est un solitaire. Quand sa femme est morte …

— Sa femme est morte ?

La stupéfaction se lisait sur le visage d'Élisabeth.

— Tu ne le savais pas ?

— Personne ne m'en a parlé dans les lettres que j'ai reçues.

— Ah, ça ! C'est curieux. Elle est morte en couches, la pauvre. Comment ça se fait qu'on ne te l'a pas écrit ?

— Peut-être bien parce que je n'ai pas pensé de demander de ses nouvelles…

— Ouais ! Il est maintenant gardien de phare.

— Et ses filles ?

— Marthe et Hélène ? Elles sont pensionnaires à Québec. Il les voit durant le temps des fêtes et elles passent l'été avec lui.

Élisabeth se remettait difficilement de la nouvelle qu'elle venait d'apprendre.

— Albert, veuf et gardien de phare, murmura-t-elle. Tu te souviens, Gilbert, c'est lui qui m'accompagnait sur la Côte-Nord quand j'ai été m'informer de ce qu'était devenu Charlabin. C'est lui aussi qui nous a conduits jusqu'à Lewiston.

—J'étais jeune, intervint Jean, mais je m'en souviens très bien.

—Albert, pauvre Albert.

—Ne dis pas ça, Élisabeth. Il paraît qu'il est très heureux là où il se trouve.

Le temps filait, Gilbert avait du travail. Élisabeth ne le retint pas davantage.

—Va-t'en à tes fours, dit-elle, je vais en profiter pour faire un tour dans le village. Après, j'irai voir tes parents.

—Ils restent à deux maisons d'ici.

—Le temps que Gilbert nous montre un peu de quoi retourne sa besogne, intervint Jean, et on vous rejoint, m'man. Où pourrons-nous vous trouver?

—Du côté du cimetière, assurément.

Rolande offrit de l'accompagner. Elle la remercia :

—C'est bien gentil de ta part, mais pour ce que j'ai à faire tout de suite, j'aime mieux être seule.

Elle mit son chapeau, enfila son manteau et sortit. C'était une belle journée dorée de septembre. Quelques bandes d'oiseaux passaient, en route vers le sud. «Eux autres aussi, pensa Élisabeth, ils partent en voyage.»

Ses pas la menèrent d'abord vers l'église, mais son cœur se serra quand elle passa devant la maison où elle avait été si heureuse avec Joachim. Malgré elle, elle accéléra le pas. Elle contourna l'église et se dirigea vers le cimetière. Ce fut là que Jean et Marie la retrouvèrent. Elle arrachait les mauvaises herbes autour de la pierre tombale de Joachim. Jean remarqua tout de suite qu'elle avait pleuré.

Jean s'empressa de lui demander :

— M'man, voulez-vous que nous fassions un peu le tour du village ?

Elle hésita. Marie intervint :

— Allons, madame Grenon, ça va vous changer les idées.

Elle la prit par le bras, l'entraînant hors du cimetière.

— Ce n'est pas bon, dit-elle, de trop ruminer le passé. Vous avez sans doute vécu de bons moments par ici ?

— Ah oui ! Avec Joachim. Mais j'y pense, il faudrait peut-être que je rende visite à Armandine.

— Qui est Armandine ?

— Mon amie, la femme du notaire Horace Chapleau. Sais-tu que les gens d'ici l'appelaient madame Horace comme ils m'appelaient madame Joachim ?

Une autre déception attendait Élisabeth là où elle croyait retrouver les Chapleau, car ce fut une étrangère qui vint répondre à la porte.

— Bonjour, fit la femme avec un étonnement marqué. Je n'ai pas l'honneur de vous connaître.

Élisabeth s'excusa :

— Nous étions persuadés de frapper à la porte du notaire Chapleau.

— Ah bon ! Vous êtes en retard de plusieurs années dans les nouvelles. Les Chapleau sont partis pour Québec depuis belle lurette.

—Vous nous voyez confus, enchaîna Élisabeth. Nous n'étions pas venus à Sainte-Claire depuis une quinzaine d'années.

Curieuse, la femme voulut savoir à qui elle avait affaire. Élisabeth se défila en disant que son nom ne lui dirait rien. Elle insista ensuite pour retourner à la boulangerie. En route, ils s'arrêtèrent saluer son oncle et sa tante. Ils avaient tellement vieilli, tous les deux, qu'elle avait peine à s'imaginer qu'on puisse changer autant en une quinzaine d'années.

Ils les quittèrent à l'heure du dîner afin de retourner chez Gilbert. À Jean qui lui demandait si elle aimerait vivre de nouveau à Sainte-Claire, Élisabeth répondit:

—Non, pas vraiment. Comprends-tu, je ne pourrai jamais regarder la grande maison où j'ai été si heureuse sans que les larmes me montent aux yeux. Dans ce village, quand je me tourne d'un côté, c'est tout plein de grands bonheurs et quand je me tourne de l'autre, ça déborde de malheurs. Quant à mon Joachim, il a beau être au cimetière, il a toujours sa place dans mon cœur.

Le lendemain, ils partaient pour Métabetchouan.

Chapitre 46

Métabetchouan

De Québec, ils prirent un vapeur jusqu'à Tadoussac et, de là, remontèrent le Saguenay jusqu'à Chicoutimi avant de se faire conduire par voie terrestre jusqu'à Métabetchouan.

Leur arrivée y causa beaucoup d'émoi, et cela d'autant plus que Délina était malade. Le premier mouvement d'Élisabeth fut de se précipiter à son chevet. En la reconnaissant, le visage de Délina s'éclaira. Elle trouva la force de dire :

— Je t'ai attendue, chère. Maintenant, je peux fermer les yeux pour toujours.

Élisabeth lui parla doucement :

— Maintenant que je suis libre, nous aurons beaucoup de bon temps ensemble. J'ai encore tellement de choses à apprendre. Je vous défends de nous quitter.

Délina esquissa un sourire et dit :

— Je saurai bien attendre un peu encore.

Cette première démarche bouleversa Élisabeth, ce qui ne l'empêcha pas de se rendre ensuite au cimetière du poste prier sur la tombe de ses parents. Là, défila dans sa tête tout ce que Métabetchouan avait été pour elle. Elle ne pouvait pas regarder vers le Poste sans penser à Forrest et au Métis. Dès qu'elle voyait se profiler au loin le clocher de la chapelle, il lui venait en tête les visages de son jeune frère et de ses parents ensevelis au cimetière voisin. Si elle observait la rivière, elle revoyait Charlabin de l'autre côté, sur le quai, et derrière lui leur fils Benjamin. Quelques arbustes avaient poussé entre la maison et la rivière. Malgré elle, elle esquissa un sourire à l'évocation de sa première union avec lui. Comme de l'eau avait coulé depuis dans la Métabetchouan! Elle soupira longuement avant de s'écrier: «On ne refait pas le passé! Il est bien où il est. Vaut mieux ne pas le remuer.»

S'ils y venaient pour la première fois, Jean et Marie ne mirent guère de temps à se familiariser avec les lieux. Il y avait là tellement de cousins et de cousines! Quand ce n'était pas l'une qui les invitait, c'était un autre qui avait quelque chose à leur montrer. Marie l'accompagnait partout, chez Omer, chez Léopold, chez Bellone. Tout le monde se les arrachait, pendant qu'Élisabeth au chevet de Délina faisait des miracles. La malade retrouvait des forces. Elle pouvait même se lever et s'asseoir dans une berçante, près de la fenêtre, pour admirer le lac et la rivière.

Ils passèrent tout le mois de mai à Métabetchouan. Jean et Marie profitèrent de ce qu'Élisabeth tenait à remettre Délina sur pied pour aller faire un saut du côté de Chicoutimi et s'arrêter aussi à Saint-Jérôme.

Ils revinrent de leurs périples les bras chargés de cadeaux. Puis, quelques jours après leur retour, ils prirent tout le monde par surprise en annonçant leur mariage.

— Décidément, s'écria Élisabeth, Métabetchouan est l'endroit béni pour les mariages.

— Tu as raison, chère, dit doucement Délina. Je n'ai jamais oublié ton mariage ici avec Joachim. À part mon mariage avec ton père, je crois que ça été un des plus beaux jours de ma vie.

Jean avait mis le paquet, tenant à ce que son mariage soit célébré de façon grandiose. Décorée jusqu'au plafond, la chapelle avait l'air d'un écrin à bijoux. Des musiciens venus de Saint-Jérôme égayèrent la noce, mais surtout, les tables disposées à l'extérieur près de la maison débordaient de tout ce qu'il y avait de mieux en fait de nourriture. On se serait cru en plein temps des fêtes. Il y avait sur les tables des tourtières du lac Saint-Jean.

Puisque Délina avait pris du mieux et qu'Élisabeth tenait à passer encore un peu de temps avec elle, Jean et Marie décidèrent de faire leur voyage de noces dans le comté de Charlevoix. Ils montèrent à bord d'un vapeur qui, après une tournée du lac Saint-Jean, où ils purent admirer, échelonnés sur ses rives, des villages aussi pimpants que Roberval, Saint-Prime et Péribonka, ils descendirent à Saint-Henri-de-Taillon et, par voie terrestre, gagnèrent Chicoutimi. De là, sur un magnifique voilier, ils descendirent le Saguenay, admirant au passage les caps Trinité et Éternité et, sertie dans son écrin, Sainte-Rose-du-Nord. Ils s'arrêtèrent finalement à Tadoussac, bien décidés à profiter de leur séjour à cet endroit pour rendre visite à Albert, le cousin d'Élisabeth, gardien du bateau-phare en l'embouchure du Saguenay.

Chapitre 47

Une offre irrésistible

C'était un beau matin de juin. Le soleil se levait sur Tadoussac. On entendait les oiseaux de mer se disputer des restes de poisson. Marie avait ouvert la fenêtre. Déjà, une bonne chaleur entrait dans la chambre.

— C'est toujours décidé, dit-elle, nous y allons aujourd'hui ?

— J'ai prévenu le capitaine Boily. Il doit déjà nous attendre.

Ils déjeunèrent en vitesse puis quittèrent l'auberge, main dans la main, en prenant la direction du quai. Le capitaine Boily était au poste.

— C'est bien pour le phare ? dit-il. Vous avez pas changé d'idée ?

— Nous y allons tout de suite, répondit Jean. Albert a certainement reçu mon télégramme et il nous y attend sans doute.

La barque traça sa voie entre les courants du fleuve et du Saguenay. À l'embouchure de la rivière Saguenay, sur le haut-fond Prince, était amarré le bateau-phare. Le capitaine Boily les y conduisit sans coup férir et promit de les reprendre six heures plus tard, à marée haute.

Albert avait bien reçu le mot de Jean, et il les attendait avec impatience. En apercevant Jean, il ouvrit de grands yeux.

— Comme tu as changé! s'exclama-t-il. Je t'ai connu enfant et te voilà devenu un homme! Je suis bien heureux de te voir et d'autant plus que tu viens en belle compagnie. Ici, la visite se fait rare, ajouta-t-il en leur tendant la main.

Jean et Marie le saluèrent chaleureusement. Après ces premiers échanges, il s'étonna:

— Ta mère n'est pas avec vous?

— Elle est restée à Métabetchouan au chevet de sa belle-mère. Quant à nous, nous sommes en voyage de noces.

— Vraiment? Il faut fêter ça!

Albert se précipita vers ce qui lui servait de cuisine et en revint avec des verres et une bouteille. Ils trinquèrent à la vie et à l'amour, après quoi Albert dit:

— Maintenant, parlez-moi d'elle. J'ai tellement hâte d'avoir des nouvelles de ma cousine préférée.

Jean raconta ce qu'avait été leur vie à Lewiston et comment il en était parti pour faire fortune. De son côté, Albert parla de son mariage, de ses deux filles et du malheur qui les frappèrent tous les trois à la mort de son épouse, alors qu'elle allait donner naissance à leur troisième enfant.

— Ce qui m'a sauvé, assura-t-il, c'est la proposition de l'oncle Théophile. J'ai toujours aimé la solitude.

Quand il m'a parlé de ce phare, je n'ai pas hésité une seconde. Après quelques jours d'entraînement à Québec, je suis venu ici.

— Et tu y es depuis longtemps ?

— Bientôt deux ans, mais je ne ferai pas deux ans complets ici.

— Pourquoi, tu n'aimes pas ça ?

— Au contraire, j'aime beaucoup ce que je fais, mais on m'a proposé autre chose.

— Vraiment ?

— Oui ! Garder le phare du Rocher-aux-Oiseaux.

— Où est-ce ?

— En plein milieu du golfe Saint-Laurent. En plus, j'ai une bonne augmentation de salaire.

— Quand dois-tu t'y rendre ?

— Au début d'août. Mais j'y pense tout d'un coup : ça ne vous tenterait pas de venir y passer le mois d'août avec moi et mes filles ? Si vous voulez prendre des vacances, je vous promets que c'est l'endroit tout désigné.

Jean et Marie se montrant ouverts à cette idée, Albert jugea cependant bon de préciser :

— Je vous préviens, le Rocher-aux-Oiseaux n'est pas un endroit de tout repos. Depuis qu'on y a construit un phare, les gardiens y ont eu la vie plus que difficile. On croirait qu'il y a une malédiction attachée à ces pierres. Aujourd'hui, cependant, avec toutes les techniques modernes, les gardiens, sans y être en vacances, peuvent profiter quand même de bons moments. Leurs pires ennemis, bien sûr, ce sont ceux de toujours :

l'éloignement et la solitude. Vous allez peut-être trouver ça bien loin et bien morne.

— La solitude ne me fait pas peur, assura Jean. J'ai vécu pratiquement seul pendant des années dans l'Ouest américain et, en plus, si nous allons au phare, ce ne sera que pour un mois et je n'y serai pas seul, n'est-ce pas Marie ?

Il la regardait avec des yeux remplis de tendresse. Marie approuva :

— Tu ne seras plus jamais seul. En plus, nous devrions y emmener ta mère. Ça lui changerait les idées.

Jean approuva, mais en hésitant quelque peu :

— Je m'inquiète un peu de sa réaction. Elle n'est pas habituée à s'arrêter pour ne penser qu'à elle. Elle se croit toujours obligée de travailler. Il va falloir songer à de bons arguments pour la persuader de nous accompagner. En plus, il se peut qu'elle craigne de s'y rendre.

— Allons donc, reprit Albert, ta mère en a vu tellement que je pense qu'il n'y a pas grand-chose qui peut lui faire peur. Quoi qu'il en soit, je tiens à ce que vous preniez connaissance des renseignements suivants. Je vous laisse le temps de les lire. Je reviens dans une demi-heure environ. Nous en reparlerons.

Albert venait à peine de les quitter que Jean se plongea dans la lecture d'une partie des papiers qu'il avait devant lui. Sans dire un mot, afin de ne pas le distraire, Marie vint s'asseoir tout près de lui. Quand il eut terminé sa lecture, il dit :

— Tu vois, chérie, le phare a une hauteur de cinquante et un pieds. Il a été construit par un monsieur Fraser. Pour pouvoir monter les matériaux nécessaires, on a dû tailler un chemin dans le roc sur une hauteur de quatre-vingt-dix pieds à l'endroit le moins élevé du rocher. Pour guider les vaisseaux par temps brumeux, on a posé un canon. C'est pas croyable ! Le gardien était obligé de tirer du canon tous les quarts d'heure, tant qu'il y avait de la brume et ça, jour et nuit. Il devait avoir un *fun* noir quand la brume ne se levait pas avant trois ou quatre jours.

— Ça ne devait pas être très agréable d'entendre un coup de canon tous les quarts d'heure.

— Le pire, continua Jean, c'est de voir tous les malheurs survenus au phare.

— Tant que ça ?

— Il y en a toute une liste. En 1872, le premier gardien n'a pu supporter la solitude. On a dû l'évacuer avec celui qui lui venait en aide : il était devenu fou.

— C'était vraiment mal parti.

— Ah ! Ce n'est rien, ça ne fait que commencer. Le deuxième gardien, un nommé Whales, est allé rester là avec sa femme de 1873 à 1880. Pendant sept ans, tout alla bien. Mais sept années de vaches grasses sont suivies de sept années de vaches maigres, pas vrai ? Au mois d'avril 1880, il y avait tellement de loups marins autour du rocher que le gardien et ses deux aides décident d'aller à la chasse. Ils montent sur la banquise et ils commencent leur chasse sans se rendre compte qu'une tempête se lève. La première chose qu'ils savent, le vent pousse la banquise au large. Ils ne peuvent regagner l'île. Pourtant, il y en a un qui a réussi à revenir au rocher le lendemain. Il a les pieds gelés et est à moitié mort de froid. Il annonce à madame Whales, restée toute seule au phare, que son mari et son fils ont péri de froid durant la nuit. Voilà deux malheurs survenus au phare. Veux-tu connaître la suite?

— Si tu y tiens. Après tout, si nous y allons, il vaut mieux savoir où nous mettons les pieds.

Jean poursuivit:

— Le gardien suivant était un Chiasson. Une bonne journée, il a la visite de son fils et de deux de ses amis. Il décide de leur montrer le phare, les bâtiments, la bouilloire et, bien sûr, le canon de brume. "J'aimerais ça que vous nous montriez comment le canon fonctionne", le supplie un des deux amis. "Avec plaisir", dit Chiasson, qui bourre le canon en vitesse et allume la mèche. Boum! Le baril de poudre leur saute en pleine face. Lui et son fils sont tués sur le coup. Blessé, un des amis expire deux heures plus tard. Des quatre hommes, un seul survit, son assistant. Il parvient à se servir du télégraphe et fait venir du secours. On décide par la suite de le nommer gardien pour remplacer Chiasson. Tout va bien jusqu'à ce que le satané canon d'alarme fasse encore des siennes. Il part prématurément et emporte une main du gardien. Qu'à cela ne tienne, le gars en réchappe, revient au phare, fait une chute, manque de se tuer et démissionne. En as-tu assez, chérie, ou veux-tu connaître la suite?

Songeuse, Marie ne répondit pas. Jean poursuivit :

— En attendant la nomination d'un autre gardien, c'est Arsène Turbide qui le remplace. Il y passe l'hiver avec Charles Turbide, le fils du gardien démissionnaire, Damien Cormier et son épouse. En mars, le temps magnifique invite à la chasse aux loups marins. Les trois hommes courent sur les glaces. Le vent modéré du nord-ouest ne fait craindre aucune mauvaise surprise. À peine rendus sur la banquise, même scénario que vingt ans auparavant : le vent s'élève et les voilà partis à la dérive en direction du sud-est. Vers deux heures de la nuit, Charles Turbide meurt de froid. Un peu après le lever du jour, c'est au tour de Damien Cormier. Il ne reste plus qu'Arsène Turbide encore vivant sur la glace. La banquise dérive jusqu'au Cap-Breton où elle touche terre à soixante milles du phare. Recueilli par des gens de l'endroit, Turbide, souffrant d'engelures graves aux pieds et devenu aveugle, réussit à prévenir les autorités que la femme de Cormier est demeurée seule au phare. Il écrit pour réclamer de l'aide afin d'obtenir de meilleurs soins pour ses pieds gelés. Il meurt quelques jours plus tard. Voilà ! C'est là que s'en va Albert. Crois-tu que nous prenons une bonne décision de nous y rendre ?

Marie le regarda et dit calmement :

— Souhaitons que les malheurs survenus à ce phare soient réellement de l'histoire ancienne.

— J'aimerais bien y passer un mois, déclara Jean. Ce serait comme un prolongement de notre voyage de noces.

— Ça devrait être agréable, murmura Marie.

— Albert y va. Pourquoi n'en profiterions-nous pas ?

— Pourquoi pas ? renchérit Marie. Il faudra parvenir à convaincre ta mère de nous suivre là-bas pour qu'elle s'y change les idées.

— Ça, c'est loin d'être fait.

Marie dit d'un ton persuasif :

— Laisse-moi faire, tu verras, je trouverai les bons arguments pour qu'elle nous accompagne !

Ils en étaient là dans leurs propos quand Albert revint les trouver.

— C'est décidé, dit Jean, nous t'accompagnerons au Rocher-aux-Oiseaux.

Chapitre 48

La fin d'un beau séjour

De retour à Tadoussac, nos deux amoureux décidèrent de poursuivre leur voyage de noces à travers Charlevoix en montant à bord d'un vapeur à destination de La Malbaie. Là, ils profitèrent de la voiture de la poste pour découvrir le comté, du haut de la route courant sur les caps où, à chaque détour, s'offraient à leurs yeux des vues époustouflantes du fleuve et des montagnes. Ils firent lentement le trajet au rythme du cheval et au gré de l'humeur du postier. Marie s'exclamait chaque fois que, du haut d'un escarpement, ils voyaient se dessiner devant eux à la fois le fleuve majestueux et le riant paysage de Charlevoix.

— Quelle idée merveilleuse tu as eue! ne cessait-elle de s'extasier. As-tu déjà vu plus beau pays?

— Vous n'êtes pas la seule, ma petite dame, à aimer ces paysages, intervint le postier. Chaque année, je croise sur le bord de la route au moins un ou deux peintres occupés à les immortaliser sur toile. J'ai dans mon idée que nous n'avons pas fini d'en voir venir chercher leur inspiration dans nos parages.

— Ça se comprend, monsieur! Si j'étais peintre, je ne manquerais certainement pas de venir y faire un tour, dit Marie.

Ils s'arrêtèrent à Saint-Irénée pour la nuit, dans une petite auberge dont le tenancier à l'air rébarbatif cachait un cœur d'or. Il leur proposa pour le souper un rôti de bœuf dont ils se régalèrent. Puis ils eurent le plaisir de déguster un fromage au goût de noix fondant dans la bouche.

Jean s'informa :

— J'ai rarement mangé un si bon fromage, mon brave. Vous m'obligeriez beaucoup en me disant où vous vous le procurez.

— Ici, monsieur, ici! C'est moi qui le fais. Dans Charlevoix, on fait tout soi-même.

Le lendemain, dès que le postier fut prêt à poursuivre sa route, ils montèrent avec lui dans sa voiture. Il se rendait à Saint-Joseph-de-la Rive remettre le courrier de l'endroit, en même temps que celui de l'Île-aux-Coudres.

La route s'éloignait graduellement du fleuve. Elle déboucha soudainement sur Les Éboulements. Le postillon y laissa quelques missives, puis, sans plus tarder, dévala la pente jusqu'au fleuve auprès duquel était blotti le village de Saint-Joseph-de-la-Rive. Jean s'anima quand il aperçut çà et là des goélettes en construction. Ils arrivèrent à Baie-Saint-Paul par le Cap-aux-Corbeaux. La route descendait de façon vertigineuse vers le village. La vue était à couper le souffle. Ils ne parlaient plus, tant la beauté des lieux les avait saisis. La rivière du Gouffre serpentait entre les maisons avant de se perdre dans le fleuve. La marée basse laissait découvrir de vastes bancs de sable parsemés ici et là de cuvettes d'eau comme de grands yeux ouverts sur le ciel. Blotties autour de l'imposante église à deux clochers, les maisons semblaient rassemblées là pour la prière.

— Ma mère y est née, dit Jean à Marie, et sa famille venait de cet endroit. J'y mets les pieds pour la première fois, mais je sens que ça ne sera pas la dernière.

À leur retour à Métabetchouan, c'était la désolation. Délina avait eu une rechute le lendemain de leur départ et était morte pendant son sommeil. Restée tout ce temps à son chevet, Élisabeth avait eu beaucoup de peine. Elle se consolait en se disant qu'au moins elle était là pour son grand départ.

L'enterrement au cimetière du Poste s'inscrivait déjà dans le passé. La maison paternelle était maintenant vide. Seules quelques photos accrochées aux murs témoignaient de ceux qui avaient été ses habitants. Dans cette maison sans vie, Élisabeth tournait en rond. Omer et Léopold venaient faire leur tour, mais leurs obligations et leurs familles les tenaient constamment occupés. Les belles-sœurs compatissaient et trouvaient le moyen de passer la distraire un peu, mais déjà le cœur d'Élisabeth n'était plus à Métabetchouan.

Ce fut pour elle une délivrance de voir revenir Jean et Marie.

⌒∾

Délicatement, dès leur retour à Métabetchouan, Marie s'enquit des intentions de sa belle-mère.

—Jean ne vous en a pas parlé, mais savez-vous ce que nous avons fait pendant notre séjour dans Charlevoix?

— Quoi donc?

— Nous vous l'avons caché, parce que nous voulions vous y amener pour une surprise. Nous avons rendu visite à votre cousin Albert.

— Vraiment! Comment va-t-il?

— Tout à fait bien et il hâte de vous revoir.

— Vous êtes allés le voir à son phare?

— Oui! Il y vit avec un aide, mais ce ne sera pas pour bien longtemps encore.

— Comment ça?

— Il change de phare. Il s'en va à celui qui se trouve au milieu du golfe du Saint-Laurent, le phare du Rocher-aux-Oiseaux. Il paraît que c'est un endroit extraordinaire pour se reposer et se changer les idées. À propos, que comptez-vous faire maintenant? Allez-vous demeurer à Métabetchouan?

— Maintenant que ma belle-mère n'est plus là, il n'y a plus grand-chose qui m'y retient. Ceux que j'aimais le plus sont au cimetière du Poste. Je ne resterai pas ici tout seule dans la maison paternelle juste pour pouvoir dire que je veille sur mes morts. J'aime mieux être ailleurs et les garder bien vivants dans mes souvenirs.

— Vous avez raison.

Assis près de la fenêtre, Jean ne s'était pas mêlé à la conversation. Il intervint soudain :

— Comme vous n'avez pas l'intention de demeurer à Métabetchouan, avez-vous idée de l'endroit où vous aimeriez aller ?

Sa mère hésita, puis dit :

— Tout dépendra de ce que vous déciderez. Ma famille maintenant, c'est vous deux.

Marie s'approcha et la serra dans ses bras.

— Vous êtes une belle-mère en or, dit-elle. Je me compte vraiment chanceuse de vous avoir.

Jean lui révéla leur intention de passer le mois d'août au Rocher-aux-Oiseaux. Marie ajouta :

— Vous n'avez jamais eu de répit. Un mois en pleine nature vous fera beaucoup de bien.

Élisabeth semblait hésitante. Jean s'en mêla :

— Allons, gâtez-vous un peu, m'man, nous en avons les moyens.

Le soleil déclinait sur l'horizon. Déjà les ombres envahissaient la maison. En jetant un coup d'œil par la fenêtre, Élisabeth dit :

— Il y a encore quelque chose que je veux faire avant de partir d'ici. Demain soir, ce sera la pleine lune. Je veux vous avoir avec moi.

Le lendemain après le souper, elle emmena Jean et Marie sur la falaise, derrière la maison, là où autrefois son père l'avait conduite et où elle était allée avec

Joachim. Ils regardèrent paisiblement mourir le jour et naître la nuit.

Alors qu'ils s'apprêtaient à retourner à la maison, elle expliqua :

— Mon père m'a amenée ici alors que je passais de bien mauvais moments. Depuis, dit-elle, chaque fois que j'ai douté, même dans mes plus durs moments à Lewiston, il m'a suffi d'admirer ce spectacle pour retrouver la force de vivre.

Chapitre 49

Enfin, de vraies vacances !

L'été jouait son rôle à merveille. Il donnait des couleurs nouvelles aux maisons. Le lac et la rivière, tout comme la forêt aux alentours, bruissaient de vies nouvelles. Les oiseaux s'affairaient à nourrir leurs petits, des biches avec leurs faons se risquaient près des maisons. Quelque chose dans l'air respirait la joie. Élisabeth passa ses derniers soirs à Métabetchouan en compagnie de ses frères et ne manqua pas, avant de partir, d'aller faire ses adieux au vieux Bellone qui faisait la nique à la mort.

Le navire de la garde côtière progressait rapidement. Albert était tout heureux de gagner le Rocher-aux-Oiseaux avec ses deux filles. Jean et Marie profitaient de cette journée de soleil pour se remplir les yeux du grandiose spectacle de la mer tout en jasant avec Marthe et Hélène, les filles d'Albert. Déjà, Élisabeth se réjouissait de sa décision de les accompagner. Pour sa part, habitué aux plaines de l'Ouest américain, Jean soulignait déjà toute la différence qu'il y a entre la vie du fleuve et celle des prairies.

— Quand j'étais cow-boy, dit-il, j'ai parcouru des milles et des milles de terrain plat et désertique. Nous avions l'impression d'être les seuls êtres vivants au monde. Je me rends compte qu'un fleuve comme celui-ci est tellement plus animé. Tout bouge, c'est plein de vie. Ça me fait penser à un vaste boulevard, une artère principale qui fait battre le cœur de tout le pays.

— Mon époux est un grand sage, se moqua Marie.

Sa réflexion dérida Élisabeth. Jean se tenait près d'elle, lunettes d'approche en main. Il examinait le golfe vers l'est. Ses puissantes jumelles ne lui révélaient encore rien.

— C'est beaucoup trop tôt, lui fit remarquer Albert. Le phare est encore à des milles.

— Jamais je n'aurais pensé que le fleuve était si vaste !

Sur les rives lointaines, on ne distinguait plus que des taches blanches, là où se dressaient des villages.

— Nous allons savoir qui a les meilleurs yeux, dit Albert. Qui verra le phare en premier ?

— Nous ! s'écrièrent Hélène et Marthe, en se précipitant vers la proue.

Elles furent les premières à apercevoir, presque imperceptible au milieu du golfe, un petit point comme ceux que l'on met au bout d'une phrase.

— Nous le voyons ! s'écrièrent-elles en chœur. Par là, vers la droite !

Jean braqua ses jumelles dans cette direction.

— Elles ont raison !

Marie et Albert le découvrirent à leur tour. Élisabeth se plaignit :

— Mes vieux yeux ne me permettent pas de le voir encore.

Le point peu à peu s'agrandit, puis s'aplatit pour former un trait d'union. À mesure que le navire s'approchait, le Rocher-aux-Oiseaux prenait forme. Ils étaient déjà tous conquis. Jean passa les jumelles à sa mère et commenta :

— Le rocher me fait penser au poing d'un géant surgi des profondeurs. Le phare y paraît si petit, comme un diamant à l'un de ses doigts.

— Te voilà devenu poète ! s'esclaffa Marie. Mon époux parle comme un grand livre.

Elle s'approcha de lui et le serra dans ses bras. Quelque peu anxieuse, Élisabeth aurait bien voulu partager son enthousiasme, mais elle n'y parvenait pas encore. Jean le perçut et la secoua quelque peu.

— M'man, vous allez me faire le plaisir de laisser le passé derrière vous, dans le fleuve. Ça ne sert à rien de le ruminer, vous ne pouvez pas le refaire. Il faut vivre au jour le jour et profiter de chaque instant, tabaslac !

Il cracha dans le fleuve et se mit à turlutter.

— Après quatre semaines de plein air, ajouta-t-il, vous allez avoir les idées drôlement plus claires.

— Tu penses ?

— Non seulement je le pense, je le garantis. Vous nous l'avez dit vous-même, c'est dans la nature qu'on retrouve ses points de repère. On se laisse vivre et on retrouve la paix. Au phare, vous allez en voir, des beaux couchers de soleil.

Malgré les propos optimistes de son fils, Élisabeth restait songeuse.

— Vos vieux démons ne vous lâchent vraiment pas, m'man. Vous allez voir que d'ici quelques jours, ils vont faire la pirouette et vous ne les reverrez plus.

Le navire aborda le rocher prudemment, comme un renard sur ses gardes. Heureusement, la mer était calme et leur débarquement se fit sans anicroche.

Chapitre 50

La découverte

Élisabeth se faisait vite des amies. Déjà, elle se sentait près de sa belle-fille qu'elle appréciait beaucoup. Le même phénomène se produisit avec les deux filles d'Albert. Leur enthousiasme finit par la gagner. Leur gaieté communicative vint à bout de ses idées noires. Ce fut en leur compagnie qu'une fois rendue au rocher, elle fit le tour de l'île. Passionnées d'ornithologie, les jeunes filles ne pouvaient trouver endroit plus propice à leurs observations. Sur ses cinq étages, clos comme un œuf, le phare contenait en ses flancs tout ce dont on avait besoin pour vivre. Elles le préférèrent à la maison et s'installèrent au quatrième palier dans la « chambre aux oiseaux ».

On eût dit un musée. Perchés sur des imitations de rocher en papier mâché, des oiseaux empaillés couvraient presque entièrement les murs. Les guillemots y voisinaient les sternes, les fous de Bassan, les mouettes, les cormorans, les goélands. Une collection d'œufs venait compléter le tout. Hélène et Marthe ne

pouvaient espérer mieux pour leurs études ornitholo-
giques. Tôt le matin, elles disparaissaient dans les
rochers pour y observer les ébats de leurs oiseaux pré-
férés. Elles ne reparaissaient qu'au repas. Elles dégageaient toutes deux une profonde joie de vivre. Hélène
ne se séparait pas de son guide des oiseaux. Trois jours
après leur arrivée, le phare n'avait plus de secrets pour
elles. Pourtant, Élisabeth, depuis son arrivée au rocher,
ne semblait pas complètement dans son assiette.

Un beau midi, Marthe et Hélène, tout en émoi,
sortirent du phare et se précipitèrent vers elle en courant. Après avoir repris son souffle, Marthe finit par
lui dire :

— Venez voir !

Élisabeth se demandait ce qui pouvait bien se
passer.

— Où ça ?

— Au phare !

— Pourquoi ?

— Surprise !

Elle les suivit, d'un pas mesuré, les laissant gagner
à leur rythme le sommet de la tour. Elles l'attendaient
au cinquième plancher.

— Regardez, dit Marthe, cette anfractuosité dans la
pierre.

— Oui ! Et alors ?

— Hélène a fait une découverte.

— Vraiment ?

Hélène glissa sa main entre les deux pierres. Une
des pierres pivota sur elle-même. Derrière, Élisabeth

aperçut un cahier jauni par le temps. Fières de leur découverte, les jeunes filles exultaient. Marthe prit le cahier, l'ouvrit délicatement. Elle se mit à lire :

Mercredi, 27 août 1890

Les après-midi d'un soir comme celui d'aujourd'hui, la mer dort sous un soleil de plomb. Je la vois respirer par chacune de ses vagues. Son ventre se gonfle démesurément comme celui d'une femme enceinte. Elle ronronne à la manière d'un chat hypocrite, ne dort que d'un œil, prépare sournoisement son coup de griffe. Immanquablement, le soir même, elle gifle tout ce qui l'entoure. Son ventre de plomb éclate comme un ballon trop gonflé. Les vents d'ouest lui brassent les entrailles jusqu'à ce qu'elle se déchaîne sans fin. Faut alors prier le ciel que personne ne devienne victime de sa colère. Quand la mer gronde, malheur à qui n'a pas eu la sagesse de se mettre à l'abri.

— Vous avez découvert un trésor, dit Élisabeth. Curieuses comme vous l'êtes, vous l'avez sûrement feuilleté ?

— Bien sûr, répondirent-elles en chœur.

— En avez-vous parlé à votre père ?

— Non, pas encore.

— Savez-vous qui en est l'auteur ?

— Non ! Son nom ne figure nulle part.

Élisabeth aimait les vieux papiers. Ce journal, elle le pressentit, venait providentiellement combler le vide qui l'habitait depuis son arrivée dans l'île. Elle se proposait de le lire et savait qu'elle n'aurait de repos que lorsqu'elle saurait qui l'avait écrit.

— Il faudra découvrir qui en est l'auteur, dit-elle. Votre père et mon fils devraient nous aider à éclaircir le mystère.

Informés de la découverte, Albert, Jean et Marie se montrèrent fort intéressés à en connaître l'auteur.

— Si on le comparait au journal officiel du phare? proposa Albert. Si c'est le gardien qui l'a rédigé, on le saura bien en comparant les deux écritures.

Élisabeth accompagna les jeunes filles jusqu'à la maison. Les vieux journaux de bord des gardiens y étaient soigneusement rangés dans une armoire. Depuis son arrivée sur l'île, Élisabeth les avait consultés sans leur trouver un très grand intérêt. Les textes concernaient la plupart du temps la météo.

Elle s'empara du journal de l'année 1890. Le mercredi 27 août, elle lut:

«Le vent souffle en tempête. Rien de spécial à signaler.»

— C'est ce gardien qui est l'auteur du cahier que vous avez découvert, dit-elle. Comparez les deux écritures. On ne peut se tromper.

— Qui était le gardien du phare à cette époque? demanda Hélène.

Élisabeth tourna la dernière page du journal officiel. Le gardien avait signé. Il s'appelait Wilfrid Bourque.

— Nous allons vraiment faire sa connaissance, ajouta-t-elle. Voyons ce qu'il a écrit le lundi 1er septembre 1890, dans le journal officiel : « Fin de la visite de l'inspecteur Courcy. Il partira demain pour les phares de la côte de Gaspé, emportant avec lui mes revendications pour de meilleures conditions de vie. » Et maintenant, voyons ce que son journal personnel nous révèle.

Lundi, 1ᵉʳ septembre 1890

L'inspecteur Courcy a eu sa pitance. Je le voyais rôder depuis deux jours autour du phare avec son calepin noir, faisant mine de noter quelques remarques. Mais je savais que comme toujours il attendait mon rapport, comme un chien son os. Je l'ai fait quelque peu languir. Avant le souper, je le lui ai remis. Il ne m'a même pas remercié. Il considère cela comme une chose due. Il n'y a pas de façon plus facile de gagner sa vie. On n'a qu'à se promener tout l'été d'un phare à l'autre, s'enquérir des besoins, réparations, fournitures nécessaires. Chaque gardien connaît son phare comme le fond de sa poche. Il prépare sa liste à remettre à monsieur l'inspecteur. D'un côté, il inscrit les besoins en matériaux et réparations ; de l'autre, il dresse la liste des besoins en nourriture et denrées nécessaires à la vie de tous les jours. L'inspecteur ne fait que cueillir ces rapports. Il les retranscrit comme s'il les avait lui-même rédigés :

« J'ai constaté qu'au phare du Rocher-aux-Oiseaux les murs de la tour auraient grand besoin d'un bon crépi. Il faudra procéder dans la mesure de nos moyens », et patati, et patata.

Bon voyage, cher inspecteur! À vous balader ainsi, vous gagnez plus que le double de mon salaire. Pourriez-vous s'il vous plaît m'envoyer quelques dollars pour votre rapport? Il me semble qu'il ressemble beaucoup au mien. Impossible, me direz-vous! Vous avez bien raison. Accepter de nous payer pour nos rapports serait vous priver de votre gagne-pain. Bon appétit quand même, cher inspecteur!

— Voyez-vous, dit Élisabeth aux deux jeunes filles, la nature humaine n'a pas changé. Après avoir écrit cela, le gardien a tout bonnement soupé avec l'inspecteur qui n'a sans doute même pas soupçonné un seul instant ce que le gardien pensait réellement de lui. Je crois que nous aurons du plaisir à lire la suite.

Chapitre 51

Gardien de phare

Secondé par Jean, Albert avait rapidement entrepris son travail de gardien. Il connaissait déjà le fonctionnement des divers mécanismes de la lampe. Il avait vérifié la sirène de brume, les groupes électrogènes, les réservoirs d'eau potable. Il prenait de jour en jour possession de son phare et de son île. Comme un capitaine de navire, il se sentait le seul maître à bord.

Deux fois par jour, il se rendait au sommet de la tour, le soir pour vérifier la lanterne avant la nuit, le matin pour aller nettoyer les réflecteurs. Jean et Marie l'accompagnèrent les deux premiers jours. Albert leur parla longuement de son travail. Il était déjà convaincu que la tâche accomplie par un gardien de phare est plus valorisante que n'importe quel autre travail.

— Te rends-tu compte que des milliers de vies humaines dépendent de moi ? Je n'aurais qu'à éteindre la lampe et tous ces gens seraient d'un seul coup à ma merci.

— Tu n'as pas honte de penser ainsi ? s'indigna Jean.

— C'est une façon de parler, voyons ! Mais ça illustre comment mon poste de gardien de phare est important. Grâce à moi, des milliers de personnes peuvent voyager en toute confiance à bord des navires qui les mènent au bout de leur croisière. Je suis le gardien du golfe. Ma lampe dirige navires et passagers vers leur heureuse destinée.

Il bomba le torse, se sentant utile à l'humanité entière. Jean ne put s'empêcher de comparer son travail à celui qu'il accomplissait dans l'Ouest américain.

— Au fond, tu as parfaitement raison, admit-il. Un gardien de phare est sûrement plus utile qu'une foule d'individus dont le salaire est pourtant immensément plus élevé.

Sa réflexion fit rire Albert de bon cœur.

— Au fond, dit-il, le meilleur salaire est la satisfaction que nous tirons de ce que nous faisons.

Ayant décidé d'observer l'île du haut de la plate-forme soutenant la lanterne, Élisabeth y monta, accompagnée de Marie. Le spectacle grandiose l'impressionna au plus haut point. Vus par les fenêtres du phare, les environs lui paraissaient de dimensions plus humaines, alors que du haut de la plate-forme, l'immensité du ciel et de la mer lui faisait mesurer davantage la petitesse du rocher, perdu telle une épave au beau milieu du golfe.

— Te rends-tu compte, dit-elle à Marie, comme nous sommes petites en réalité ? C'est incroyable !

— Vous avez cent fois raison. Nous sommes entou-
rées d'eau sur des milles et des milles et le seul endroit
où nous pouvons mettre les pieds est cette petite île.
Brrr! Je pense que je ne serais pas capable de rester
pendant des mois ici.

— Tu es comme moi, Marie… J'ai besoin de grands
espaces, mais j'ai aussi besoin de savoir que j'ai les
deux pieds bien à terre.

Venus les rejoindre, Albert et Jean leur firent faire
un saut.

— Bouh! cria Jean, tout s'écroule!

Malgré elles, les deux femmes sursautèrent et tout
finit par de grands éclats de rire.

— Savez-vous, dit Albert, que cette île a été com-
parée par un poète à un grain de beauté sur la joue du
golfe? Tout le monde la trouve étonnante par la rai-
deur de ses falaises, l'escarpement de ses rochers et sa
minuscule dimension dans cette immensité liquide.

— C'est justement ce que nous nous disions, fit
remarquer Marie. Nous nous sentons moins que rien
en haut de ce phare.

Albert enchaîna:

— J'ai pris connaissance du plan et des rapports de
construction de la tour. Il a fallu aux constructeurs
beaucoup d'ingéniosité pour monter les matériaux sur
des rochers aussi escarpés.

Jean demanda:

— Sais-tu jusqu'où porte la lumière du phare?

— Par beau temps, elle peut être perçue à plus de
vingt-cinq milles.

Ils se penchèrent au-dessus du garde-fou pour regarder à leurs pieds. Tout près, la maison occupait à elle seule le milieu de l'île, entourée d'un hangar et de remises. En haut de la falaise, non loin du débarcadère, une cabane dominait l'escalier donnant accès à l'île. Arrachées dans le bas sur une longueur de vingt pieds, les marches avaient été temporairement remplacées par une échelle de cordage. Les falaises tout autour, malgré leur exposition au vent, abritaient des milliers de guillemots, de fous de Bassan et autres oiseaux de mer qui animaient de leurs cris incessants ce paysage à la beauté sauvage.

— Tu ne crains pas de te sentir très seul quand nous serons partis ? demanda Élisabeth.

— J'ai l'habitude, cousine. La solitude ne me fait pas peur.

— J'imagine, remarqua Marie, qu'il faut un tempérament spécial pour être gardien de phare.

— Non pas, dit Albert. Il faut simplement aimer être seul.

Chapitre 52

Un visiteur

Heureuses de leur expérience de la veille, les deux femmes remontèrent le lendemain au sommet de la tour.

— Les premiers jours, dit Élisabeth, je ne pensais jamais pouvoir grimper jusqu'ici.

Marie fit remarquer, avec le sourire qui la rendait si sympathique :

— C'est pour dire qu'on s'habitue à tout.

Occupées à observer la mer du côté du large, elles ne virent pas tout de suite, à l'opposé, le petit navire de pêche qui, malgré le commencement du jusant, s'approchait en droite ligne du rocher. Ce fut Marie qui le signala en premier. Quand elle l'aperçut, Élisabeth s'inquiéta :

— Comment le capitaine va-t-il parvenir à manœuvrer pour accoster dans des vagues houleuses comme celles-là et contre un puissant vent d'ouest ? Il va se fracasser sur les rochers.

Marie sourit :

— Allons, dit-elle, le capitaine sait certainement ce qu'il fait.

Lunettes d'approche et porte-voix en main, Albert descendait justement à l'observatoire tout en ameutant l'île entière :

— Un navire en vue ! Venez voir !

Les filles accoururent les premières, suivies de près par Jean, la calotte enfoncée sur les yeux, portrait vivant du vétéran gardien de phare. Élisabeth et Marie descendirent les rejoindre.

Le capitaine du bateau de pêche connaissait bien son métier. Il profita du vent qui le repoussait vers le large pour s'approcher prudemment du quai. À la proue, on distinguait nettement la silhouette d'un ecclésiastique. Valise en main, il attendait l'occasion propice pour sauter. L'avant du bateau s'abaissait dans la vague puis remontait brusquement tel un tremplin. À quelques pieds à peine du quai, au moment où la proue du navire remontait, ils assistèrent à l'envol de la grande valise noire et de son propriétaire. Malgré les éclaboussures d'eau de mer, le prêtre roula sans dommage sur le quai.

— Il volait comme une corneille à valise ! s'écria Jean.

Sa remarque fit s'esclaffer les deux filles. Soulagé de son passager, le vaisseau se laissa dériver sous la poussée du vent. Le capitaine donna deux petits coups de sirène en guise de salutation. L'abbé fit signe de la main que tout allait bien pour lui.

— Nous venons d'hériter d'un oiseau rare, ajouta Jean. Pourvu qu'il ne soit pas trop empaillé.

Hélène et Marthe rirent de plus belle.

Avec son porte-voix, Albert cria au nouvel arrivant:

— Rien de cassé?

Le curé le rassura d'un geste sec, à l'image de toute sa personne.

— Un brin sur rien, dit Jean. Qui peut bien nous envoyer cette échalote sur échasse?

Visiblement indécis quant à la façon de s'y prendre pour grimper, le prêtre lorgnait dans la direction de l'observatoire, d'où tous les habitants de l'île reluquaient dans sa direction comme s'ils observaient une bête curieuse.

— Y a pas cent façons, monsieur le curé, cria Albert. Il faut prendre l'échelle de cordage pour rejoindre ensuite l'escalier.

Craintif, l'abbé hésitait. Jean décida de descendre lui prêter main-forte. Pendant ce temps, il fit une première tentative d'escalade. Quand Jean le rejoignit, il ne put se retenir de rire tant la situation lui parut loufoque. Suspendu tête en bas dans une position fort inconfortable, un pied pris dans le cordage de l'échelle, le prêtre tentait désespérément de retenir à la fois sa valise et sa soutane.

— Comment avez-vous fait votre compte, monsieur l'abbé? Heureusement que vous ne savez pas sacrer. Autrement, je pense que votre patron là-haut se serait senti concerné.

Il le soulagea d'abord de sa valise puis, en le tenant par la main, il lui fit faire un demi-tour vers le haut, comme à la grande aiguille d'une horloge.

— Vous revoilà à l'heure juste !

Tout confus, l'ecclésiastique bafouilla des excuses et se présenta :

— L'abbé Lucien Bell.

En même temps, il tendit à Jean une main osseuse qui lui fit aussitôt l'effet d'une castagnette.

— Enchanté, monsieur l'abbé ! dit-il. Vous êtes ici pour longtemps ?

— J'ai choisi ce site pour y trouver à la fois le repos de l'âme et du corps. J'y serai deux mois, si Dieu le veut.

— Et si nous le voulons nous aussi, ne put s'empêcher de lui faire remarquer Jean.

— J'ai prévenu monsieur Malouin de mon arrivée, reprit-il. Il est d'accord.

— Mais ce n'est plus lui qui est gardien du phare.

— Vous me dites pas !

— Ce n'est pas grave, le nouveau gardien vous recevra aussi bien. Bienvenue au Rocher-aux-Oiseaux ! Maintenant, il va falloir ajuster vos ailes pour voler jusque là-haut. Vous passerez devant, je vous assurerai par derrière. Je vais attacher votre valise au câble du treuil. Nous la remonterons tout à l'heure.

Gauchement, l'abbé se mit à grimper.

— Vous voliez mieux tantôt en sortant du bateau, se moqua Jean. Vous deviez être porté par la grâce ou votre ange gardien. Comment m'avez-vous dit que vous vous appeliez déjà ?

— L'abbé Lucien Bell.

Jean fit soudain le lien. « L'abbé Bell. » Ne pouvant se retenir, il partit d'un grand éclat de rire, ce qui eut pour effet de secouer l'échelle. Surpris, l'abbé en perdit presque l'équilibre. Il ne parlait pas, mais tremblait de toute sa personne. L'échelle tout entière en vibrait.

— Courage! l'exhorta Jean. Encore quelques pieds et vous vous retrouverez sur le plancher des vaches.

À cette hauteur, l'escalier permettait un accès plus facile jusqu'à l'observatoire. Hélène et Marthe les y attendaient. Dès qu'ils l'eurent atteint, malicieusement, Jean demanda à brûle-pourpoint:

— Doit-on vous appeler l'abbé Lucien, l'abbé tout court ou l'abbé Bell?

Les deux filles pouffèrent.

— Si vous voulez me faire plaisir, appelez-moi l'abbé Lucien, murmura-t-il sans s'offusquer.

Il esquissa même un sourire avant d'ajouter:

— Que voulez-vous, on ne choisit pas le nom qu'on porte.

Comme il le leur apprit durant le souper, l'abbé avait longtemps enseigné la philosophie au Grand Séminaire de Québec. Ses théories quelque peu hasardeuses avaient suffisamment suscité l'attention, puis le courroux de certains de ses supérieurs pour qu'on l'expédiât, sans autre forme de procès, comme vicaire dans une petite paroisse de la Côte-Nord.

Il avait réellement l'air de ce qu'il était: un philosophe perdu hors de ce monde. Élisabeth se disait: «Il peut sans doute philosopher durant des heures, mais il doit avoir de la misère à lacer ses souliers.» Albert se montra étonné qu'un prêtre ait choisi le Rocher-aux-Oiseaux pour venir se reposer.

— Il n'y a pas meilleur endroit, soutint l'abbé. On y est au grand air. On y vit au rythme de la nature, loin du bruit. Ce n'est pas mon premier séjour en ces lieux.

Les filles le considérèrent tout de suite comme un original. Pour sa part, Élisabeth le mit entre parenthèses, se promettant de se faire à son sujet une idée plus juste quand elle le connaîtrait mieux.

Chapitre 53

L'opinion de l'abbé

Élisabeth attendit quelques jours avant d'intéresser l'abbé au journal de Wilfrid Bourque. Question de le jauger, elle lui dit :

— Un prêtre a toujours sa petite idée sur la façon de percevoir la vie. J'aimerais bien connaître votre opinion sur celle de notre ami Bourque dans son journal. Lisez plutôt.

Mercredi, 10 septembre 1890

La vie est un voyage au bout de nous-même. Chaque jour nous façonne à l'image de notre destinée. Comme le phare exposé aux vents et marées, nous avons en nous tout ce qu'il faut pour éclairer notre route, mais nous faisons rarement briller nos réflecteurs de tous leurs feux. Trop souvent nous laissons notre lampe s'éteindre sans mettre assez à profit l'instant présent. La vie nous file entre les doigts sans que nous ayons le temps de la vivre pleinement.

— Qu'en pensez-vous, monsieur l'abbé ?

— Qui était ce monsieur Bourque ?

— Le gardien du phare en 1890.

— Il avait de la vie une conception fort juste mais incomplète. Il ne semblait pas compter beaucoup sur l'aide des autres ni sur celle de Dieu, sans doute parce que trop habitué à vivre seul.

— Mets ça dans ta pipe, mon garçon, dit Albert à Jean. On a parfois besoin des lumières des autres.

En entendant Albert parler de la sorte, Marie éclata de rire.

— Se pourrait-il, le taquina Albert, qu'un certain monsieur que nous connaissons bien ait parfois la tête dure ?

Marie se mit à rire de plus belle.

— Toi, ma coquine ! s'exclama Jean en l'attirant contre lui.

Le lendemain, l'île entière était enveloppée par un linceul de brume, à ce point dense qu'on pouvait se demander s'il se lèverait avant la nuit. La pluie ne cessa pas. Le jour s'étira en un long bâillement. Il n'y avait rien d'autre à faire que lire, dormir et penser. Élisabeth en profita pour sortir le journal de Wilfrid Bourque. En sa compagnie, elle cheminait jour après jour, page après page. L'ancien gardien lui paraissait avoir été un homme réfléchi et sensible. Au dîner, elle partageait avec les autres les fruits de sa lecture. Ce midi-là, elle entama la conversation en disant :

— Saviez-vous que malgré le phare, il y a déjà eu un naufrage sur le rocher ? On a blâmé le gardien. Il n'y était pourtant pour rien. À cette époque, on se servait d'un sifflet à vapeur par temps de brume. Si la chose vous intéresse, nous laisserons le gardien lui-même nous raconter cette histoire.

Devant leur intérêt marqué, elle prit le cahier et se mit à lire :

Sans avertissement, un vent d'ouest a charrié un épais brouillard. Je me suis rendu au hangar mettre aussitôt en marche le sifflet de brume. C'était en début de soirée. Il faut pratiquement compter une heure avant que la pression de la vapeur soit assez forte pour actionner le sifflet. Entre-temps, j'ai tiré du canon tous les quarts d'heure.

Une fuite empêchant la condensation de la vapeur, le sifflet ne fonctionnait pas au bout d'une heure. Je décidai de réparer le tout. Mon assistant était malade. Il ignorait la façon de charger le canon. Il ne pouvait m'être d'aucun secours. Je dus me résoudre, le temps de remettre le sifflet en état de fonctionner, à laisser faire les coups de canon.

Quand, au bout d'une demi-heure, je fus en mesure de remettre l'engin en marche, je revins au canon. Je n'eus pas le temps de tirer. La mer en furie écumait. Ce fut d'abord la lueur d'un fanal au milieu du mât que je vis surgir de la brume. Aussi invraisemblable que cela puisse paraître, le vent n'avait pu éteindre cette faible flamme. La pointe de l'étrave apparut. Au même moment, j'entendis un effroyable craquement. Le vaisseau se brisa en deux sur les récifs. Les morceaux retombèrent à la mer. Une vague énorme le souleva de nouveau pour le projeter en pièces détachées contre les rochers et le broya, telle une meule géante.

Si quelqu'un survit à cette catastrophe, me dis-je, je ne m'appelle pas Bourque. Je me précipitai dans la direction du navire naufragé. Malgré la brume épaisse, je parvins à l'escalier qui mène au quai. Des morceaux du vaisseau avaient été projetés jusque sur les marches. J'eus beau m'égosiller à crier : « Ohé ! Il y a quelqu'un ? Ohé ! Par ici ! », le bruit de la mer et du vent couvrait mes cris. J'avais l'impression de me parler à moi-même.

Aucun son ne montait de l'abîme. J'en conclus que tous les naufragés avaient péri. Je passai le reste de la nuit à guetter le moindre signe de vie en contrebas. Le sifflet de brume se faisait régulièrement entendre. À la barre du jour, le vent avait faibli. Je décidai d'aller y voir de plus près. Peut-être, me dis-je, que je pourrai identifier le navire par une de ses chaloupes ou une bouée de sauvetage. La marée basse laissait des rochers à découvert. Des débris de toutes sortes jonchaient le sol. Je descendis jusqu'au rivage. D'un seul coup d'œil, je devinai qu'il s'agissait d'un navire de pêche. Je vis une bouée accrochée à la falaise. On pouvait y lire : L'Étoile de mer. Je me souvins, pour l'avoir déjà vu passer, qu'il s'agissait d'un petit baleinier des Madelinots. Après avoir mis à l'abri quelques débris récupérables, je m'apprêtais à remonter quand j'entendis nettement un gémissement. La plainte provenait de sous une chaloupe *renversée à moitié défoncée. En m'approchant, j'aperçus le visage ensanglanté d'une femme aux longs cheveux dorés. Elle me regardait avec des yeux anxieux. Sa beauté me bouleversa.*

Vivement, je soulevai la barque, la fit basculer sur le côté, me penchai sur la blessée dont j'évaluai rapidement l'état. Elle souffrait de multiples contusions, peut-être de fractures et d'une mauvaise plaie à la tête. Mais surtout, elle grelottait. J'enlevai mon manteau, l'en couvris, puis je remontai en vitesse chercher couvertures et pansements. Quelques minutes plus tard, je me retrouvai près d'elle. Je l'enveloppai d'abord dans une grande couverture. Elle ne bougeait pas, ne parlait pas non plus. Prudemment, je nettoyai la blessure qu'elle avait à la tête. Je voulais me rendre compte de sa gravité. Quand je fus certain que le fait de la déplacer n'empirerait pas son état, je la soulevai et grimpai doucement vers le phare. Le soleil perçait de plus en plus les nuages. Cela me parut un signe d'espérance.

Élisabeth termina ainsi sa lecture. Un long silence suivit. Chacun demeurait songeur.

— Est-ce qu'il dit plus loin ce qu'est devenue cette naufragée ? demanda Hélène.

— Certainement ! J'ai eu la curiosité de lire la suite. Qui devinera exactement ce qu'il est advenu d'elle ?

— Elle est morte, risqua Marthe.

— Retournée chez elle, soutint Hélène.

— Demeurée au Rocher, dirent Albert et Marie.

— Et vous, monsieur l'abbé, qu'en pensez-vous ?

— Je ne saurais dire.

— Allons ! Risquez au moins quelque chose, supplia Marthe.

— On l'a transportée dans un hôpital.

— C'est Albert et Marie qui ont deviné juste, dit Élisabeth. Elle est demeurée au Rocher. Pourquoi pensez-vous ?

— C'est très simple, assura Jean. Elle était comme Marie, elle avait de trop beaux yeux. Elle a dû se marier avec le gardien.

— Tu as absolument raison ! s'exclama sa mère. Elle fut la seule survivante du naufrage. C'est incroyable, ce que fait parfois le destin !

— Les voies de Dieu ne sont pas les nôtres, murmura l'abbé. Souhaitons-nous autant de chance qu'à cette pauvre naufragée.

Albert sortit quelques verres et une bouteille de vin.

— Trinquons, invita-t-il, à notre avenir heureux !

Comme pour souligner ce vœu, un rayon de soleil perça les nuages. Une légère brise de « sorouest » s'était levée, balayant progressivement les nuages de brume. Ils laissaient passer çà et là des trouées de soleil.

La soirée s'annonçait belle.

Chapitre 54

La philosophie de l'abbé

Élisabeth s'était donné deux semaines dans cette solitude pour se calmer, se reposer et remettre ses idées en place. Au bout de quinze jours, elle put donc mesurer les changements survenus. Elle goûtait avec plaisir les moments de détente et de paix que lui apportait son séjour au Rocher. La présence de sa belle-fille y contribuait pour beaucoup, tout comme le journal de Wilfrid Bourque.

Cet après-midi-là, elle était absorbée par sa lecture quand l'abbé Lucien s'approcha.

— Vous ne vous ennuyez pas des nouvelles du vaste monde ? demanda-t-il.

Élisabeth sursauta :

— Vous m'avez fait peur, monsieur le curé !

— Excusez-moi ! Je ne suis pas curé, mais simple vicaire.

— Il me semble que je vous verrais mieux en curé ou en monseigneur.

—Ne vous moquez pas, madame. Je terminerai sans doute mes jours au cloître ou dans une petite paroisse, alors que mon plus grand désir aurait été de continuer l'enseignement de la philosophie.

—Vous vous ennuyez de l'enseignement?

—Oui, madame! Il n'y a rien de plus agréable que de baigner dans les hautes sphères de l'esprit.

—J'ai moi aussi enseigné autrefois, à des jeunes enfants. Mais dites-moi, puisque vous avez longtemps enseigné la philosophie, vous devez avoir développé votre propre façon de percevoir la vie?

Il la regarda, en hésitant.

—Allons, monsieur l'abbé, avança Élisabeth, vous ne me ferez pas croire que vous n'avez pas une manière à vous de voir le monde.

—Ma philosophie? Il n'y en a pas de plus simple.

Il se concentra pour chercher la façon la plus judicieuse de présenter son secret.

—La vie est par définition synonyme d'action. Sans action, pas de vie. L'inaction, c'est la mort! Vous me direz: l'action appelle l'action. C'est faux! L'action n'appelle pas l'action. Voilà ce que j'ai découvert et c'est ma philosophie: l'action appelle la réaction.

—Si vous me donniez un exemple? dit Élisabeth.

—J'y arrive, répondit l'abbé. Supposons que je vous donne une gifle. Que faites-vous?

—Je vous en flanque une à mon tour.

—Voilà! C'est ça la réaction.

—Et si je ne vous gifle pas?

— L'action n'a pas provoqué la réaction. Cette action-là meurt.

— C'est fréquent! observa Élisabeth. Pensons seulement aux réactions que les gens n'ont pas. Ils se laissent manger la laine sur le dos par le premier venu, bougonnent mais ne font rien.

L'abbé sourit et poursuivit:

— À une bonne action répond ordinairement une réaction positive, et à une action mauvaise une réaction négative. Si vous opposez à l'action négative la réaction positive, vous agissez chrétiennement.

— C'est ça, dit Élisabeth, toute fière d'avoir compris. "Si on vous frappe sur la joue gauche, présentez encore la droite."

— Voilà! C'est déconcertant, n'est-ce pas?

— Trop déconcertant pour moi. Écoutez bien, monsieur l'abbé, vous me direz ensuite comment vous réagiriez...

Elle lui raconta en long et en large les péripéties de sa vie.

— Si je mets en pratique votre théorie, ajouta-t-elle, quelle devrait être ma réaction?

— À l'action négative, opposer la réaction positive veut dire, dans votre cas, repartir à neuf.

— C'est, hélas, ce que j'ai dû faire toute ma vie, conclut Élisabeth. Je pense que ce séjour au phare va me donner la force de continuer ou, si vous aimez mieux, la force de réagir.

Pendant qu'ils causaient, la noirceur avait envahi l'île. Le faisceau lumineux du phare balayait le ciel. Élisabeth songea aux paroles de Wilfrid Bourque :

Comme le phare exposé aux vents et marées, nous avons en nous tout ce qu'il nous faut pour éclairer notre route.

Elle mesurait également la justesse des propos de l'abbé : « On doit savoir compter sur l'aide des autres. »

Ce soir, c'était cet abbé qui était le phare éclairant sa route.

Chapitre 55

Les maléfices du Rocher-aux-Oiseaux

Les deux dernières semaines au phare se déroulèrent sans qu'Élisabeth ait réellement le temps de les voir passer. Elle était maintenant prête à tenter de refaire sa vie. Dans sa tête se dessinait nettement le plan qu'elle suivrait pour repartir à neuf.

Depuis qu'il lui avait révélé sa façon de voir la vie, Élisabeth n'avait pas eu d'autres longues conversations avec l'abbé. C'était un solitaire. Il disparaissait des jours entiers, Bible ou bréviaire en main, du côté de l'observatoire. Taciturne, il donnait de plus en plus l'image d'un homme tourmenté qui aurait eu besoin à son tour des lumières de quelqu'un d'autre.

— Avez-vous remarqué l'abbé, m'man? lui demanda Jean. Ne le trouvez-vous pas bizarre? Il passe ses journées au bord de la falaise à contempler la mer.

— C'est normal, dit-elle. Il veut devenir contemplatif.

— Rien n'empêche qu'il ne me semble pas être un homme heureux !

— C'est bien possible ! Il a l'air tourmenté. Peut-être le démon du midi…

— Ne trouvez-vous pas que, pour lui, intervint Albert, midi vient plutôt à quatorze heures ?

Sa réflexion les fit rire tous les deux. Ils se dirigeaient tous les trois vers le phare au moment où Marie vint les rejoindre.

Albert invita Jean :

— Tu viens m'aider à nettoyer les réflecteurs ?

— Volontiers !

En montant à la lanterne, ils s'arrêtèrent afin de jeter un coup d'œil de la fenêtre du troisième.

— Vois-tu ce que je vois ? demanda soudain Albert.

— Quoi donc ?

— Regarde au bout de l'île… Mes filles !

Elles étaient toutes nues au milieu des rochers à profiter du soleil du matin.

— Les petites bougresses, elles font bien ! approuva Jean. C'est leur dernière journée sur l'île. Si nous avions donc pu en faire autant quand nous avions leur âge !

Retournée à la maison en compagnie de Marie, Élisabeth commença à ranger ses effets. Le journal de Wilfrid Bourque dominait la pile. Elle l'ouvrit aux dernières pages.

Mars 1891

Ce soir, je réfléchis au cycle de la vie. Tout est un perpétuel recommencement. Les marées succèdent aux marées, les jours aux jours, les lunes aux lunes, les saisons aux saisons. Jamais la nature ne se lasse. Tout ici-bas se recrée. Il n'y a qu'en nous que quelque chose meurt jour après jour. Pourtant, de nous la vie jaillit à travers nos enfants pour que jamais le cycle ne s'achève. C'est ainsi qu'on se perpétue au-delà de nous comme nos pères dont le sang coule en nos veines.

Un être disparaît. On referme sur lui la terre. On tourne la page. On est prêt à recommencer. Une nouvelle page toute blanche apparaît que quelqu'un d'autre va écrire. Je me souviens du temps de mes pères. C'était hier. Ils abattaient les arbres dont on fit le bois de leur cercueil. Pour eux, les jours étaient tissés de courage, d'efforts continus et de si peu de tendresse. Leur amour, ils l'incarnaient par leur travail pour arracher à la terre le pain quotidien, nourriture de leurs enfants.

Rien n'a changé, sinon que pour nous la vie se fait plus douce. Elle nous permet quelque répit. Nous trouvons le temps d'écrire nos amours. Nous avons la chance de les vivre mieux. Demain, nos enfants plus que nous trouveront le temps de vivre, à moins que pour eux la vie montre plus rude visage. J'ai accordé ma vie au rythme des marées. Les saisons n'ont plus autant d'impact. La mer me dicte sa loi. Le vent tourne à son gré les pages du grand livre de mes jours. Le soleil y brille à chaque instant puisque l'amour est entré dans ma vie par la fin d'une autre existence, comme quoi tout est un perpétuel recommencement.

Ainsi se terminait le journal du gardien du phare. Quelques jours plus tard, devant la mer son amie, on le retrouva mort, sourire au coin des lèvres.

Élisabeth était absorbée dans ses pensées, quand un bruit la fit sursauter. Hélène et Marthe venaient d'apparaître, nues, au milieu de la pièce. Élisabeth resta interloquée. Elle finit par demander :

— Que se passe-t-il ?

Les jeunes filles étaient livides. Incapables de parler, elles désignaient un point du rocher. Élisabeth et Marie sortirent en vitesse. Les filles les suivirent de loin, comme deux bêtes apeurées. Élisabeth et Marie s'approchèrent du bord du rocher, là où les jeunes filles avaient l'habitude de s'installer pour leurs observations. Elles ne remarquèrent rien d'abord. Puis, en se penchant au bout de la corniche, Élisabeth aperçut en contrebas dans les rochers, tel le crucifié de Nazareth, le corps de l'abbé Lucien, mort au bout de sa chute, les bras en croix.

La vision de cet homme paisible, mort de si violente façon, la glaça. Elle mit plusieurs minutes à reprendre ses moyens. Revenues de leur choc, les deux femmes coururent chercher les hommes. Ils eurent besoin de toutes leurs forces pour parvenir à hisser le corps jusqu'à l'observatoire. Le Rocher-aux-Oiseaux venait de faire une autre victime.

Il fallut ensuite toute la patience d'Élisabeth et de Marie pour parvenir à faire dire aux jeunes filles ce qui s'était réellement passé. L'abbé, qui n'allait pourtant jamais à ce bout du rocher, s'était aventuré ce jour-là jusqu'au bord de la corniche. Loin des yeux indiscrets, Hélène et Marthe, comme l'avaient remarqué du haut de la tour leur père et Jean, s'étaient complètement dévêtues pour prendre du soleil.

Elles avaient vu une sterne blessée, qui venait tout juste de s'abattre à quelques centaines de pieds d'elles. Spontanément, elles avaient décidé d'aller lui porter secours. En direction du sentier surplombant la falaise, elles avaient vivement remonté le rocher. Au moment où elles avaient débouché au sommet, elles étaient arrivées nez à nez avec l'abbé, qui s'amenait en sens inverse, les yeux dans son bréviaire. Sans doute surpris de les voir surgir ainsi dans leur plus simple appareil, l'abbé avait eu un mouvement de recul avant de perdre pied. Quelques secondes plus tard, il se retrouvait au bas du rocher.

Comme prévu, le lendemain, le navire de la garde côtière vint les chercher au phare. Marthe et Hélène repartaient à leur pensionnat pour le début de l'année scolaire. Un jeune homme descendit du navire. Il venait seconder Albert dans son travail. Après avoir déchargé nourriture et objets divers, les membres de l'équipage hissèrent non sans peine le corps de l'abbé à bord de l'embarcation qu'ils avaient utilisée pour s'approcher de l'île. Par le même moyen, ils revinrent ensuite chercher Élisabeth, Jean et Marie, de même que les deux jeunes filles. Marthe et Hélène embrassèrent leur père et sautèrent les premières dans la barque. Jean les suivit avec les bagages. Après avoir serré longuement Albert dans ses bras, tout en le remerciant de son invitation, Élisabeth monta à son tour, suivie de Marie. La barque s'éloigna, pendant qu'Albert leur faisait ses adieux par de grands gestes de la main. Une fois à bord du bateau, ils gardèrent les yeux sur le Rocher-aux-Oiseaux. Il leur semblait dériver vers le large. Le phare dressait bien droit sa tour et la lanterne clignotait fidèlement toutes les trente secondes.

De multiples drames avaient précédé leur venue en ce lieu, un autre marquait leur départ. Élisabeth y était arrivée bouleversée et confuse; elle en repartait tout aussi secouée. Mais alors qu'elle pensait se remettre difficilement de ce dernier choc, une pensée ne quittait pas son esprit. Si l'abbé avait été encore là, il lui aurait sûrement dit: «L'avenir est dans la réaction: vous devez réagir.» Elle voyait Marthe et Hélène encore accablées par les événements de la veille. Elle s'approcha d'elles, les prit par le bras et les mena à la proue du navire. Rendue là, elle les serra contre elle.

— Regardez! dit-elle. La mer est puissante, les vagues sont fortes, mais le navire fonce dedans sans dévier de sa route. Voilà ce que m'a appris ce séjour au Rocher-aux-Oiseaux. Quoi qu'il arrive, il faut aller de l'avant. Il n'y a rien de plus beau que la vie!

Chapitre 56

Baie-Saint-Paul

Leur vaisseau les ramena jusqu'à Québec. Quand il fut question de conduire Marthe et Hélène à leur pensionnat, Élisabeth, qui avait pris les deux jeunes filles sous son aile, insista pour les accompagner. Cela lui rappelait le temps déjà lointain où elle avait étudié à Québec et pensionné chez Bertha Pesant. Jean avait fait les choses en grand. Ils étaient logés à l'hôtel Clarendon, en plein cœur du Vieux Québec, à deux pas de la terrasse Dufferin et du tout jeune Château Frontenac.

Élisabeth se fit escorter par Marie pour un pèlerinage dans son passé. La pension Pesant n'existait plus. La maison où Élisabeth avait logé durant trois années avait été transformée en magasin d'antiquités.

— C'est ce que je suis en train de devenir, une antiquité... se plaignit Élisabeth.

— Allons donc! la reprit Marie. Vous êtes encore toute jeune et j'aurai longtemps besoin de vous. Une grand-mère est toujours utile à une jeune mère inexpérimentée.

— Que dis-tu là ? s'exclama Élisabeth. Me laisserais-tu entendre que tu es en famille ?

— C'est ce que je crois, si j'en juge par ce que je ressens.

Depuis longtemps, Marie attendait de voir un sourire aussi heureux sur les lèvres de sa belle-mère. Ses paroles y étaient parvenues.

— Jean est-il au courant ?

— Il va l'apprendre… après vous.

Cette nouvelle enthousiasmait Élisabeth. Elles passaient justement devant les vitrines du photographe Livernois. Ce fut l'occasion pour elle de raconter sa rencontre avec son Joachim. Les deux femmes gagnèrent la terrasse. De là-haut, la vue sur la rive sud, l'île d'Orléans, la Côte-de-Beaupré et les montagnes de Charlevoix leur tira des « oh ! » et des « ah ! ». Si loin que le regard portait, tout était repos pour l'œil. Sur des milles et des milles, tout ce qu'elles voyaient était beau et harmonieux.

Elles déambulèrent sur la terrasse. De l'index, Marie indiqua à Élisabeth la maison où elle était née, à Lévis. Elles s'arrêtèrent devant un comptoir en plein air où une femme vendait des sucreries. Marie acheta quelques jujubes et trois chocolats.

Plus loin, un homme vendait des livres qu'il avait étalés sur une table. Élisabeth en feuilleta quelques-uns, s'attardant à en lire brièvement les titres : *Les Anciens Canadiens*, *Le Château de Beaumanoir*, *Le Chien d'or*, *La Fiancée du rebelle*. Marie lui fit la lecture d'un poème de circonstance qu'elle venait de dénicher dans un petit recueil :

Perché comme un aiglon sur le haut promontoire,
Baignant ses pieds de roc dans le fleuve géant,
Québec voit ondoyer, symbole de sa gloire,
L'éclatante splendeur de son drapeau blanc.

Et, près du château fort, la jeune cathédrale
Fait monter vers le ciel son clocher radieux.
Et l'Angélus du soir, porté par la rafale
Aux échos de Beaupré, jette ses sons joyeux.

Élisabeth l'interrompit pour demander :
— De quel auteur est-ce ?
Vivement, Marie chercha la page titre.
— Octave Crémazie.
Soudainement, comme saisie par une idée farfelue, Élisabeth se mit à rire.
— Qu'est-ce qui vous arrive ? questionna Marie.
Élisabeth reprit son souffle avant de répondre :
— Comme je suis loin de Lewiston !
Elles ne se décidaient pas à quitter la terrasse. Après s'être assises quelques minutes sur un banc, devant le fleuve, elles s'attardèrent à regarder le traversier ramenant son chargement de passagers jusqu'au quai.
— Demain, dit Marie, voulez-vous m'accompagner ? Je veux visiter la dernière tante qui me reste à Lévis.

—Avec plaisir, dit-elle. Mais j'y pense, est-ce là que vous allez vous fixer, Jean et toi ?

—Non ! Mais je laisse à Jean le plaisir de vous annoncer notre choix. Bien entendu, nous comptons vous avoir avec nous.

—Je vous suivrai là où vous irez. Je n'ai plus d'attaches nulle part, ni Lewiston, ni Sainte-Claire, ni Métabetchouan. Ça sera un nouveau départ.

—Je pense que vous ne regretterez pas notre choix.

Quelques jours plus tard, ils partaient pour Baie-Saint-Paul. Jean n'avait pas eu de difficulté à la convaincre.

—Nous avons visité Charlevoix durant notre voyage de noces et nous sommes tombés amoureux de Baie-Saint-Paul. Je me suis dit : "Maman y est née. Elle en est partie bien jeune, mais le fait de revenir là où elle a vu le jour ne devrait pas nuire à son bonheur."

—Je serai heureuse là où vous serez, et encore plus quand je pourrai y gâter mes petits-enfants.

—Attendez au moins que nous en ayons ! s'écria Jean.

Marie en profita pour dire :

—Ça ne tardera pas.

—Hein ! Tu es enceinte ?

Comme elle acquiesçait, Jean la serra dans ses bras avec un tel enthousiasme que la charrette à bord de laquelle ils avaient pris place se mit à tanguer et que le charretier arrêta son cheval.

❧

Ils gagnèrent Baie-Saint-Paul par le chemin royal, passant la première nuit dans une auberge de Château-Richer. Tout au long du trajet, ils eurent tout loisir d'admirer les maisons trapues aux toits en pente raide, surmontées de larges cheminées et percées de lucarnes pointues, incarnations mêmes du savoir-faire ancestral. Comme des chiens de berger, les maisons dormaient au bord de la route, le museau tourné vers le grand fleuve, un œil ouvert sur l'immensité. Elles gardaient jalousement en leurs flancs deux cents ans de souvenirs étalés sur six ou sept générations de naissances, de mariages et de sépultures. Elles abritaient l'histoire de tout un pays.

Morcelées comme des courtepointes, les terres s'étalaient, insouciantes, le long du grand fleuve. Elles avaient vu défiler, année après année, des générations de paysans aussi vaillants que patients, occupés à tirer d'elles le meilleur de leur subsistance. Cinquante ans à peine après la naissance de Québec, les enfants des premières générations avaient quitté ces terres pourtant généreuses pour aller encore plus à l'est, le long de la côte, à la découverte des montagnes et des forêts enchantées de Charlevoix. C'était là qu'à leur tour ils se rendaient, confiants d'y trouver le bonheur qu'ils cherchaient.

Après Château-Richer, la route les mena sur les caps d'où la vue se perdait au-delà du fleuve. Ils cheminèrent ainsi jusqu'à Saint-Tite, où ils passèrent une autre nuit. Jean informa sa mère :

— M'man, quand nous allons arriver à Baie-Saint-Paul, nous serons déjà chez nous.

— Vraiment ?

— J'y ai acheté une maison avec une grande terre où je pourrai élever des chevaux. Vous allez aimer l'endroit. La maison est près du fleuve, au pied du Cap-aux-Corbeaux. De là où nous sommes, nous voyons tout le village et au loin les montagnes. J'ai pensé à vous en l'achetant.

— Tu as pensé à moi ?

— Oui, je l'ai achetée pour que tous les soirs vous puissiez admirer les couchers de soleil.

Ravie, Élisabeth était toute émue.

— Tu n'aurais pas dû !

— Pourquoi donc ?

— Ç'a dû te coûter une fortune !

— Allons donc, m'man. Ma fortune est déjà faite et il n'en est parti qu'un tout petit morceau.

— Vous savez que Jean a écrit au notaire Murray, à Great Falls ? Il va nous rembourser toutes les dépenses de notre voyage de noces et de notre séjour au Rocher-aux-Oiseaux.

Élisabeth n'en croyait pas ses oreilles.

— Vous n'avez pas l'air de vous rendre compte, m'man, ajouta Jean, que vous n'aurez plus à vous tracasser pour l'avenir jusqu'à la fin de vos jours. Tout ce que vous aurez à faire, ce sera d'être heureuse.

— Je le suis bien assez, après tout ce que j'entends.

∽

De Saint-Tite, le lendemain, ils gagnèrent Petite-Rivière-Saint-François. L'automne commençait déjà à se vêtir de ses plus beaux atours. À chaque détour du chemin, une bombe de couleurs leur sautait à la figure. Sous le ciel bleu, un peintre géant avait laissé choir ses couleurs qui avaient éclaboussé les montagnes, les forêts, les feuilles et les mousses en un gigantesque arc-en-ciel. Ils n'avaient pas assez de leurs deux yeux pour tout admirer.

La route avait tourné brusquement. Elle débouchait dans un à-pic, au-dessus du fleuve. Tout en bas se dessinait, découpée sur le bleu de l'eau, la demi-lune orangée d'un boisé, posée sur la rive comme une tranche de cantaloup. Ils prenaient tous les trois la mesure de ce pays sans mesure. Ils découvraient sa vastitude, qui leur donnait presque le goût de s'envoler. Aussi loin que portait le regard, il se perdait dans les bleus du ciel et du fleuve, tandis que près d'eux, la forêt éclatait de tous ses ors et de ses écarlates.

Jean pria le charretier de s'arrêter.

— Nous ne sommes pas pressés, dit-il. Auriez-vous l'obligeance de faire halte un petit moment?

— Pourquoi donc?

— Pour nous donner la chance d'admirer ce que nous avons sous les yeux.

— C'est vrai que vous passez par ici pour la première fois, acquiesça le charretier. Moi, ça fait au moins une centaine de fois. Je commence à être habitué.

— Il me semble, dit Jean, qu'on ne doit jamais s'accoutumer à pareille splendeur.

Ils demeurèrent là longtemps à se demander si, un jour, ils admireraient quelque chose de plus beau. Puis, reprenant la route, ils descendirent vers le fleuve, au cœur des érablières de Petite-Rivière-Saint-François. Elles avaient revêtu leurs habits de fête. Il y en avait pour tous les goûts. Ils se pressaient de regarder, pensant que tout cela allait brusquement s'évanouir, mais l'enchantement continuait dans un mélange d'or, de vermillon, de jaune ocre, d'orange, de rouge vif, atténué par une gamme infinie de verts. Des plus hauts monts, ils étaient descendus au creux d'une vallée dans la quiétude des plaines enchâssées au pied des Laurentides.

Puis, ils remontèrent de nouveau vers les sommets. De là, ils découvrirent les charmes de ces vertes val-lées, à l'ombre des plus vieilles montagnes du monde. Ils savaient qu'ils ne pourraient que se plaire dans ce pays tout en courbes, repos pour l'œil et le cœur. Comme leur avaient assuré tous ceux qu'ils avaient informés de leur intention de s'établir dans Charlevoix: «Vous allez voir comme c'est plaisant!»

Dès que, du haut des derniers caps, Élisabeth aperçut Baie-Saint-Paul comme un bijou au fond de son écrin, elle sut qu'elle allait enfin trouver la paix qu'elle cherchait depuis si longtemps.

— M'man, ce n'est pas tout, dit Jean. J'en ai parlé à Marie et nous avons pensé que parfois vous voudriez être seule. Aussi, quand vous en aurez le temps, vous nous direz où nous vous ferons construire une petite maison.

— Vous voulez me faire construire une maison?

— Oui, m'man, avec une grande galerie tournée vers l'ouest, et de larges fenêtres ouvertes à la fois sur le fleuve et les montagnes.

Elle en resta le souffle coupé. Après quelques jours passés dans ce lieu unique, elle avait fait son choix. Sa maison s'élèverait à quelques pas à peine de celle de Jean.

— Tu ne sais pas tout le bonheur que tu me donnes, dit-elle. Comme ça, je serai proche pour garder et gâter mes petits-enfants. Jamais je n'aurais pensé être aussi comblée!

— Vous l'avez bien mérité, déclara Marie. Jean ne fait que vous rendre un peu de ce que vous lui avez donné.

— Je suis exaucée avec cette vue du fleuve et des montagnes. Il me semble que je vais maintenant vivre, et respirer au même rythme que le fleuve avec ses marées. Vous voyez, quand je me tourne vers les montagnes pour les admirer, elles me parlent. Elles me disent de ne pas chercher ailleurs, que la vie la meilleure coule ici à leur pied. Et dire que j'ai le bonheur enfin d'y vivre! Vraiment, le village où nous sommes nés ne cesse jamais de nous habiter et je pense qu'ici, les couchers de soleil seront toujours plus beaux qu'ailleurs.

FIN DE LA SAGA

Table des matières

Imprimé en mars 2011
sur les presses de Transcontinental Gagné
Louiseville, Québec